QUÍMICA GERAL EM QUADRINHOS

Blucher

QUÍMICA GERAL EM QUADRINHOS

LARRY GONICK
&
CRAIG CRIDDLE

Título original: The Cartoon Guide to Chemistry
© 2005 by Craig Criddle (texto)
© 2005 by Larry Gonick (ilustrações)

Química geral em quadrinhos
© 2014 Editora Edgard Blücher Ltda.
2ª reimpressão – 2017

Blucher

Rua Pedroso Alvarenga, 1245, 4º andar
04531-934 – São Paulo – SP – Brasil
Tel.: 55 11 3078-5366
contato@blucher.com.br
www.blucher.com.br

Segundo o Novo Acordo Ortográfico, conforme 5. ed.
do *Vocabulário Ortográfico da Língua Portuguesa*,
Academia Brasileira de Letras, março de 2009.

É proibida a reprodução total ou parcial por quaisquer
meios sem autorização escrita da editora.

Todos os direitos reservados pela Editora
Edgard Blücher Ltda.

FICHA CATALOGRÁFICA

Gonick, Larry
  Química geral em quadrinhos / Larry Gonick,
Craig Criddle; tradução de [Henrique Eisi Toma]. –
São Paulo: Blucher, 2014.

  256 p. : il.

  ISBN 978-85-212-0776-4

  Título original: The Cartoon Guide to Chemistry

  1. Química 2. História em quadrinhos I. Título
II. Criddle, Craig III. Toma, Henrique Eisi

13-0598   CDD 540

Índices para catálogo sistemático:
  1. Química

APRESENTAÇÃO

"QUÍMICA GERAL EM QUADRINHOS", DE GONICK & CRIDDLE

COMO PROFESSOR DE QUÍMICA DA USP, MINHA PRIMEIRA REAÇÃO FOI "NEM PENSAR". QUÍMICA EM QUADRINHOS NÃO FAZ MEU GÊNERO! TALVEZ MUITOS DOS LEITORES TENHAM A MESMA IMPRESSÃO INICIAL. MAS, SEM DÚVIDA, EM BREVE TODOS SE RENDERÃO À ESTA MAGNÍFICA OBRA DO CONSAGRADO CARTUNISTA LARRY GONICK E DO QUÍMICO CRAIG CRIDDLE, PROFESSOR DA UNIVERSIDADE DE STANFORD. ESTE LIVRO É DIRIGIDO PARA ESTUDANTES UNIVERSITÁRIOS, EM NÍVEL INTRODUTÓRIO, MAS TAMBÉM SERÁ ÚTIL E INTERESSANTE PARA ALUNOS DE NÍVEL MÉDIO, PELO FATO DE TRABALHAR OS CONCEITOS PARTINDO DA ESTACA ZERO, USANDO UMA LINGUAGEM COLOQUIAL, PORÉM, EXTREMAMENTE OBJETIVA E PRECISA. PARA O PROFESSOR, SERÁ UMA AVENTURA, MUITO DIVERTIDA E AGRADÁVEL. PARA ESTE TRADUTOR, FOI UM DESAFIO E GRATIFICANTE SURPRESA ENTRAR NO INCRÍVEL UNIVERSO DOS "CARTOONS" E APRENDER A LIDAR COM ESTA NOVA FORMA DE ENSINAR QUÍMICA, JOGANDO COM CARICATURAS E IMAGENS, EXPLORANDO O LADO CÔMICO, SEM PERDER DE VISTA OS VALORES DOS CONTEÚDOS. REALMENTE, COMO BOM É PODER SE DIVERTIR APRENDENDO QUÍMICA!

HENRIQUE EISI TOMA

SUMÁRIO

CAPÍTULO 1 9
    INGREDIENTES SECRETOS

CAPÍTULO 2 25
    A MATÉRIA TORNA-SE ELÉTRICA

CAPÍTULO 3 53
    ASSOCIABILIDADE

CAPÍTULO 4 75
    REAÇÕES QUÍMICAS

CAPÍTULO 5 93
    CALOR DE REAÇÃO

CAPÍTULO 6 113
    A MATÉRIA EM SEU ESTADO

CAPÍTULO 7 137
    SOLUÇÕES

CAPÍTULO 8 149
    VELOCIDADES DE REAÇÃO E EQUILÍBRIO

CAPÍTULO 9 173
    ÁCIDOS E BASES

CAPÍTULO 10 199
    TERMODINÂMICA QUÍMICA

CAPÍTULO 11 217
    ELETROQUÍMICA

CAPÍTULO 12 235
    QUÍMICA ORGÂNICA

APÊNDICE 251
    O USO DE LOGARITMOS

ÍNDICE 253

PARA
DEON CRIDDLE,
QUEM SEMPRE TEVE TEMPO PARA AJUDAR
SEU FILHO NAS FEIRAS DE CIÊNCIAS

E

À MEMÓRIA DE EMANUEL GONICK E OTTO GOLDSCHMID,
AMBOS QUÍMICOS.

O CARTUNISTA DEIXA SEUS AGRADECIMENTOS AO SEU ASSISTENTE,
HEMENG "MOMO" ZHOU. SEM SUAS HABILIDADES NO COMPUTADOR,
NA ARTE E SEU BOM HUMOR, ESTE LIVRO LEVARIA UMA ETERNIDADE...

CAPÍTULO I
INGREDIENTES SECRETOS

O FOGO – E OUTROS PROCESSOS – REVELARAM **ASPECTOS OCULTOS DA MATÉRIA**. QUANDO VOCÊ AQUECE UM PEDAÇO DE MADEIRA, INICIALMENTE PARECE QUE ELE FICA APENAS MAIS QUENTE... MAS DE REPENTE, EM ALGUM PONTO, A MADEIRA SE IRROMPE EM CHAMAS. DE ONDE **ISSO** APARECEU?

QUÍMICA É A CIÊNCIA QUE RESPONDE ESSA QUESTÃO E, DE FATO, AS **REAÇÕES QUÍMICAS** SÃO AS TRANSFORMAÇÕES MISTERIOSAS QUE REVELAM AS **PROPRIEDADES OCULTAS** DA MATÉRIA.

A QUÍMICA É UMA CIÊNCIA QUE LIDA COM ASPECTOS OCULTOS, ESCONDIDOS OU INVISÍVEIS. NÃO É DE ADMIRAR QUE TENHA LEVADO TANTO TEMPO PARA OS SEGREDOS QUÍMICOS SEREM REVELADOS... E TUDO COMEÇOU COM O **FOGO**.

PROVAVELMENTE A MELHOR COISA SOBRE O FOGO É QUE ELE PODE SER USADO PARA CONTROLAR **OUTRAS** REAÇÕES QUÍMICAS: QUANDO COZINHAMOS, POR EXEMPLO!

PARECE LOUCURA, MAS UMA DESSAS PEDRAS VERDES, DE ASPECTO FARINHENTO, ACABOU FUNDINDO E SE TRANSFORMANDO EM UM LÍQUIDO ALARANJADO, QUE, DEPOIS DE RESFRIADO, DEU ORIGEM AO COBRE METÁLICO, BRILHANTE.

ISSO OS ENCORAJOU A DERRETER PEDRAS VERMELHAS E PRODUZIR O FERRO... QUEIMAR O BARRO E OBTER TIJOLOS... COMBINAR A GORDURA E AS CINZAS PARA FAZER SABÃO... E TRANSFORMAR (SEM FOGO) O LEITE EM IOGURTE... GRÃOS DE FERMENTO EM CERVEJA... E REPOLHO EM KIMCHEE[1]. O PRÓXIMO PASSO VOCÊ SABE, A QUÍMICA LEVOU À **CIVILIZAÇÃO!**

[1] TIPO DE COMIDA COREANA. (NT)

COMO EXPLICAR OS SEGREDOS DA MATÉRIA? OS GREGOS ANTIGOS LEVANTARAM, NO MÍNIMO, TRÊS DIFERENTES TEORIAS.

OUTRO FISÓLFO, **HERÁCLITO**, SUGERIU QUE TUDO SERIA FEITO DE **FOGO**.

ENTRE AS TRÊS HIPÓTESES, ACABOU SENDO A DE ARISTÓTELES QUE TEVE MAIOR INFLUÊNCIA NA CIÊNCIA MEDIEVAL. ERA MUITO **OTIMISTA**! SE TUDO FOSSE UMA MISTURA DOS QUATRO ELEMENTOS, ENTÃO, SERIA POSSÍVEL TRANSFORMAR QUALQUER COISA EM OUTRA COISA, COMBINANDO-SE ADEQUADAMENTE OS INGREDIENTES!

CHUMBO EM OURO, POR EXEMPLO...

ESSE OBJETIVO IMPOSSÍVEL FOI PERSEGUIDO POR **JABIR** (SÉCULO VIII) E **AL-RAZI** (SÉCULO X), E LEVOU À INVENÇÃO DE UMA GRANDE VARIEDADE DE EQUIPAMENTOS DE LABORATÓRIO E DE PROCEDIMENTOS LABORATORIAIS. É UMA PROVA DE QUE SE PODE REALIZAR ENORMES PROGRESSOS PRÁTICOS, MESMO LIDANDO COM IDEIAS ABSURDAS.

JÁ APARECEU ALGUM OURO?

VAMOS REDEFINIR NOSSAS METAS...

A EUROPA MEDIEVAL ASSIMILOU A CIÊNCIA ISLÂMICA – E SEU NOME, **ALQUIMIA** (= "A QUÍMICA" EM ÁRABE) – BEM COMO SUA AVIDEZ PELA TRANSMUTAÇÃO AO OURO. O ALQUIMISTA GERMÂNICO **HENNIG BRAND**, POR EXEMPLO, TENTOU OBTER OURO DESTILANDO 60 BALDES DE URINA.

ONDE SE CONSEGUE 60 BALDES DE URINA?

NO FINAL, O BALÃO DE DESTILAÇÃO DE BRAND BRILHOU NO ESCURO. ELE HAVIA DESCOBERTO O FÓSFORO – PORÉM, NADA DE OURO...

APESAR DAS ESPECULAÇÕES RADICAIS, OS ALQUÍMICOS ALCANÇARAM ENORMES PROGRESSOS NO LABORATÓRIO: ELES APERFEIÇOARAM A DESTILAÇÃO, A FILTRAÇÃO, A TITULAÇÃO ETC... AVANÇARAM NO TRABALHO COM VIDRO, METALURGIA, EXPLOSIVOS, CORROSÃO... E, TAMBÉM, INVENTARAM O "VINHO FORTE", OU SEJA, A BEBIDA ALCOÓLICA...

MAS, SUAS HABILIDADES DE LABORATÓRIO FALHAVAM EM UM IMPORTANTE PONTO: A COLETA DE **GASES**. SE UMA REAÇÃO CONSOME GÁS, OS ALQUIMISTAS NÃO TINHAM COMO DETERMINAR ISSO. QUANDO HAVIA LIBERAÇÃO DE GASES, ELES SIMPLESMENTE OS DEIXAVAM ESCAPAR.

ISSO SIGNIFICA QUE ELES NUNCA PODERIAM CONTABILIZAR OS **INGREDIENTES** OU **PRODUTOS** ENVOLVIDOS NAS REAÇÕES QUÍMICAS.

O ESTUDO MODERNO DOS GASES OU "TIPOS DE AR" COMEÇOU NOS ANOS 1600, COM INVESTIGAÇÕES SOBRE OS EFEITOS DA PRESSÃO DO AR. VEJA ESTA DEMONSTRAÇÃO REALIZADA POR **OTTO VON GUERICKE** (1602-1686).

VON GUERICKE USOU DUAS SEMIESFERAS COM PERFEITA SELAGEM ENTRE ELAS. POR MEIO DE UMA VÁLVULA ERA POSSÍVEL BOMBEAR O AR PARA FORA.

QUANDO O VÁCUO ERA FORMADO, AS DUAS SEMIESFERAS UNIDAS RESISTIAM AO ESFORÇO DE TRAÇÃO DOS CAVALOS USADOS PARA SEPARÁ-LAS.

ENTÃO, ELE ABRIU A ENTRADA DE AR...

E AS DUAS ESFERAS SE SEPARARAM FACILMENTE.

EXPLICAÇÃO: O AR EXTERNO PRESSIONA AS PAREDES DAS DUAS SEMIESFERAS MANTENDO-AS UNIDAS. SOMENTE QUANDO EXISTE AR NO INTERIOR DA ESFERA, É POSSÍVEL EQUILIBRAR AS FORÇAS, PERMITINDO SEPARAR AS DUAS PARTES COM FACILIDADE.

UM EXPERIMENTO CASEIRO DE FÁCIL REALIZAÇÃO: PREENCHA UMA GARRAFA COM ÁGUA E FECHE COM UMA TAMPA. INVERTA A GARRAFA E MERGULHE A EXTREMIDADE COM A TAMPA EM UM RECIPIENTE COM ÁGUA. (A PIA DA COZINHA É UMA BOA OPÇÃO). REMOVA A TAMPA SOB A ÁGUA. A GARRAFA PERMANECERÁ CHEIA.

A PRESSÃO DO AR SOBRE A SUPERFÍCIE DA ÁGUA NO RECIPIENTE, MANTÉM A ÁGUA PRESA DENTRO DA GARRAFA.

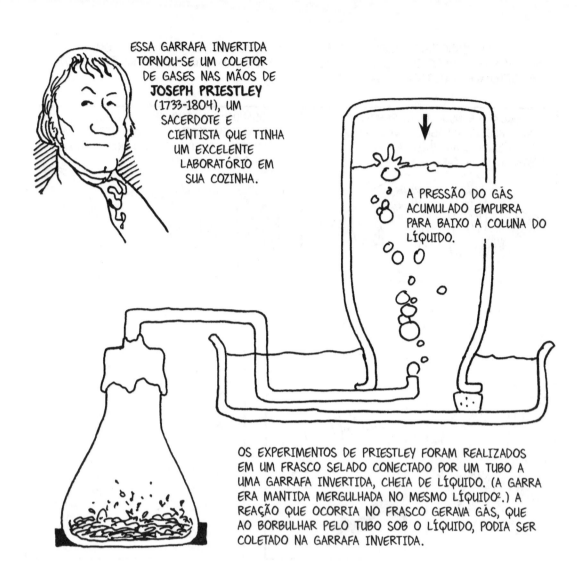

[2] O LÍQUIDO ERA A ÁGUA, MENOS QUANDO O GÁS ERA SOLÚVEL EM ÁGUA E, NESSE CASO, PRIESTLEY PREFERIU USAR O MERCÚRIO.

POR EXEMPLO, QUANDO PRIESTLEY TRATOU RASPAS DE FERRO COM UM ÁCIDO FORTE, A REAÇÃO PRODUZIU UM GÁS, OU "AR INFLAMÁVEL", QUE QUEIMAVA DE FORMA EXPLOSIVA. TRATAVA-SE DO **HIDROGÊNIO**.

EM OUTRO EXPERIMENTO ELE AQUECEU UM MINERAL VERMELHO CONHECIDO COMO "CALX, OU CINZAS DE MERCÚRIO" (ATUALMENTE, ÓXIDO DE MERCÚRIO). À MEDIDA QUE O CALX SE TRANSFORMAVA SOB AÇÃO DO CALOR, GOTAS DE MERCÚRIO METÁLICO CONDENSAVAM-SE SOBRE AS PAREDES DO RECIPIENTE, ENQUANTO UM GÁS SE ACUMULAVA NO INTERIOR DA GARRAFA INVERTIDA.

(PRIESTLEY USOU LENTES PARA FAZER O AQUECIMENTO COM LUZ, COMO FORMA DE EVITAR A CONTAMINAÇÃO COM FUMAÇA E PARTICULADOS LIBERADOS PELA CHAMA.)

PRIESTLEY NOTOU QUE A CHAMA QUEIMAVA COM BRILHO EXTRA QUANDO IMERSA NESSE NOVO GÁS.

COMO SABIA QUE A CHAMA QUEIMA BEM EM AR FRESCO (OU SEJA, RESPIRÁVEL) E DEFINHA EM AR EXAURIDO (COMO NAS MINAS DE CARVÃO), PRIESTLEY RESOLVEU ARRISCAR UMA TRAGADA.

DEPOIS, ESCREVEU:

"A SENSAÇÃO PROVOCADA EM MEUS PULMÕES NÃO ERA SENSIVELMENTE DIFERENTE DA DO AR COMUM. PORÉM, SENTI QUE MINHA RESPIRAÇÃO FICAVA MAIS LEVE E A SENSAÇÃO PERSISTIA, MESMO APÓS ALGUM TEMPO. QUEM SABE, SE ESSE NOVO TIPO DE AR NÃO PODERÁ TORNAR-SE UM ARTIGO DE MODA, OU LUXÚRIA? MAS, ATÉ ENTÃO, APENAS DOIS CAMUNDONGOS E EU MESMO, TIVEMOS O PRIVILÉGIO DE RESPIRÁ-LO."

POIS ERA OXIGÊNIO...

AO MESMO TEMPO, NA FRANÇA, **ANTOINE LAVOISIER** (1743-1794) REALIZAVA EXPERIMENTOS SEMELHANTES, PORÉM DE FORMA INVERSA.

LAVOISIER AQUECEU UM PEDAÇO DE ESTANHO METÁLICO EM UM FRASCO HERMETICAMENTE FECHADO. UMA ESPÉCIE DE CINZA (ÓXIDO) APARECEU SOBRE A SUPERFÍCIE DO ESTANHO EM FUSÃO. LAVOISIER CONTINUOU AQUECENDO POR UM DIA E MEIO ATÉ QUE NÃO HAVIA MAIS FORMAÇÃO DE CINZA.

DEPOIS DE ESFRIAR, O FRASCO FOI INVERTIDO E A TAMPA REMOVIDA SOB ÁGUA.

ASSIM CONSTATOU QUE A ÁGUA PREENCHIA APENAS UM QUINTO DO ESPAÇO EXISTENTE NO FRASCO.

CONCLUSÃO: UM QUINTO DO AR ORIGINALMENTE PRESENTE NO FRASCO FOI REMOVIDO PELA REAÇÃO COM O ESTANHO, FORMANDO A ESPÉCIE CINZA NA SUPERFÍCIE.

O AR, DISSE LAVOISIER, DEVE SER UMA **MISTURA** DE DOIS GASES DIFERENTES, UM DELES COMPÕE UM QUINTO DO VOLUME TOTAL E COMBINA COM O ESTANHO, ENQUANTO O OUTRO PERMANECE INALTERADO.

EM OUTRAS PALAVRAS, O AR NÃO É UM ELEMENTO!

D´OH[3]!

[3] D´OH! É UMA EXPRESSÃO USADA POR HOMMER SIMPSON PARA EXPRESSAR UM GRUNHIDO DE INSATISFAÇÃO, E É MARCA REGISTRADA DA 20TH CENTURY FOX. (NT)

DEPOIS LAVOISIER REPETIU O EXPERIMENTO USANDO MERCÚRIO NO LUGAR DO ESTANHO. SOB CALOR INTENSO, O MERCÚRIO TAMBÉM FORMOU UMA CINZA (CALX) E REMOVEU ALGUM COMPONENTE GASOSO DO AR. EM SEGUIDA, AQUECIDO SUAVEMENTE, O CALX ACABOU LIBERANDO O GÁS E TODO O MERCÚRIO ORIGINAL, DA MESMA FORMA COMO OBSERVADO POR PRIESTLEY.

O EXPERIMENTO É REVERSÍVEL!

EM OUTRAS PALAVRAS, O "AR REVIGORANTE" DE PRIESTLEY ERA O MESMO GÁS QUE LAVOISIER HAVIA ENCONTRADO, PERFAZENDO 20% DA ATMOSFERA. O QUÍMICO FRANCÊS O CHAMOU DE **OXIGÊNIO**.

ELE ESTÁ EM TODO LUGAR!

LAVOISIER CHEGOU A UMA CONCLUSÃO GERAL: A **COMBUSTÃO** É UM PROCESSO, NO QUAL O MATERIAL COMBUSTÍVEL COMBINA-SE COM O OXIGÊNIO. **O FOGO NÃO É UM ELEMENTO**; É UMA REAÇÃO QUÍMICA QUE CONSOME OXIGÊNIO E LIBERA CALOR E LUZ.

O QUÊ? AGORA FICAMOS REDUZIDOS A **DOIS** ELEMENTOS?

SINTO MUITO, ARIST...

INTERPRETAÇÃO: A CINZA ERA UM **COMPOSTO** FORMADO PELO METAL E OXIGÊNIO (UM ÓXIDO METÁLICO, COMO DIRÍAMOS ATUALMENTE).

O OXIGÊNIO VEM DO AR CONTIDO NO FRASCO.

LAVOISIER CONFIRMOU ISSO POR MEIO DA PESAGEM: O PESO DO METAL REMANESCENTE (QUE NÃO REAGIU) MAIS O PESO DA CINZA ERA MAIOR QUE O PESO DO METAL ORIGINAL.

O PESO EXTRA VEM DO OXIGÊNIO!

TEM MAIS: LAVOISIER TAMBÉM CONCLUIU QUE O PESO TOTAL DO FRASCO SELADO COM O CONTEÚDO INTERNO ERA O MESMO, ANTES E DEPOIS DA REAÇÃO.

ESTANHO + AR

ÓXIDO DE ESTANHO + ESTANHO QUE NÃO REAGIU + AR DESOXIGENADO

E, ENTÃO, ELE ESTABELECEU A LEI DA **CONSERVAÇÃO DA MATÉRIA**.

Nas reações químicas, nada se cria ou se perde. Os elementos são simplesmente rearranjados em novas combinações.

LAVOISIER PROPÔS UM PROGRAMA PARA A QUÍMICA: ENCONTRAR OS ELEMENTOS, SEUS PESOS E SUAS REGRAS DE COMBINAÇÃO, MAS ACABOU SENDO DECAPTADO NA REVOLUÇÃO FRANCESA, E O PROGRAMA, ASSIM COMO SUA CABEÇA, TEVE DE SER CONDUZIDO POR OUTROS.

O PESO DA CABEÇA MAIS O PESO DO CORPO...

OS QUÍMICOS PROSSEGUIRAM COM ENTUSIASMO, E POR VOLTA DE 1900 HAVIAM DESCOBERTO CERCA DE 30 ELEMENTOS – E NENHUM DELES ERA A **ÁGUA**. JÁ SE SABIA QUE A ÁGUA ERA UM COMPOSTO DE HIDROGÊNIO E OXIGÊNIO.

ACEITA UM BALÃO DE HIDROGÊNIO? É DIVERTIDO!

GRRR...

FOI CONSTATADO QUE OS **COMPOSTOS** NÃO ERAM MERA MIXÓRDIA ARISTOTELIANA. PELO CONTRÁRIO, OS COMPOSTOS SEMPRE APRESENTAVAM ELEMENTOS COMBINADOS EM **PROPORÇÕES DEFINIDAS**. A ÁGUA, POR EXEMPLO, ERA SEMPRE FEITA COM EXATAMENTE DOIS VOLUMES DE HIDROGÊNIO E UM VOLUME DE OXIGÊNIO.

EMBORA OS ÁTOMOS SEJAM INVISÍVEIS, DE TÃO PEQUENOS, MESMO ASSIM OS CIENTISTAS ACEITARAM A TEORIA ATÔMICA, POIS ELA CONSEGUIA EXPLICAR O QUE ERA POSSÍVEL DE SE VER...

ENQUANTO ISSO, ELES CONTINUARAM A BUSCA POR NOVOS ELEMENTOS, E ENCONTRARAM APROXIMADAMENTE **70** ATÉ OS ANOS 1860 — ERA UMA RESPEITÁVEL LISTA. OS ELEMENTOS PODIAM SER SÓLIDOS, LÍQUIDOS OU GASOSOS, ALÉM DE AMARELOS, VERDES, PRETOS, BRANCOS OU MESMO INCOLORES, QUEBRADIÇOS OU FLEXÍVEIS, MUITO REATIVOS OU RELATIVAMENTE INERTES.

NUMA MANHÃ EM 1869, UM RUSSO CHAMADO **DMITRI MENDELEEV** (1834-1907) ACORDOU COM UMA IDEIA: LISTAR OS ELEMENTOS NA ORDEM CRESCENTE DOS PESOS ATÔMICOS E AGRUPAR AS FICHAS COM AS PROPRIEDADES EM INTERVALOS REGULARES.

O RESULTADO FOI UMA ESPÉCIE DE TABELA, COM OS ELEMENTOS DISPOSTOS EM FILAS. AQUI TEMOS UMA VERSÃO AINDA NASCENTE DA TABELA DE MENDELEEV. (A VERSÃO COMPLETA VOCÊ VERÁ NO PRÓXIMO CAPÍTULO).

HIDROGÊNIO							
LÍTIO	BERÍLIO	BORO	CARBONO	NITROGÊNIO	OXIGÊNIO	FLÚOR
SÓDIO	MAGNÉSIO	ALUMÍNIO	SILÍCIO	FÓSFORO	ENXOFRE	CLORO
POTÁSSIO	CÁLCIO					

OS ELEMENTOS APRESENTAVAM UM **PADRÃO PERIÓDICO**: EM CADA COLUNA VERTICAL, OS ELEMENTOS TINHAM PROPRIEDADES SEMELHANTES. ALÉM DISSO, MENDELEEV NOTOU A EXISTÊNCIA DE LACUNAS AO LONGO DA TABELA E PREVIU COM SUCESSO OS **NOVOS ELEMENTOS** QUE DEVERIAM PREENCHÊ-LAS.

A TABELA ERA ÓTIMA, MAS COMO ELA PODERIA SER EXPLICADA? COMO ENTENDER A SUA QUÍMICA? O QUE RESPONDERIA PELOS PESOS ATÔMICOS, OU QUE ELEMENTO PODE COMBINAR-SE COM OUTRO ELEMENTO? OS QUÍMICOS JÁ TINHAM AVANÇADO NA INTERPRETAÇÃO DE SUAS OBSERVAÇÕES, PORÉM UMA QUESTÃO AINDA PERMANECIA NO AR. **POR QUÊ?**

EU ADORO ESSA PERGUNTA!

PARA ENCONTRAR A RESPOSTA, OS CIENTISTAS SEGUIRAM PELA MESMA LINHA DE PENSAMENTO: SE AS SUBSTÂNCIAS SÃO FORMADAS DE ELEMENTOS, E OS ELEMENTOS SÃO CONSTITUÍDOS POR ÁTOMOS, ENTÃO, DO QUE SERIAM FEITOS OS ÁTOMOS?

JÁ NÃO SEI MAIS O QUE PERGUNTAR!

CAPÍTULO 2
A MATÉRIA TORNA-SE ELÉTRICA

A NATUREZA TEM UM OUTRO SEGREDO ALÉM DO FOGO... PELO MENOS, NO PRINCÍPIO, PARECIA SER UM OUTRO SEGREDO...

ESTE RELACIONAVA-SE COM O **ÂMBAR**... OU COMO OS GREGOS O CHAMAVAM, **ELEKTRA**.

QUANDO ELES ESFREGARAM ESSE MATERIAL NA MANTA DE PELE, ELE SE COMPORTOU DE MODO ESTRANHO, ATRAINDO A PENUGEM E OS PELOS ATRÁS DOS BRAÇOS.

SÉCULOS DEPOIS, UM INGLÊS CHAMADO WILLIAM GILBERT ENCONTROU OUTROS MATERIAIS COM A MESMA PROPRIEDADE. SEGUNDO GILBERT ELES TINHAM "ELEKTRA".

ENTÃO, AS PESSOAS NOTARAM QUE REALMENTE HAVIA DOIS TIPOS DE MATERIAIS ELÉTRICOS: UM QUE REPELIA O QUE ERA ATRAÍDO PELO OUTRO, E VICE-VERSA.

POR VOLTA DE 1750, **BENJAMIN FRANKLIN** (1706-1790) CHAMOU, PELA PRIMEIRA VEZ, ESSES DOIS TIPOS DE ELETRICIDADE DE **POSITIVO** E **NEGATIVO**.

POSITIVO, DIZIA FRANKLIN, REPELE POSITIVO; NEGATIVO REPELE NEGATIVO; MAS POSITIVO E NEGATIVO SE ATRAEM E DEPOIS SE CANCELAM. NA MATÉRIA COMUM, QUE É **NEUTRA**, AS CARGAS OPOSTAS ESTÃO PRESENTES EM QUANTIDADES IGUAIS.

CARGAS NEGATIVAS PODEM, ÀS VEZES, SAIR DE UMA SUBSTÂNCIA, CRIANDO UM **DESEQUILÍBRIO** – UM EXCESSO DE NEGATIVIDADE AQUI E POSITIVIDADE LÁ...

MAS POR CAUSA DA ATRAÇÃO MÚTUA, AS CARGAS NEGATIVAS PODEM FLUIR REPENTINAMENTE AO ENCONTRO DAS CARGAS POSITIVAS, PRODUZINDO UMA FAÍSCA.

"DUAS NOITES ATRÁS, TENTEI MATAR UM PERÚ COM UM CHOQUE ELÉTRICO USANDO DOIS GRANDES JARROS DE VIDRO[1]. ELES CONTINHAM ELETRICIDADE EQUIVALENTE A 40 GARRAFAS USUAIS. SEM QUERER RECEBI A CARGA TODA ATRAVÉS DOS MEUS BRAÇOS E CORPO, TOCANDO O FIO QUE SAÍA DE CIMA DOS JARROS, ENQUANTO OUTRA MÃO SEGURAVA A CORRENTE METÁLICA LIGADA A ELES."

– BENJAMIN FRANKLIN, 1750

[1] ERA APENAS UMA DAS FORMAS QUE O PAI DA DESCOBERTA, QUE ADORAVA DIVERSÃO, TINHA DE SE MANTER OCUPADO!

COM A INVENÇÃO DA BATERIA ELÉTRICA (POR ALESSANDRO VOLTA EM 1800), TORNOU-SE POSSÍVEL PASSAR UM FLUXO CONTÍNUO DE CARGA NEGATIVA – UMA **CORRENTE** – ATRAVÉS DE UM FIO DE COBRE E, TAMBÉM, POR ALGUNS OUTROS MATERIAIS.

OS QUÍMICOS TENTARAM PASSAR A ELETRICIDADE ATRAVÉS DOS MATERIAIS EM GERAL. DUAS TIRAS METÁLICAS, OU ELETRODOS, FORAM CONECTADOS A UMA BATERIA E MERGULHADOS EM ÁGUA.

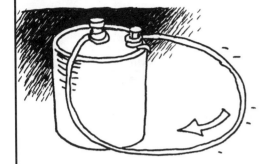

À MEDIDA QUE A CARGA CHEGAVA AOS ELETRODOS, BOLHAS DE **HIDROGÊNIO** APARECIAM NA LÂMINA NEGATIVA, OU **CATODO**. BOLHAS DE **OXIGÊNIO** FORMAVAM-SE NA LÂMINA NEGATIVA, OU ANODO.

A ELETRICIDADE DECOMPÕE A ÁGUA! OS CIENTISTAS RAPIDAMENTE APLICARAM ESSE PROCESSO DE **ELETRÓLISE** (DECOMPOSIÇÃO POR MEIO DA ELETRICIDADE) EM OUTRAS SUBSTÂNCIAS. NO CASO DO SAL DE COZINHA, EM ESTADO DE FUSÃO, OBTIVERAM **SÓDIO** METÁLICO NO CATODO, E **CLORO**, UM GÁS VERDE, NO ANODO.

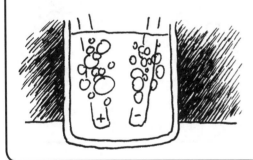

É UM GRANDE SALTO ENCONTRAR A ELETRICIDADE EM ALGUNS LUGARES E DEPOIS VÊ-LA DISTRIBUÍDA EM TODAS AS PARTES. MAS ISSO É O QUE A CIÊNCIA PROPORCIONA PARA VOCÊ!

NO FINAL DO SÉCULO XIX OS CIENTISTAS ESTAVAM CONVENCIDOS DE QUE OS ÁTOMOS ERAM FEITOS DE **CONSTITUINTES ELÉTRICOS**.

E ASSIM, AQUI ESTÃO SUAS IDEIAS:

OS **ÁTOMOS** SÃO FEITOS DE PARTÍCULAS ELETRICAMENTE CARREGADAS (E ALGUMAS PARTÍCULAS NEUTRAS TAMBÉM). CADA ÁTOMO TEM UM NÚMERO IGUAL DE CARGAS POSITIVAS E NEGATIVAS. AS PARTÍCULAS NEGATIVAMENTE CARREGADAS, CHAMADAS **ELÉTRONS**, PESAM POUCO E DESLOCAM-SE COM FACILIDADE.

UM ELÉTRON QUE SAI, DEIXA PARA TRÁS UM ÁTOMO COM CARGA POSITIVA, OU **ÍON POSITIVO**. TAIS ÍONS SÃO ATRAÍDOS PELOS CATODOS (QUE TÊM CARGA NEGATIVA), E DENOMINAM-SE CÁTIONS.

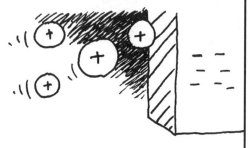

OUTROS TIPOS DE ÁTOMOS ASSIMILAM ELÉTRONS, TORNANDO-SE ÍONS NEGATIVAMENTE CARREGADOS, OU ÂNIONS, OS QUAIS SÃO ATRAÍDOS PELOS ANODOS.

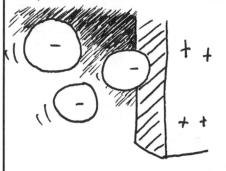

NO SAL DE COZINHA, POR EXEMPLO, CÁTIONS SÓDIO E ÂNIONS CLORETO (OU CLORIDO) ATRAEM-SE MUTUAMENTE, FORMANDO UM CRISTAL DE **CLORETO DE SÓDIO**.

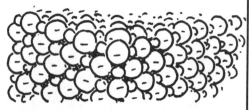

DURANTE A ELETRÓLISE, ESSES ÍONS MIGRAM PARA OS ELETRODOS.

FATO IMPORTANTÍSSIMO:

 OS ÁTOMOS COMBINAM-SE QUIMICAMENTE POR MEIO DE COMPARTILHAMENTO OU TRANSFERÊNCIA DE ELÉTRONS.

ENTÃO – PARA ENTENDER A QUÍMICA, PRECISAMOS VER COMO OS ELÉTRONS SE COMPORTAM DENTRO DE CADA ÁTOMO.

QUÃO PEQUENO É ESSE MINÚSCULO CENÁRIO? VAMOS TENTAR ENCOLHER **UM MILHÃO DE VEZES**. UM FIO DE CABELO HUMANO AGORA TEM A ESPESSURA EQUIVALENTE A 30 ANDARES... AS BACTÉRIAS PARECEM TORPEDOS... E OS ÁTOMOS PODEM SER VISTOS COM DIFICULDADE COMO PEQUENOS PONTOS.

ENCOLHER MIL VEZES MAIS NOS LEVA À ESCALA NANOMÉTRICA (1 NANÔMETRO = NM = 10^{-9} METRO). TIMIDAMENTE, ME VEJO COM APENAS 2 NM. OS ÁTOMOS AGORA TÊM CERCA DE UM DÉCIMO DO MEU TAMANHO. ESTAMOS EM UM AMBIENTE MUITO ENERGÉTICO: ONDAS DE LUZ ESTÃO ZUMBINDO POR TODOS OS LADOS, ENQUANTO OS ÁTOMOS SE AGITAM.

ISSO É O **GRAFITE** TIRADO DE UMA PONTA DE LÁPIS. OS ÁTOMOS DE CARBONO ESTÃO DISPOSTOS EM FOLHAS QUE PODEM DESLIZAR FACILMENTE UMA SOBRE A OUTRA. ISSO EXPLICA POR QUE GRAFITE É UM BOM LUBRIFICANTE[2].

VAMOS ENCOLHER DEZ VEZES MAIS ATÉ CHEGAR AO TAMANHO ATÔMICO - 10^{-10} METRO - E OLHAR PARA UM ÁTOMO ISOLADO DE CARBONO. POSSO VAGAMENTE SENTIR ALGUNS ELÉTRONS ZUMBINDO PELA REDONDEZA, EMBORA ELES SEJAM TERRIVELMENTE DIFÍCEIS DE FOCALIZAR.

[2] NORMALMENTE, A CARGA DO LÁPIS É UMA MISTURA DE GRAFITE E ARGILA.

AGORA ESTOU CEM VEZES MENOR, NA ESCALA PICOMÉTRICA, QUE É UM MILIONÉSIMO DO MILIONÉSIMO, OU 10^{-12} VEZES MEU TAMANHO REAL. FINALMENTE LÁ ESTÃO AS CARGAS POSITIVAS, TODAS AGLOMERADAS NO CENTRO DO ÁTOMO EM UM MINÚSCULO CAROÇO OU **NÚCLEO.** SE O DIÂMETRO DO ÁTOMO FOSSE DO COMPRIMENTO DE UM CAMPO DE FUTEBOL, ENTÃO, O NÚCLEO SERIA MENOR QUE UMA ERVILHA. O ÁTOMO É PREDOMINANTEMENTE UM ESPAÇO VAZIO!

O ÁTOMO DE CARBONO COMUM CONSISTE DE 12 PARTÍCULAS: SEIS **PRÓTONS** COM CARGA POSITIVA E SEIS **NÊUTRONS** SEM NENHUMA CARGA. AS CARGAS DOS PRÓTONS SÃO CONTRABALANÇADAS PELAS CARGAS NEGATIVAS DE SEIS ELÉTRONS CIRCULANTES, TORNANDO O ÁTOMO GLOBALMENTE NEUTRO.

MAS POR QUE OS PRÓTONS NÃO SE REPELEM MUTUAMENTE?

O NÚCLEO É MANTIDO COESO POR UMA PODEROSA ATRAÇÃO, CONHECIDA COMO **FORÇA FORTE**[3], QUE ATUA A CURTA DISTÂNCIA, SOBREPUJANDO A REPULSÃO ELÉTRICA. ESSA INTENSA ATRAÇÃO TORNA O NÚCLEO VIRTUALMENTE INDESTRUTÍVEL. ESSE MESMO ÁTOMO DE CARBONO TEM ESTADO NO NOSSO PLANETA POR BILHÕES DE ANOS.

A MASSA DO ÁTOMO ESTÁ QUASE TODA CONCENTRADA NO MINÚSCULO NÚCLEO. CADA PRÓTON E NÊUTRON (AMBOS POSSUEM PRATICAMENTE A MESMA MASSA) EQUIVALE A 1.840 VEZES A MASSA DE UM ELÉTRON.

PARA SER PRECISO:

PARTÍCULA	MASSA
PRÓTON	$1,673 \times 10^{-24}$ g
NÊUTRON	$1,675 \times 10^{-24}$ g
ELÉTRON	$0,00091 \times 10^{-24}$ g

[3] OS CIENTISTAS NEM SEMPRE INVENTAM NOMES EXÓTICOS COMO DE COSTUME.

AGORA, ALGUMAS

DEFINIÇÕES

ÚTEIS:

O **NÚMERO ATÔMICO** DE UM ELEMENTO É DADO PELO NÚMERO DE PRÓTONS EM SEU NÚCLEO. O NÚMERO ATÔMICO DO CARBONO É 6.

APROXIMADAMENTE 99% DE TODOS OS ÁTOMOS DE CARBONO DO PLANETA TÊM SEIS NÊUTRONS ACOMPANHANDO OS SEIS PRÓTONS EXISTENTES. TAIS ÁTOMOS SÃO CHAMADOS CARBONO-12 (ÀS VEZES, ESCREVEMOS ^{12}C), POIS SUAS MASSAS SÃO EQUIVALENTES ÀS DE 12 PARTÍCULAS NUCLEARES.

MAIS PRECISAMENTE, OS QUÍMICOS DEFINEM UMA **UNIDADE DE MASSA ATÔMICA**, OU **UMA**, COMO UM **DUODÉCIMO DA MASSA DO ÁTOMO DE ^{12}C**. O ÁTOMO DE CARBONO USADO COMO REFERÊNCIA TEM, POR DEFINIÇÃO, UMA MASSA EXATAMENTE IGUAL A 12,000000 UMA. TODAS AS OUTRAS MASSAS ATÔMICAS SÃO COMPUTADAS EM RELAÇÃO A ESTA REFERÊNCIA.

ENTRETANTO, 1,1% DOS ÁTOMOS DE CARBONO APRESENTAM SETE NÊUTRONS. O NÚMERO DE PRÓTONS CONTINUA SENDO SEIS (CASO CONTRÁRIO, NÃO SERIA MAIS O CARBONO!). O ÁTOMO DE **CARBONO-13** PESA SIGNIFICATIVAMENTE MAIS DO QUE O CARBONO-12.

^{12}C, ^{13}C, E UMA FORMA MUITO RARA, ^{14}C, SÃO CHAMADAS **ISÓTOPOS** DE CARBONO. OS ISÓTOPOS DE UM ELEMENTO APRESENTAM O MESMO NÚMERO DE PRÓTONS, PORÉM DIFERENTES NÚMEROS DE NÊUTRONS.

NÚCLEO DE ^{13}C

NÚCLEO DE ^{14}C

O ÁTOMO MAIS SIMPLES DE TODOS É O **HIDROGÊNIO,** DE SÍMBOLO H, COM NÚMERO ATÔMICO UM. EM QUASE TODOS OS ÁTOMOS DE HIDROGÊNIO, UM ÚNICO ELÉTRON ORBITA UM PRÓTON ISOLADO, MAS TAMBÉM EXISTEM ISÓTOPOS COM UM E DOIS NÊUTRONS.

OUTRO ELEMENTO FAMILIAR É O **OXIGÊNIO**, DE SÍMBOLO O. SEU NÚMERO ATÔMICO É 8. O ISÓTOPO MAIS COMUM TEM OITO NÊUTRONS E O PESO ATÔMICO É APROXIMADAMENTE 16[4]. OUTROS ISÓTOPOS SÃO ^{17}O E ^{18}O.

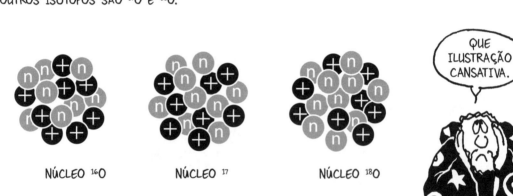

AGORA VOCÊ PODE INDAGAR, SE CADA ELEMENTO TEM UM NÚMERO ATÔMICO, CADA NÚMERO TERÁ UM ELEMENTO CORRESPONDENTE? EXISTE UM ELEMENTO COM 37 PRÓTONS? 52? 92?

[4] A MASSA VERDADEIRA DO ^{16}O É 15,9949 UMA. A "MASSA QUE ESTÁ FALTANDO" PARA COMPLETAR 16,0000 FOI CONVERTIDA NA ENERGIA ASSOCIADA À FORÇA FORTE QUE MANTÉM O NÚCLEO UNIDO. OUTROS ÁTOMOS TAMBÉM TÊM, DA MESMA FORMA, PESOS FRACIONÁRIOS.

REALMENTE, NA NATUREZA TEMOS ÁTOMOS COM QUALQUER NÚMERO DESDE 1 (HIDROGÊNIO) ATÉ 92 (URÂNIO), EMBORA ALGUNS ELEMENTOS SEJAM MUITO RAROS.

A SEQUÊNCIA É INTERROMPIDA EM 92 POR QUE OS NÚCLEOS GRANDES (PRINCIPALMENTE DEPOIS DO BISMUTO, 83) SÃO INSTÁVEIS. ACIMA DO URÂNIO, ELES DECAEM TÃO RAPIDAMENTE QUE NÃO SÃO VISTOS NA NATUREZA. OS FÍSICOS CONSEGUEM FAZER NÚCLEOS COM MAIS DE 92 PRÓTONS, PORÉM ELES DURAM MUITO POUCO.

AQUI TEMOS UMA LISTA DOS 92 ELEMENTOS QUE OCORREM NATURALMENTE:

1. Hidrogênio, H
2. Hélio, He
3. Lítio, Li
4. Berílio, Be
5. Boro, B
6. Carbono, C
7. Nitrogênio, N
8. Oxigênio, O
9. Flúor, F
10. Neônio, Ne
11. Sódio, Na
12. Magnésio, Mg
13. Alumínio, Al
14. Silício, Si
15. Fósforo, P
16. Enxofre, S
17. Cloro, Cl
18. Argônio, Ar
19. Potássio, K
20. Cálcio, Ca
21. Escândio, Sc
22. Titânio, Ti
23. Vanádio, V
24. Crômio, Cr
25. Manganês, Mn
26. Ferro, Fe
27. Cobalto, Co
28. Níquel, Ni
29. Cobre, Cu
30. Zinco, Zn
31. Gálio, Ga
32. Germânio, Ge
33. Arsênio, As
34. Selênio, Se
35. Bromo, Br
36. Kriptônio, Kr
37. Rubídio, Rb
38. Estrôncio, Sr
39. Ítrio, Y
40. Zircônio, Zr
41. Nióbio, Nb
42. Molibdênio, Mo
43. Tecnécio, Tc
44. Rutênio, Ru
45. Ródio, Rh
46. Paládio, Pd
47. Prata, Ag
48. Cádmio, Cd
49. Índio, In
50. Estanho, Sn
51. Antimônio, Sb
52. Telúrio, Te
53. Iodo, I
54. Xenônio, Xe
55. Césio, Cs
56. Bário, Ba
57. Lantânio, La
58-71 – Vamos pular estes!
72. Háfnio, Hf
73. Tântalo, Ta
74. Tungstênio, W
75. Rênio, Re
76. Ósmio, Os
77. Irídio, Ir
78. Platina, Pt
79. Ouro, Au
80. Mercúrio, Hg
81. Tálio, Tl
82. Chumbo, Pb
83. Bismuto, Bi
84. Polônio, Po
85. Astato, At
86. Radônio, Rn
87. Frâncio, Fr
88. Rádio, Ra
89. Actínio, Ac
90. Tório, Th
91. Protactínio, Pa
92. Urânio, U

93-94 E OS ELEMENTOS DEPOIS DESSES SÃO TODOS ARTIFICIAIS E INSTÁVEIS.

O ELÉTRON ARDILOSO

PARA TRANSFORMAR AQUELA LONGA LISTA DE ELEMENTOS EM UMA TABELA PERIÓDICA – QUE É O NOSSO OBJETIVO – VAMOS FALAR DE UM OUTRO IMPORTANTE CONSTITUINTE – OS ELÉTRONS. ESSES, DEVEMOS ALERTAR, TÊM DESAFIADO O NOSSO BOM SENSO, POIS SEGUEM REGRAS BIZARRAS QUE EXISTEM NA FÍSICA MODERNA, DITADAS PELA **MECÂNICA QUÂNTICA**.

FIQUE ATENTO PARA ESTE PONTO: O ELÉTRON É UMA **PARTÍCULA**, TÃO REAL COMO UMA PEDRA, MAS TAMBÉM É UMA **ONDA**, COMO O RAIO DE LUZ. COMO PARTÍCULA, ELE TEM **MASSA, CARGA E SPIN** COM VALORES BEM DEFINIDOS, PORÉM TAMBÉM TEM UM **COMPRIMENTO DE ONDA**. ELA É, DE ALGUMA FORMA, "DIFUSA". SUA POSIÇÃO É SEMPRE UM TANTO INCERTA. FAZ ALGUM SENTIDO? ACHAMOS QUE NÃO!

NA FORMA DE PARTÍCULA O ELÉTRON SE ENCONTRA EM UMA ESPÉCIE DE "NUVEM DE PROBABILIDADE" – **NÃO** EM UMA ÓRBITA CIRCULAR. AS PARTES MAIS DENSAS DESSA NUVEM SÃO ONDE OS ELÉTRONS DEVERIAM ESTAR – SE PUDESSEM IR A QUALQUER LUGAR, O QUE NÃO É EXATAMENTE O CASO. ESSAS NUVENS NÃO PRECISAM SER ESFÉRICAS, POR EXEMPLO.

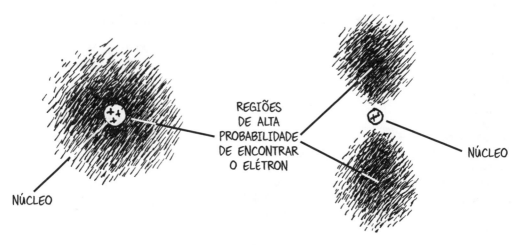

PODEMOS TAMBÉM VISUALIZAR O ELÉTRON COMO UMA ONDA, CIRCUNDANDO O NÚCLEO. NESTA FIGURA, A MECÂNICA QUÂNTICA MOSTRA QUE O ELÉTRON É SEMPRE UMA "**ONDA ESTACIONÁRIA**", OU SEJA, ELA CIRCUNDA O NÚCLEO SEGUNDO UM **NÚMERO INTEIRO DE COMPRIMENTOS DE ONDA**: 1, 2, 3, 4 ETC., E NUNCA FRACIONÁRIO.

ESTÁ CERTO

ESTÁ CERTO

NUNCA!

EM OUTRAS PALAVRAS, É COMO SE EXISTISSE APENAS ALGUMAS "ÓRBITAS" DISCRETAS PARA O ELÉTRON TRANSITAR EM UM ÁTOMO.

VAMOS CONFRONTAR ISSO COM UM SISTEMA MAIS CONHECIDO: UM PLANETA ORBITANDO UMA ESTRELA.

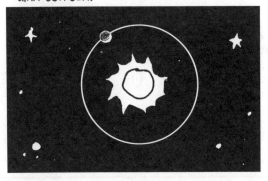

SUPONHA QUE ALGO ACABE EMPURRANDO O PLANETA, TRANSFERINDO ENERGIA PARA ELE.

A ENERGIA EXTRA EMPURRA O PLANETA PARA UMA ÓRBITA MAIS AFASTADA DA ESTRELA.

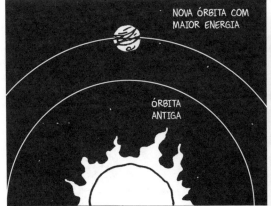

DE FATO, COM UM EMPURRÃO MUITO FORTE, O PLANETA ESCAPARÁ DA ATRAÇÃO GRAVITACIONAL DA ESTRELA.

UM ELÉTRON EM ÓRBITA É SEMELHANTE: ELE PODE ABSORVER UM LANCE DE ENERGIA TAMBÉM, POR EXEMPLO, ATRAVÉS DE UM FEIXE DE LUZ.

MAS O ELÉTRON SÓ PODE SALTAR PARA UMA NOVA ÓRBITA QUE TENHA UM NÚMERO INTEIRO DE COMPRIMENTOS DE ONDA.

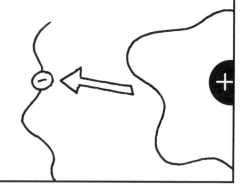

ISSO SIGNIFICA QUE ELE SÓ PODE ABSORVER ALGUMAS QUANTIDADES **BEM DEFINIDAS DE ENERGIA**: SÓ O SUFICIENTE PARA SALTAR PARA OUTRAS ÓRBITAS DE MAIOR ENERGIA DISPONÍVEIS. AO CONTRÁRIO DE UM PLANETA, QUE PODE ABSORVER QUALQUER VALOR DE ENERGIA E ORBITAR A QUALQUER DISTÂNCIA, O ELÉTRON DENTRO DE UM ÁTOMO TEM SUA ENERGIA LIMITADA A DETERMINADOS VALORES.

PLANETA: TODAS AS ÓRBITAS SÃO POSSÍVEIS.

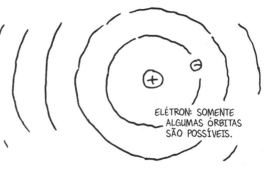

ELÉTRON: SOMENTE ALGUMAS ÓRBITAS SÃO POSSÍVEIS.

ASSIM, SE DIZ QUE A ENERGIA DO ELÉTRON É **QUANTIZADA**: EM UM DADO ÁTOMO, O ELÉTRON PODE ASSUMIR APENAS DETERMINADOS NÍVEIS DISCRETOS DE ENERGIA.

EU TENHO APENAS UM NÍVEL DE ENERGIA...

AS CONFIGURAÇÕES ASSUMIDAS PELO ELÉTRON DENTRO DE CADA NÍVEL DE ENERGIA SÃO CHAMADAS **ORBITAIS** (O NOME, INDUBITAVELMENTE, FOI DADO PELOS FÍSICOS NOSTÁLGICOS QUE GOSTAM DE SONHAR COM PLANETAS).

PODERÍAMOS CHAMÁ-LOS DE ORBITOIDES? ORBISCOITOS? ORBITUÁRIOS?

ESTOU INDO EM VOLTAS!

O EXEMPLO MAIS SIMPLES É O **HIDROGÊNIO,** NO QUAL UM ELÉTRON É ATRAÍDO POR UM ÚNICO PRÓTON. O ELÉTRON PODE FICAR EM QUALQUER UM DOS SETE DIFERENTES NÍVEIS, OU "CAMADAS", SIMPLIFICADAMENTE REPRESENTADAS COMO ÓRBITAS CIRCULARES.

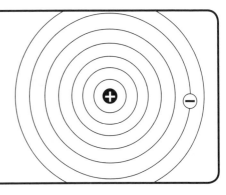

ESTE GRÁFICO MOSTRA AS ENERGIAS DOS ELÉTRONS EM CADA CAMADA.

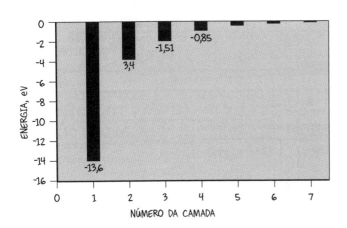

A UNIDADE DE ENERGIA UTILIZADA FOI O **ELÉTRON VOLT** (eV). UM eV É A ENERGIA GANHA POR UM ELÉTRON SOB AÇÃO DE UM VOLT DE POTENCIAL. (NOTA: NOS ÁTOMOS, A ENERGIA DO ELÉTRON TEM SINAL NEGATIVO, VISTO QUE PARA REMOVÊ-LO TEMOS DE DAR ENERGIA PARA VENCER A ATRAÇÃO NUCLEAR. NA FORMA LIVRE, PORTANTO, LONGE DO NÚCLEO, PODEMOS CONSIDERAR QUE SUA ENERGIA TENHA UM VALOR IGUAL A ZERO.)

ÁTOMOS MAIORES, COMO HÉLIO, LÍTIO OU ESTANHO, TAMBÉM TÊM ATÉ SETE CAMADAS ELETRÔNICAS. MAS NESSES ÁTOMOS, AS CAMADAS "MAIS ALTAS" PODEM CONTER MAIS ELÉTRONS DO QUE AS CAMADAS INFERIORES.

AS CAMADAS MAIS ALTAS TAMBÉM PODEM TER CONFIGURAÇÕES MAIS COMPLEXAS PARA OS ELÉTRONS, OU **ORBITAIS**, DO QUE AS CAMADAS INFERIORES. VOCÊ PODE PENSAR NESSES ORBITAIS COMO SUBNÍVEIS DE ENERGIA. ESTES PODEM SER CHAMADOS DE s, p, d, E f, E CADA ORBITAL SÓ PODE CONTER **ATÉ DOIS ELÉTRONS**.

A CAMADA 1 SÓ TEM UM ORBITAL s, QUE É ESFÉRICO. ELE PODE CONTER UM OU DOIS ELÉTRONS.

A CAMADA 2 TEM UM ORBITAL s E TRÊS ORBITAIS p, OS QUAIS SE PARECEM COM HALTERES. QUANDO TOTALMENTE PREENCHIDOS, ESSA CAMADA PODE CONTER OITO ELÉTRONS.

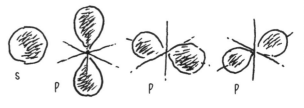

A CAMADA 3 TEM UM ORBITAL s, TRÊS p E CINCO d (NÃO VAMOS DESENHAR TODOS!). QUANDO TOTALMENTE CHEIO, ELA COMPORTA 18 ELÉTRONS [2 × (1 + 3 + 5)].

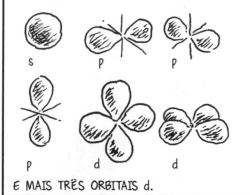

E MAIS TRÊS ORBITAIS d.

AS CAMADAS 4 E SUPERIORES TÊM TODOS ESSES ORBITAIS MAIS SETE ORBITAIS f — COMPORTANDO ATÉ 32 ELÉTRONS NO TOTAL.

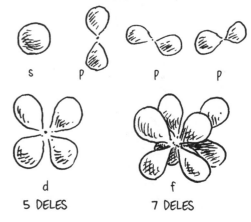

5 DELES

7 DELES

ESSE DIAGRAMA MOSTRA OS NÍVEIS DE ENERGIA DOS DIFERENTES ORBITAIS. QUANTO MAIS ALTO NA PÁGINA, MAIOR SERÁ A ENERGIA.

NOTE QUE AS **ENERGIAS** DAS CAMADAS SE **SOBREPÕEM**: POR EXEMPLO, ALGUNS ORBITAIS NA CAMADA 4 (4d E 4f) TÊM ENERGIAS MAIS ALTAS QUE ALGUNS ORBITAIS DA CAMADA 5 (5s).

OBSERVE QUE 2s SIGNIFICA ORBITAL S NA CAMADA 2, 4d SIGNIFICA ORBITAL d NA CAMADA 4 ETC. CADA SETA LEVA AO ORBITAL SEGUINTE DE ENERGIA MAIS PRÓXIMA.

NA CONSTRUÇÃO DO ÁTOMO, CADA ELÉTRON DEVE SER COLOCADO NO NÍVEL MAIS BAIXO DE ENERGIA DISPONÍVEL. COMEÇAMOS SEMPRE PELO NÍVEL DE MENOR ENERGIA (1s), E DEPOIS DE PREENCHIDO COM 2 ELÉTRONS, PASSAMOS PARA O PRÓXIMO SUPERIOR, E ASSIM POR DIANTE.

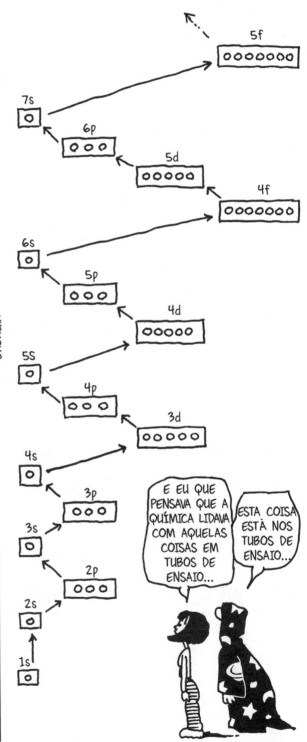

VAMOS CONSTRUIR ALGUNS ÁTOMOS.

1. HIDROGÊNIO, H, TEM UM ELÉTRON. ELE DEVE FICAR NO ORBITAL s DA CAMADA INFERIOR. ASSIM VAMOS ESCREVER SUA CONFIGURAÇÃO COMO $1s^1$.

2. HÉLIO, He. ADICIONE UM SEGUNDO ELÉTRON NESSE ORBITAL 1s. AGORA A CAMADA ESTÁ CHEIA, E PODEMOS ESCREVER $1s^2$.

$1s^1$

$1s^2$

LEMBRE-SE: DOIS ELÉTRONS POR ORBITAL, NO MÁXIMO!

3. LÍTIO, Li. COLOQUE O TERCEIRO ELÉTRON EM UMA NOVA CAMADA 2.

4. BERÍLIO, Be. O QUARTO ELÉTRON COMPLETARÁ O ORBITAL 2s.

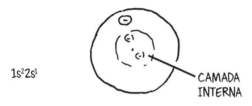

$1s^2 2s^1$

CAMADA INTERNA

$1s^2 2s^2$

DAQUI EM DIANTE, OMITIREMOS A CAMADA INTERNA NOS DESENHOS.

5. BORO, B. ADICIONE UM ELÉTRON NO ORBITAL 2p.

6. CARBONO, C. ADICIONE UM ELÉTRON AO SEGUNDO ORBITAL 2p

7. NITROGÊNIO, N. ADICIONE UM ELÉTRON AO TERCEIRO ORBITAL p.

$1s^2 2s^2 2p^1$

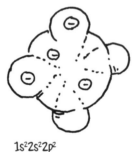

$1s^2 2s^2 2p^2$

$1s^2 2s^2 2p^3$

8. OXIGÊNIO, O.

9. FLÚOR, F.

10. NEÔNIO, Ne. A CAMADA 2 SE COMPLETA.

$1s^2 2s^2 2p^4$

$1s^2 2s^2 2p^5$

$1s^2 2s^2 2p^6$

PARA DESCOBRIR O QUE ACONTECE COM O ELEMENTO 11, VEJA O ESQUEMA DA PÁGINA 41. DEPOIS DE PREENCHER O 2p, O PRÓXIMO ORBITAL DISPONÍVEL É 3s, NA TERCEIRA CAMADA, SEGUIDO PELO 3p. ASSIM TEREMOS:

11. SÓDIO, Na. PODEMOS ESCREVER Ne3s^1, COMO SE HOUVESSE UM ELÉTRON s ORBITANDO EXTERNAMENTE UM GRUPO DE ELÉTRONS SEMELHANTE AO DO NEÔNIO.

12. MAGNÉSIO, Mg. DE MODO SEMELHANTE, PODEMOS ESCREVER Ne3s^2.

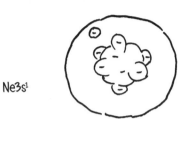

Ne3s^1

Ne3s^2

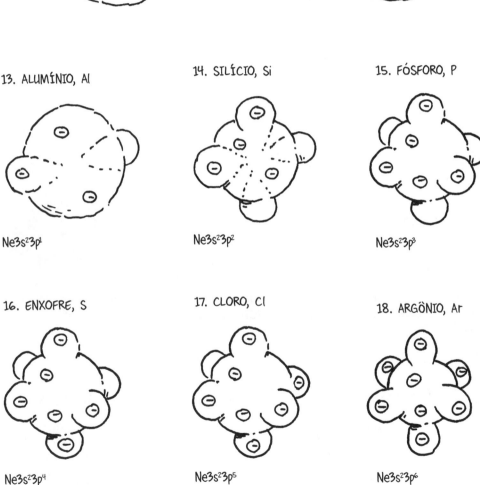

13. ALUMÍNIO, Al — Ne3s^{2}3p^1

14. SILÍCIO, Si — Ne3s^{2}3p^2

15. FÓSFORO, P — Ne3s^{2}3p^3

16. ENXOFRE, S — Ne3s^{2}3p^4

17. CLORO, Cl — Ne3s^{2}3p^5

18. ARGÔNIO, Ar — Ne3s^{2}3p^6

SE VOCÊ COMPARAR ESSES ÁTOMOS COM OS OUTROS DA PÁGINA ANTERIOR, VERÁ QUE OS ELEMENTOS 11-18 SÃO COMO "IRMÃOS MAIORES" DOS ELEMENTOS 3-10. CADA ÁTOMO DESTA PÁGINA TEM UMA **CAMADA EXTERNA** IDÊNTICA DAQUELE QUE VEM OITO ELEMENTOS ANTES.

VAMOS COLOCAR OS PRIMEIROS 18 ELEMENTOS EM UMA TABELA. EM QUALQUER COLUNA, TODOS OS ÁTOMOS APRESENTAM A MESMA CONFIGURAÇÃO EXTERNA DE ELÉTRONS.

1 H							2 He
3 Li	4 Be	5 B	6 C	7 N	8 O	9 F	10 Ne
11 Na	12 Mg	13 Al	14 Si	15 P	16 S	17 Cl	18 Ar

(O HÉLIO É EXCEÇÃO E DEVE SER COLOCADO NA ÚLTIMA COLUNA, POIS SUA CAMADA EXTERNA ESTÁ COMPLETA.)

DEPOIS, DE ACORDO COM O ESQUEMA DA PÁGINA 33, O ORBITAL 4s COMEÇA A SER PREENCHIDO À MEDIDA QUE ENTRAMOS NA QUARTA LINHA (OU SÉRIE) DA TABELA. DEPOIS, SEGUINDO O ESQUEMA, OS ELÉTRONS COMEÇAM A PREENCHER OS ORBITAIS 3d. ANTES DE COMPLETARMOS A QUARTA CAMADA, DEZ ELÉTRONS DEVEM IR PARA ESSES ORBITAIS **INTERNOS.** PODEMOS ESCREVER ESSES DEZ ELEMENTOS EM UM LAÇO OU DESVIO, VISTO QUE ESTAMOS INTERROMPENDO O PREENCHIMENTO DA QUARTA CAMADA.

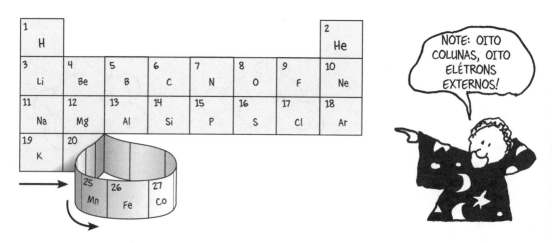

NOTE: OITO COLUNAS, OITO ELÉTRONS EXTERNOS!

DEPOIS DESSES DEZ, PODEMOS REINICIAR A COLOCAÇÃO DE ELÉTRONS NA QUARTA CAMADA, ATÉ TODOS OS ORBITAIS 4s E 4p ESTAREM PREENCHIDOS, CHEGANDO AO ELEMENTO 36, KRIPTÔNIO, Kr.

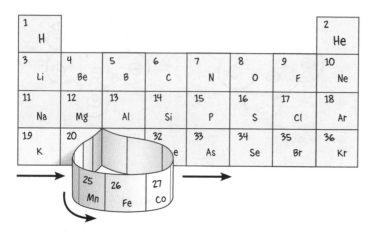

NOVAMENTE, DENTRO DE CADA COLUNA QUE APARECE NA TABELA, OS ÁTOMOS TÊM CAMADAS EXTERNAS SEMELHANTES.

A QUINTA SÉRIE (LINHA) É PREENCHIDA EXATAMENTE DO MESMO MODO QUE A QUARTA: PRIMEIRO OS ORBITAIS EXTERNOS s, DEPOIS OS INTERNOS d E, ENTÃO, OS EXTERNOS p.

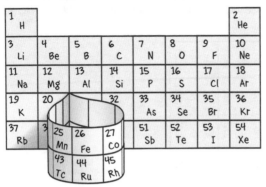

OS ELEMENTOS QUE APARECEM ESTAMPADOS NA PÁGINA SÃO CHAMADOS **ELEMENTOS DO GRUPO PRINCIPAL**[5]. OS QUE APARECEM NOS LAÇOS SÃO CHAMADOS **METAIS DE TRANSIÇÃO**.

A SEXTA SÉRIE TEM UM LAÇO DENTRO DE OUTRO LAÇO, POIS OS ORBITAIS 4f SÃO PREENCHIDOS ANTES DO 5d (VEJA O ESQUEMA DA PÁGINA 41!). COMO EXISTEM SETE ORBITAIS 4f, ESSE LAÇO TEM 14 ELEMENTOS. ELA CONTÉM A **SÉRIE DOS ELEMENTOS LANTANÍDIOS**, NOME DERIVADO DO PRIMEIRO ELEMENTO, LANTÂNIO.

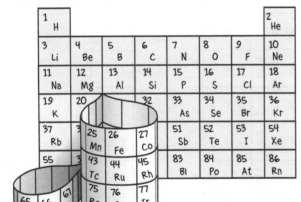

A SÉTIMA SÉRIE DESAPARECE À MEDIDA QUE ESGOTAMOS A LISTA DE ELEMENTOS.

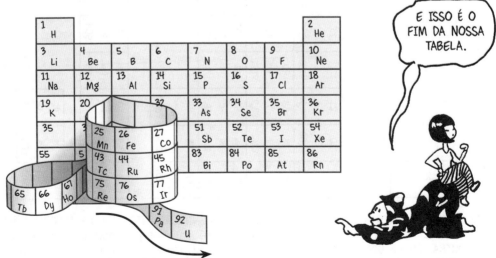

E ISSO É O FIM DA NOSSA TABELA.

[5] ESSES ELEMENTOS TAMBÉM SÃO CHAMADOS REPRESENTATIVOS. (NT)

VIRE ESTA PÁGINA DE LADO PARA VER A TABELA PERIÓDICA NA FORMA COMO ELA GERALMENTE É APRESENTADA. OS LAÇOS d FORAM ABERTOS PARA MOSTRAR CADA ELEMENTO. O LAÇO COM OS 14 ELEMENTOS f, DEPOIS DO LANTÂNIO, 57, FOI SEPARADO E COLOCADO ABERTO, ABAIXO DA TABELA PRINCIPAL. O ÚLTIMO LAÇO, COM A SÉRIE DOS ACTINÍDIOS, QUE SEGUE O ELEMENTO 89, TAMBÉM FOI COLOCADO EM BAIXO.

1	2	3	4	5	6	7	8	9	10	11	12	13	14	15	16	17	18
1 H 1,01																	2 He 4,00
3 Li 6,94	4 Be 9,01											5 B 10,81	6 C 12,01	7 N 14,01	8 O 16,00	9 F 19,00	10 Ne 20,18
11 Na 22,99	12 Mg 24,31											13 Al 26,98	14 Si 28,09	15 P 30,97	16 S 32,07	17 Cl 35,45	18 Ar 39,95
19 K 39,10	20 Ca 40,08	21 Sc 44,96	22 Ti 47,88	23 V 50,94	24 Cr 52,00	25 Mn 54,94	26 Fe 55,85	27 Co 58,98	28 Ni 58,69	29 Cu 63,55	30 Zn 65,39	31 Ga 69,72	32 Ge 72,59	33 As 74,92	34 Se 78,96	35 Br 79,90	36 Kr 83,80
37 Rb 85,47	38 Sr 87,62	39 Y 88,91	40 Zr 91,22	41 Nb 92,91	42 Mo 95,94	43 Tc (98)	44 Ru 101,1	45 Rh 102,9	46 Pd 106,4	47 Ag 107,9	48 Cd 112,4	49 In 114,8	50 Sn 118,7	51 Sb 121,6	52 Te 127,6	53 I 126,9	54 Xe 131,3
55 Cs 132,9	56 Ba 137,3	57 La* 138,9	72 Hf 178,5	73 Ta 180,9	74 W 183,9	75 Re 186,2	76 Os 192,2	77 Ir 190,2	78 Pt 195,1	79 Au 197,0	80 Hg 200,5	81 Tl 204,4	82 Pb 207,2	83 Bi 209,0	84 Po (209)	85 At (210)	86 Rn (222)
87 Fr (223)	88 Ra (226)	89 Ac** (227)															

58 *Ce 140,1	59 Pr 140,9	60 Nd 144,2	61 Pm (145)	62 Sm 150,4	63 Eu 152,0	64 Gd 157,3	65 Tb 158,9	66 Dy 162,5	67 Ho 164,9	68 Er 167,3	69 Tm 168,9	70 Yb 173,0	71 Lu 175,0

90 **Th 232,0	91 Pa (231)	92 U (238)

CADA QUADRINHO CONTÉM O NÚMERO ATÔMICO DO ELEMENTO, O SÍMBOLO E O PESO ATÔMICO. OS PESOS NÃO SÃO NÚMEROS INTEIROS, POIS REPRESENTAM UMA MÉDIA LEVANDO EM CONTA OS DIVERSOS ISÓTOPOS.

VOCÊ PODE ENCONTRAR UMA TABELA PERIÓDICA MAGNIFICAMENTE RICA DE INFORMAÇÕES, COM PERFIL ISOLADO PARA CADA ELEMENTO, NO SITE HTTP://PEARL1.LANL.GOV/PERIODIC/DEFAULT.HTM. EM OUTRA TABELA DISPONÍVEL NA WEB EM WWW.COLORADO.EDU/PHYSICS/2000/APPLETS/A3.HTML VOCÊ ENCONTRA AS ENERGIAS DE TODOS OS ELÉTRONS PARA CADA ÁTOMO.

O QUE HÁ DE TÃO PERIÓDICO NA TABELA PERIÓDICA? QUE PROPRIEDADES SE REPETEM NAS COLUNAS? QUE TENDÊNCIAS PODEMOS TRAÇAR AO LONGO DAS LINHAS?

OS ELÉTRONS MAIS EXTERNOS

MOVENDO-SE DA ESQUERDA PARA A DIREITA AO LONGO DE UMA LINHA DOS ELEMENTOS DO GRUPO PRINCIPAL (REPRESENTATIVO), O NÚMERO DE ELÉTRONS MAIS EXTERNOS AUMENTA GRADUALMENTE. OS ELEMENTOS DO GRUPO 1 TÊM UM ELÉTRON NA CAMADA MAIS EXTERNA. OS DO GRUPO 2 TÊM 2 ETC., ATÉ O ÚLTIMO GRUPO, ONDE TODOS TÊM OITO. OS METAIS DE TRANSIÇÃO TÊM UM OU DOIS ELÉTRONS MAIS EXTERNOS[6].

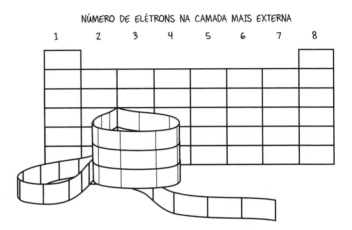

OS ELÉTRONS NA CAMADA MAIS EXTERNA, CONHECIDOS COMO **ELÉTRONS DE VALÊNCIA**, REGEM A MAIORIA DAS REAÇÕES QUÍMICAS.

TAMANHOS ATÔMICOS

AO LONGO DE UMA LINHA, DESLOCANDO-SE DA ESQUERDA PARA A DIREITA, OS ÁTOMOS FICAM MENORES, ENQUANTO NA COLUNA INFERIOR ELES FICAM MAIORES.

MOTIVO: NO SENTIDO DA DIREITA, A CARGA CRESCENTE DO NÚCLEO EXERCE MAIOR ATRAÇÃO SOBRE OS ELÉTRONS. NO SENTIDO INFERIOR NA COLUNA, OS ELÉTRONS PASSAM A OCUPAR CAMADAS SUPERIORES, MAIS AFASTADAS DO NÚCLEO.

[6] CONTUDO, ÀS VEZES, OS ELÉTRONS INTERNOS NOS METAIS DE TRANSIÇÃO PODEM TER ENERGIA SUFICIENTE PARA ATUAR COMO ELÉTRONS EXTERNOS.

ENERGIA DE IONIZAÇÃO

A **ENERGIA DE IONIZAÇÃO** DE UM ÁTOMO – ENERGIA NECESSÁRIA PARA REMOVER UM ELÉTRON EXTERNO – DEPENDE DO TAMANHO.

POR EXEMPLO, OS ELEMENTOS DO GRUPO 1 TÊM UM ÚNICO ELÉTRON DE VALÊNCIA, MUITO DISTANCIADO DO NÚCLEO. DEVE SER FÁCIL ARRANCÁ-LO. ESSES ELEMENTOS DEVEM TER BAIXAS ENERGIAS DE IONIZAÇÃO.

E ASSIM ACONTECE. OS ELEMENTOS DO GRUPO 1 – LÍTIO, SÓDIO, POTÁSSIO, RUBÍDIO E CÉSIO, OS **METAIS ALCALINOS** – LIBERAM ELÉTRONS COM FACILIDADE.

DE FATO, ELES SÃO TÃO REATIVOS QUE NUNCA SÃO ENCONTRADOS SOB A FORMA PURA NA NATUREZA, ESTANDO SEMPRE COMBINADOS COM OUTROS ELEMENTOS.

MOVENDO NO SENTIDO DA DIREITA AO LONGO DE UMA LINHA (PERÍODO) OS ELÉTRONS ESTÃO MAIS PRÓXIMOS DO NÚCLEO, E SÃO MAIS ATRAÍDOS PELO MESMO, DE MANEIRA QUE AS ENERGIAS DE IONIZAÇÃO DEVEM CRESCER ATINGINDO O MÁXIMO NA ÚLTIMA COLUNA.

NO INÍCIO DA PRÓXIMA LINHA, COM UMA NOVA CAMADA EXTERNA, A ENERGIA DE IONIZAÇÃO DIMINUI NOVAMENTE. ESSE GRÁFICO ILUSTRA A PERIODICIDADE QUE ACOMPANHA A ENERGIA DE IONIZAÇÃO.

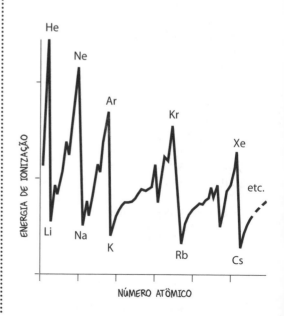

AFINIDADE ELETRÔNICA

ESSA PROPRIEDADE, NO SENTIDO OPOSTO DA ENERGIA DE IONIZAÇÃO, MEDE O "DESEJO" DE UM ÁTOMO DE TORNAR-SE UM ÂNION, OU SEJA, DE RECEBER UM ELÉTRON EXTRA.

ELÉTRONS SOLTOS PODEM SENTIR A ATRAÇÃO NUCLEAR E SEREM INCORPORADOS AOS ÁTOMOS, ESPECIALMENTE SE HOUVER DISPONÍVEL UM ORBITAL EXTERNO VAZIO.

OS ÁTOMOS NO SENTIDO DA DIREITA DA TABELA PERIÓDICA TENDEM A POSSUIR MAIOR AFINIDADE ELETRÔNICA: PEQUENO DIÂMETRO (ASSIM OS ELÉTRONS PODEM SE APROXIMAR), MAIOR ATRAÇÃO EXERCIDA PELO NÚCLEO, E UM OU DOIS ORBITAIS VAZIOS.

MENOS NO ÚLTIMO GRUPO! ELES ESTÃO CHEIOS!

O GRUPO MAIS PRÓXIMO DA ÚLTIMA COLUNA TEM UM APETITE VORAZ POR ELÉTRONS. ESSES ELEMENTOS, OS **HALOGÊNIOS**, POSSUEM UM PEQUENO DIÂMETRO E UMA VACÂNCIA NO ORBITAL p. COMO VOCÊ PODE IMAGINAR OS HALOGÊNIOS COMBINAM-SE COM OS METAIS ALCALINOS DO GRUPO 1, QUE ESBANJAM ELÉTRONS. O SAL DE COZINHA, NaCl, É UM EXEMPLO TÍPICO DE UM HALETO ALCALINO, COMPOSTO DE METAL ALCALINO COM HALOGÊNIO.

A TABELA PERIÓDICA TEM UMA FAIXA DIVISÓRIA EM DEGRAUS, QUE SEPARA OS METAIS DOS NÃO METAIS, ENCERRANDO UM ELENCO CONFUSO DE ELEMENTOS "METALOIDES". OS METAIS FICAM À ESQUERDA, E EXCEDEM EM MUITO OS NÃO METAIS, GRAÇAS A TODOS AQUELES ELEMENTOS COLOCADOS NOS "LAÇOS" (OU SEJA, TRANSIÇÃO, LANTANÍDIOS E ACTINÍDIOS).

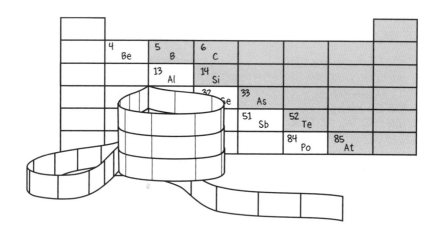

OS METAIS TENDEM A CEDER ELÉTRONS, ENQUANTO OS NÃO METAIS PREFEREM RECEBER OU COMPARTILHAR ELÉTRONS. MAS OS METAIS COMPARTILHAM ELÉTRONS ENTRE SI, FORMANDO SÓLIDOS DENSAMENTE EMPACOTADOS. OS NÃO METAIS GERALMENTE TÊM UMA ESTRUTURA MENOS COESA.

PROPRIEDADES DOS METAIS

ALTA DENSIDADE

ALTOS PONTOS DE FUSÃO E DE EBULIÇÃO

BOA CONDUTIVIDADE ELÉTRICA

MALEABILIDADE (FACILIDADE DE TRABALHAR A FORMA)

DUCTIBILIDADE (FACILIDADE DE SER ESTIRADA EM LÂMINAS OU FIOS)

REATIVOS DIANTE DOS NÃO METAIS

PROPRIEDADES DOS NÃO METAIS

GERALMENTE, SÃO LÍQUIDOS OU GASOSOS À TEMPERATURA AMBIENTE

QUEBRADIÇOS NO ESTADO SÓLIDO

APARÊNCIA OPACA

BAIXA CONDUTIVIDADE ELÉTRICA

REAGEM COM OS METAIS (EXCETO PELOS ELEMENTOS DO ÚLTIMO GRUPO)

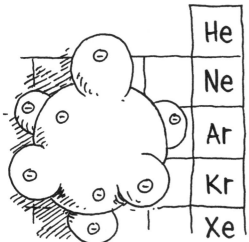

A ÚLTIMA COLUNA DA TABELA PERIÓDICA É SINGULARMENTE ESTRANHA. SEUS ELEMENTOS PREFEREM O ISOLAMENTO, POIS VIVEM MUITO À DIREITA E TÊM **ALTAS ENERGIAS DE IONIZAÇÃO**, DIFICULTANDO A FORMAÇÃO DE CÁTIONS. TAMBÉM TÊM **BAIXA AFINIDADE ELETRÔNICA**, POIS SEUS ORBITAIS ESTÃO CHEIOS, E ASSIM TAMBÉM NÃO FORMAM ÂNIONS.

COMO A NOBREZA REAL, OS GASES NOBRES DESPERTAM A COBIÇA DOS ELEMENTOS COMUNS. TODOS QUEREM FICAR SATISFEITOS, COM OITO ELÉTRONS NA CAMADA EXTERNA.

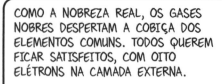

CHAMAMOS ISSO **REGRA DOS OITO** ELÉTRONS, OU OCTETO: UM ÁTOMO TENDE A RECEBER OU DOAR ELÉTRONS PARA FICAR COM OITO NA CAMADA EXTERNA — UM **OCTETO DE ELÉTRONS**.

METAIS TENDEM A CEDER ELÉTRONS...

NÃO METAIS TENDEM A RECEBÊ-LOS.

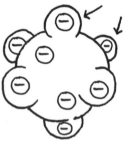

E ISSO NOS LEVA AO ASSUNTO DO NOSSO PRÓXIMO CAPÍTULO...

ANTES DE PROSSEGUIR, REFLITA UM MOMENTO PARA APRECIAR COMO FOI ESTIMULANTE PERCORRER ESTE CAPÍTULO. COMEÇANDO COM ALGUMAS PROPRIEDADES BIZARRAS DAS PARTÍCULAS ATÔMICAS ELEMENTARES, A CIÊNCIA CONSEGUIU DESCREVER O ÁTOMO, EXPLICAR A TABELA PERIÓDICA E INTERPRETAR AS PROPRIEDADES QUÍMICAS DOS ELEMENTOS. NÃO É SURPREENDENTE QUE A TEORIA ATÔMICA TENHA SIDO CONSIDERADA "**A IDEIA INOVADORA MAIS IMPORTANTE NA CIÊNCIA**".

CAPÍTULO 3
ASSOCIABILIDADE

SE OS ELEMENTOS E ÁTOMOS FOSSEM SEMPRE IGUAIS O TEMPO TODO, A QUÍMICA SERIA UM ASSUNTO MUITO MAÇANTE. OS ÁTOMOS FICARIAM VAGANDO POR AÍ, COMO SE FOSSEM GASES NOBRES, E NADA ACONTECERIA.

DEIXE-ME A SÓS.

COM PRAZER.

PORÉM NA REALIDADE, A QUÍMICA TEM UMA ESPÉCIE DE PAIXÃO POR ASSOCIAÇÕES. OS ÁTOMOS, EM SUA MAIORIA, SÃO PEQUENAS CRIATURAS SOCIÁVEIS... E É ASSIM QUE IREMOS REPRESENTÁ-LOS, ÀS VEZES... COMO PEQUENINAS CRIATURAS.

METAL

NÃO METAL

AS COMBINAÇÕES SÃO INFINITAS. METAIS LIGAM-SE COM METAIS, NÃO METAIS COM NÃO METAIS, METAIS COM NÃO METAIS. ÀS VEZES, OS ÁTOMOS SE AGRUPAM EM PEQUENOS AGLOMERADOS, OUTRAS VEZES EM IMENSOS ARRANJOS CRISTALINOS. NÃO É DE ADMIRAR QUE O ASSUNTO SEJA TÃO... SEXY!

OS ÁTOMOS COMBINAM-SE UNS COM OS OUTROS FAZENDO TROCA OU COMPARTILHAMENTO DE ELÉTRONS. OS DETALHES DEPENDEM DAS PREFERÊNCIAS DOS ÁTOMOS ENVOLVIDOS, EM PARTICULAR. SERÁ QUE O ÁTOMO "DESEJA" DOAR UM ELÉTRON OU PEGAR UM? E COM QUANTO ARDOR?

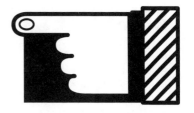

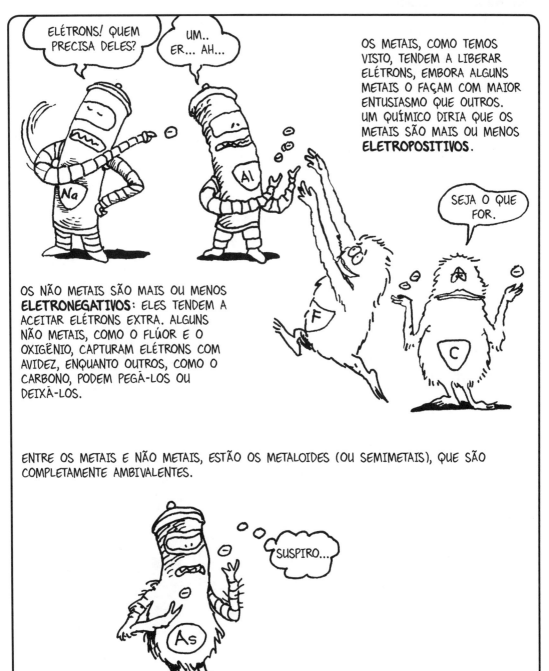

LIGAÇÕES IÔNICAS

QUANDO UM ÁTOMO MUITO ELETROPOSITIVO ENCONTRA OUTRO BASTANTE ELETRONEGATIVO, O RESULTADO SERÁ UMA LIGAÇÃO IÔNICA. O ÁTOMO ELETROPOSITIVO, LIBERANDO FACILMENTE UM OU MAIS ELÉTRONS, TORNA-SE UM CÁTION POSITIVAMENTE CARREGADO. POR OUTRO LADO, O ÁTOMO ELETRONEGATIVO ADORA RECEBER ELÉTRONS EXTRAS, E DESSA FORMA ACABA TORNANDO-SE UM ÂNION.

OS DOIS ÍONS EXPERIMENTAM, ENTÃO, UMA ATRAÇÃO ELETROSTÁTICA.

DE FATO, ELES NÃO APENAS SE ATRAEM MUTUAMENTE, MAS TAMBÉM ATRAEM QUALQUER PARTÍCULA CARREGADA NA REDONDEZA.

SUA ATRAÇÃO MÚTUA ACABA PROVOCANDO UM EMPACOTAMENTO DENSO, EM UM **CRISTAL IÔNICO** REGULAR. NO CASO DO SÓDIO E CLORO*, CADA ÍON TEM UMA CARGA UNITÁRIA, E A NEUTRALIDADE PODE SER ALCANÇADA POR MEIO DE UM ARRANJO CÚBICO SIMPLES, OU PRIMITIVO.

HM... ISSO SAIU DO CONTROLE, OU O QUÊ?

SIM... NÃO POSSO ME MOVER.

*ÂNIONS DE ÁTOMOS DISCRETOS RECEBEM NOMES ADICIONANDO A TERMINAÇÃO "ETO" À RAIZ DO NOME DO ELEMENTO: COMO EM FLUORETO, CLORETO ETC.

SE VOCÊ OLHAR DE PERTO PARA O SAL DE COZINHA, VERÁ QUE OS CRISTAIS SÃO PEQUENOS CUBOS – CADA QUAL EXIBINDO IMENSAS FILEIRAS DE ÍONS DE SÓDIO E CLORETO.

OUTROS ÍONS PODEM FORMAR DIFERENTES ESTRUTURAS CRISTALINAS. QUANDO O CÁLCIO, QUE É CAPAZ DE LIBERAR DOIS ELÉTRONS, COMBINA-SE COM CLORO, QUE PODE ACEITAR APENAS UM, SERÃO NECESSÁRIOS DOIS ÍONS CLORETO PARA NEUTRALIZAR CADA ÍON DE CÁLCIO. O ÍON É REPRESENTADO PELO SÍMBOLO DO ELEMENTO COM A CARGA, DE FORMA QUE O ÍON DE CÁLCIO FICA SENDO Ca^{2+} E O CLORETO Cl^-.

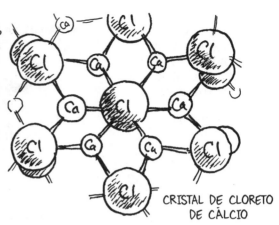

CRISTAL DE CLORETO DE CÁLCIO

A FÓRMULA DESSES CRISTAIS IÔNICOS É DADA PELA REPRESENTAÇÃO "MÍNIMA". EMBORA UM CRISTAL DE CLORETO DE SÓDIO POSSA CONTER TRILHÕES DE ÁTOMOS, ESCREVEMOS SUA **FÓRMULA EMPÍRICA** COMO $NaCl$. ELA MOSTRA QUE O CRISTAL TEM UM ÍON DE SÓDIO PARA CADA CLORETO. DA MESMA FORMA, O CLORETO DE CÁLCIO É REPRESENTADO POR $CaCl_2$.

OCASIONALMENTE, ÁTOMOS QUE PODERIAM ESTAR LIGADOS NA FORMA IÔNICA ACABAM SE JUNTANDO EM PEQUENOS GRUPOS DENOMINADOS **MOLÉCULAS**. O TRIFLUORETO DE BORO, BF_3, É UM COMPOSTO QUE PODERIA SER CONFUNDIDO COMO SENDO IÔNICO CASO NÃO FORMASSE MOLÉCULAS GASOSAS À TEMPERATURA AMBIENTE.

ALGUNS ÍONS SÃO FORMADOS POR MAIS DE UM ÁTOMO. VAMOS VER MAIS ADIANTE COMO SE CONSTRÓI ESSES ÍONS POLIATÔMICOS. NA REALIDADE, ELES COMPORTAM-SE DE FORMA SEMELHANTE AOS ÍONS MONOATÔMICOS, EXCETO PELA FORMA. SUA ESTRUTURA GLOBAL ATUA COMO UMA ÚNICA UNIDADE CARREGADA ELETRICAMENTE.

UM EXEMPLO TÍPICO É O **SULFATO**, SO_4^{2-}, UM ÂNION QUE SE LIGA AO Ca^{2+} PARA FORMAR **SULFATO DE CÁLCIO**, $CaSO_4$, DO QUE É FEITO O GESSO.

OUTROS EXEMPLOS:

NH_4^+	AMÔNIO
OH^-	HIDRÓXIDO
NO_2^-	NITRITO
NO_3^-	NITRATO
HCO_3^-	BICARBONATO
CO_3^{2-}	CARBONATO
SO_3^{2-}	SULFITO
PO_4^{3-}	FOSFATO

CADA ÍON POLIATÔMICO DEVE SER TRATADO COMO UMA UNIDADE. POR EXEMPLO, O HIDRÓXIDO DE ALUMÍNIO, FORMADO POR Al^{3+} E OH^-, DEVE APRESENTAR TRÊS HIDRÓXIDOS PARA CONTRABALANÇAR CADA ALUMÍNIO. A FÓRMULA DEVE SER ESCRITA COMO $Al(OH)_3$, E A ESTRUTURA CRISTALINA É PARECIDA COM ISTO:

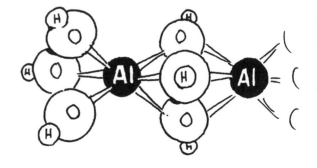

AS LIGAÇÕES IÔNICAS SÃO FORTES, POIS PRECISAM DE MUITA ENERGIA PARA SEREM ROMPIDAS. ISSO EXPLICA PORQUE A MAIORIA DOS CRISTAIS IÔNICOS APRESENTAM PONTOS DE FUSÃO TÃO ELEVADOS: UMA QUANTIDADE IMENSA DE CALOR DEVE SER EMPREGADA PARA LIBERAR OS ÍONS, E DEIXÁ-LOS AGITADOS DE FORMA CAÓTICA COMO UM LÍQUIDO.

O SAL DE COZINHA FUNDE A **801** ºC.

E AGORA — DÊ UMA MARTELADA EM UM CRISTAL DE SAL E ELE ESMIGALHARÁ. POR QUE ELE É TÃO QUEBRADIÇO?

POR QUE EU DEVO BATER NO SAL COM UM MARTELO?

RESPOSTA: NA BATIDA DO MARTELO, O CRISTAL PODE DESENVOLVER PEQUENAS RACHADURAS, E UMA CAMADA PODE DESLOCAR-SE LIGEIRAMENTE SOBRE A OUTRA.

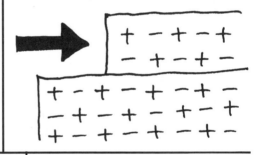

ESSE DESLOCAMENTO PODE PROVOCAR UM ALINHAMENTO QUE ACABA OPONDO CARGAS POSITIVAS COM CARGAS POSITIVAS, E CARGAS NEGATIVAS COM CARGAS NEGATIVAS. DESSA FORMA, AS DUAS CAMADAS ACABAM SE REPELINDO, FAZENDO COM QUE O CRISTAL LITERALMENTE SE QUEBRE EM DUAS PARTES.

PORÉM, NEM TODOS OS CRISTAIS COMPORTAM-SE DESSE MODO — OS CRISTAIS METÁLICOS, POR EXEMPLO...

LIGAÇÕES METÁLICAS

METAIS PUROS TAMBÉM FORMAM CRISTAIS, EMBORA VOCÊ, PROVAVELMENTE, NÃO PENSE NELES DESSA FORMA. ELES NÃO TÊM A TRANSPARÊNCIA E BRILHO DO NaCl OU OUTROS CRISTAIS IÔNICOS E, GERALMENTE, NÃO SÃO QUEBRADIÇOS.

OS METAIS GOSTAM DE CEDER ELÉTRONS. QUANDO MUITOS ÁTOMOS METÁLICOS SE JUNTAM, ELES DISPONIBILIZAM UM VERDADEIRO "MAR DE ELÉTRONS" QUE ACABA ENGOLINDO OS ÍONS (OU CENTROS) METÁLICOS.

SENDO PUXADO EM TODAS AS DIREÇÕES, OS ÍONS METÁLICOS TÊM DIFICULDADE DE SE MOVER, E SE ACOMODAM FORTEMENTE EM ARRANJOS CRISTALINOS. EXISTEM DIVERSOS ARRANJOS POSSÍVEIS, PORÉM TODOS SÃO MUITO DENSOS. AQUI ESTÃO DOIS.

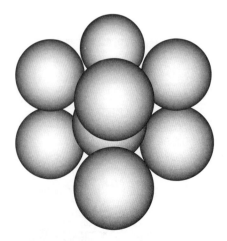

CÚBICO DE CORPO-CENTRADO: CADA ÁTOMO É RODEADO POR OITO ÁTOMOS.

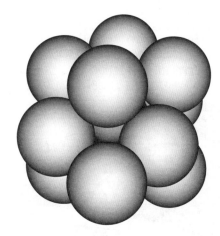

CÚBICO DE FACE-CENTRADA: CADA ÁTOMO É RODEADO POR 12 OUTROS.

OS METAIS TENDEM A SER BONS CONDUTORES DE ELETRICIDADE. OS ELÉTRONS MOVEM-SE LIVREMENTE, COM FACILIDADE. UMA CARGA NEGATIVA VINDA DE FORA PODE EMPURRAR O "MAR" DE ELÉTRONS, GERANDO UMA CORRENTE.

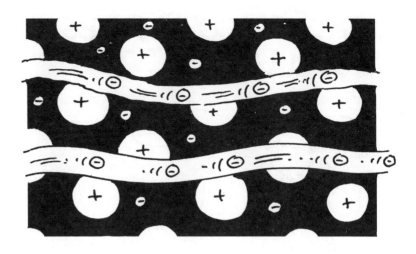

COMO QUALQUER CRISTAL, AO SER GOLPEADO POR UM MARTELO, SUA ESTRUTURA PODE SOFRER DESLOCAMENTOS E QUEBRAR.

PORÉM, AO CONTRÁRIO DOS CRISTAIS IÔNICOS, A REPULSÃO ENTRE OS ÍONS METÁLICOS É NEUTRALIZADA PELO MAR DE ELÉTRONS, FAZENDO QUE ESTES SE MANTENHAM NO LUGAR.

ASSIM, EM VEZ DE RACHAR, O METAL TENDE A DOBRAR-SE OU ATÉ ESTICAR[1].

[1] EM TEMPO: EXISTEM EXCEÇÕES, COMO QUASE TUDO NA QUÍMICA.

LIGAÇÕES COVALENTES E MOLÉCULAS

LIGAÇÕES IÔNICAS SE FORMAM QUANDO UM ÁTOMO MUITO ELETRONEGATIVO ENCONTRA OUTRO BASTANTE ELETROPOSITIVO. ELÉTRONS ACABAM SENDO TROCADOS, E UM ÁTOMO GANHA A CUSTÓDIA.

LIGAÇÕES METÁLICAS OCORREM QUANDO UM CONJUNTO DE ÁTOMOS ELETROPOSITIVOS SE VÊ APRISIONADO PELOS ELÉTRONS QUE COMPARTILHAM. É COMO NA VIDA COMUNITÁRIA.

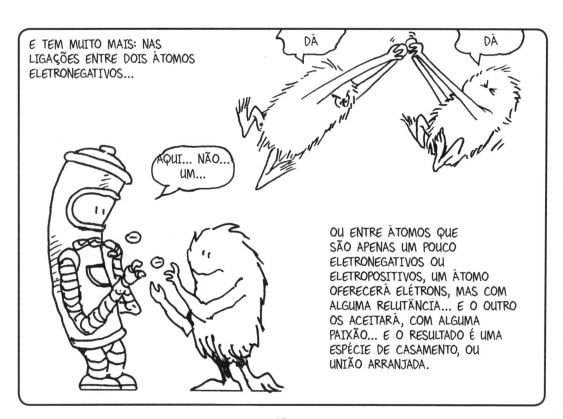

E TEM MUITO MAIS: NAS LIGAÇÕES ENTRE DOIS ÁTOMOS ELETRONEGATIVOS...

OU ENTRE ÁTOMOS QUE SÃO APENAS UM POUCO ELETRONEGATIVOS OU ELETROPOSITIVOS, UM ÁTOMO OFERECERÁ ELÉTRONS, MAS COM ALGUMA RELUTÂNCIA... E O OUTRO OS ACEITARÁ, COM ALGUMA PAIXÃO... E O RESULTADO É UMA ESPÉCIE DE CASAMENTO, OU UNIÃO ARRANJADA.

O EXEMPLO MAIS SIMPLES POSSÍVEL É O HIDROGÊNIO. UM ÁTOMO DE HIDROGÊNIO ISOLADO TEM UM ELÉTRON DESEMPARELHADO, QUE PODE SER REMOVIDO OU EMPARELHADO COM OUTRO ELÉTRON.

ELÉTRON DESEMPARELHADO... MAU!

QUANDO UM HIDROGÊNIO ENCONTRA OUTRO, SEUS ELÉTRONS SE EMPARELHAM EM UM ÚNICO ORBITAL COMPARTILHADO.

ESTE PAR EXERCE ATRAÇÃO SOBRE OS DOIS NÚCLEOS, E OS MANTÉM UNIDOS. A LIGAÇÃO É DENOMINADA **COVALENTE**, POIS AMBOS OS ÁTOMOS CONTRIBUEM IGUALMENTE.

CADA ÁTOMO DE HIDROGÊNIO "ACHA" QUE TEM A CAMADA 1s CHEIA. ASSIM, A DUPLA OU **MOLÉCULA** DE HIDROGÊNIO, H_2, É ESTÁVEL.

EM TEMPERATURAS NORMAIS, O GÁS HIDROGÊNIO ESTÁ SEMPRE NA FORMA MOLECULAR.

MAIS EXEMPLOS: OXIGÊNIO, O SEGUNDO ELEMENTO MAIS ELETRONEGATIVO (DEPOIS DO FLÚOR), TEM SEIS ELÉTRONS DE VALÊNCIA. ISSO PODE SER INDICADO POR UM "DIAGRAMA DE LEWIS" ONDE CADA ELÉTRON EXTERNO É REPRESENTADO POR UM PONTO.

QUANDO DOIS OXIGÊNIOS SE ENCONTRAM, ELES SE LIGAM COVALENTEMENTE, COMPARTILHANDO QUATRO ELÉTRONS, COMO MOSTRADO NESTE DIAGRAMA DE LEWIS.

AQUI, TAMBÉM, OS DOIS ÁTOMOS AGORA APRESENTAM O OCTETO COMPLETO. (CONTE OS ELÉTRONS!) QUANDO QUATRO ELÉTRONS SÃO COMPARTILHADOS DESSA MANEIRA, PODEMOS DIZER QUE FORMOU-SE UMA **DUPLA LIGAÇÃO**, E REPRESENTÁ-LA COMO O=O.

O NITROGÊNIO, COM CINCO ELÉTRONS DE VALÊNCIA, FORMA TRIPLA LIGAÇÃO COVALENTE PARA FORMAR N_2 OU N≡N.

:N:::N:

MUITOS OUTROS NÃO METAIS, INCLUINDO OS HALOGÊNIOS, FORMAM MOLÉCULAS BIATÔMICAS (COM DOIS ÁTOMOS) DESSA MANEIRA.

:F̈:F̈: :C̈l:C̈l:

A LIGAÇÃO COVALENTE RESULTA DO COMPARTILHAMENTO DE ELÉTRONS ENTRE UM PAR DE ÁTOMOS ESPECÍFICOS. É COMO UM APERTO DE MÃOS.

"SOMENTE VOCÊ..."

COMO OS ÁTOMOS SÓ TÊM UM NÚMERO LIMITADO DE "MÃOS", OS COMPOSTOS COVALENTES SÃO GERALMENTE ENCONTRADOS SOB A FORMA DE **MOLÉCULAS**, FORMANDO PEQUENOS GRUPOS DISCRETOS DE ÁTOMOS.

EM UMA SUBSTÂNCIA PURA, CADA MOLÉCULA TEM A MESMA COMPOSIÇÃO. ESCREVEMOS SUA FÓRMULA DE ACORDO COM O NÚMERO DE CADA TIPO DE ÁTOMO PRESENTE.

H_2O, ÁGUA

$C_6H_{12}O_6$, GLUCOSE (AÇÚCAR DO SANGUE)

NH_3, AMÔNIA

OCASIONALMENTE PODEMOS VER CRISTAIS COM LIGAÇÕES COVALENTES. O DIAMANTE, POR EXEMPLO, CONSISTE DE UMA REDE DE ÁTOMOS DE CARBONO LIGADOS COVALENTEMENTE.

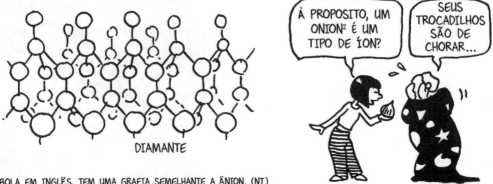

DIAMANTE

"À PROPOSITO, UM ONION[2] É UM TIPO DE ÍON?"

"SEUS TROCADILHOS SÃO DE CHORAR..."

[2] CEBOLA EM INGLÊS, TEM UMA GRAFIA SEMELHANTE A ÂNION. (NT)

A FORMA DAS MOLÉCULAS

ATÉ AGORA, VIMOS APENAS AS LIGAÇÕES COVALENTES ENTRE DOIS ÁTOMOS IDÊNTICOS. AGORA VAMOS VER COMO ÁTOMOS DIFERENTES COMPARTILHAM ELÉTRONS.

DIÓXIDO DE CARBONO, GÁS DE ESCAPAMENTO, CO_2: O CARBONO TEM QUATRO ELÉTRONS DE VALÊNCIA E O OXIGÊNIO TEM SEIS, ASSIM PODEMOS ESCREVER:

·C̈· E :Ö:

ELES PODEM COMBINAR-SE DA SEGUINTE MANEIRA:

Ö::C::Ö

ASSIM, O CO_2 TEM DUAS DUPLAS LIGAÇÕES.

CONTE OS ELÉTRONS PARA TER CERTEZA QUE ESTÃO TODOS LÁ, E PROCURE DEIXAR CADA ÁTOMO COM UM OCTETO COMPLETO.

QUAL É A VERDADEIRA FORMA DA MOLÉCULA DO CO_2? PARA RESPONDER ESSA QUESTÃO, USE ESTE NOTÁVEL PRINCÍPIO:

OS PARES ELETRÔNICOS EM UMA MOLÉCULA PREFEREM FICAR O MAIS DISTANTE POSSÍVEL UNS DOS OUTROS.

COMO TODOS OS ELÉTRONS DE VALÊNCIA DO CARBONO ESTÃO NAS LIGAÇÕES DUPLAS, AS LIGAÇÕES DEVEM APONTAR EM DIREÇÕES OPOSTAS.

OS TRÊS ÁTOMOS FICAM EM UMA LINHA RETA.

NO **TRIÓXIDO DE ENXOFRE**, SO_3, O ENXOFRE E O OXIGÊNIO TÊM, EM CADA UM, SEIS ELÉTRONS DE VALÊNCIA.

:S̈· ·Ö:

TRÊS OXIGÊNIOS PODEM SE LIGAR AO ENXOFRE.

:Ö:
:Ö::S̈:Ö:

(A LIGAÇÃO DUPLA PODE ESTAR EM QUALQUER DOS OXIGÊNIOS.)

USANDO O PRINCÍPIO QUE OS PARES DE ELÉTRONS SE EVITAM (EXCETO OS QUE ESTÃO JUNTOS NA DUPLA LIGAÇÃO), PODEMOS CONCLUIR QUE SO_3 É TRIANGULAR E FICA EM UM PLANO.

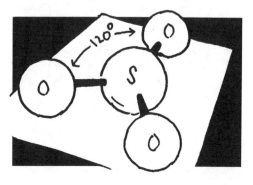

NO **TETRACLORETO DE CARBONO**, CCl₄, USADO COMO SOLVENTE INDUSTRIAL,

·Ċ· E :C̈l·

COMBINAM-SE FORMANDO QUATRO LIGAÇÕES SIMPLES.

:C̈l:
:C̈l:C:C̈l:
:C̈l:

PARA PROMOVER UM DISTANCIAMENTO MÁXIMO ENTRE AS LIGAÇÕES, ESSA MOLÉCULA ADOTA UMA GEOMETRIA TETRAÉDRICA, COM OS ÁTOMOS EXTERNOS COLOCADOS NOS VÉRTICES.

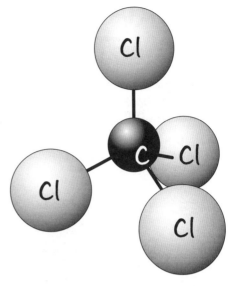

A **AMÔNIA**, NH₃, VOCÊ ESPERARIA QUE FOSSE UM TRIÂNGULO, MAS A REPRESENTAÇÃO DE LEWIS DIZ OUTRA COISA. O QUARTO PAR DE ELÉTRONS (QUE FICA ISOLADO) REPELE OS OUTROS (QUE ESTÃO NAS LIGAÇÕES), E O RESULTADO É UM TETRAEDRO COM O HIDROGÊNIO OCUPANDO TRÊS VÉRTICES.

PAR EXTRA

A **ÁGUA**, H₂O, É SEMELHANTE. ELA TEM DOIS PARES DE ELÉTRONS ISOLADOS, OU SEJA, COM NADA LIGADO A ELES. ELES TAMBÉM DEVEM SER LEVADOS EM CONTA.

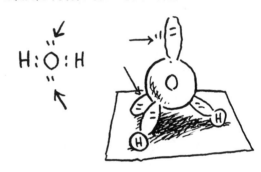

AS MOLÉCULAS, COMO NH₃ E H₂O, SÃO **ANGULARES**.

APRESENTAMOS AS GEOMETRIAS DAS MOLÉCULAS MAIS SIMPLES, MAS EXISTEM MOLÉCULAS UM POUCO MAIS COMPLEXAS COMO SF₆, ONDE O ENXOFRE TEM SEIS PARES DE ELÉTRONS.

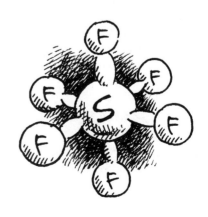

O SF₆ É OCTAÉDRICO.

TEORIA DA LIGAÇÃO ORBITAL E GEOMETRIA (AVANÇADO)

NAS PÁGINAS ANTERIORES, PARTIMOS DO PRINCÍPIO QUE OS PARES DE ELÉTRONS NAS MOLÉCULAS FICAM DISTANTES UNS DOS OUTROS. PODEMOS RACIONALIZAR ESSE PONTO EM TERMOS DOS ORBITAIS.

QUANDO H LIGA-SE COM H, DOIS ORBITAIS s FUNDEM-SE EM UM NOVO ORBITAL, OU LIGAÇÃO σ (SIGMA).

NO O_2, DOIS ELÉTRONS EM ORBITAIS p SÃO COMPARTILHADOS EM UMA LIGAÇÃO π (PI).

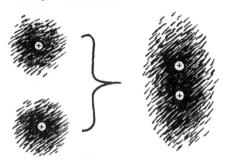

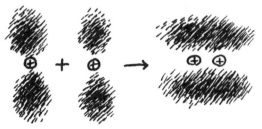

(ESTAMOS OMITINDO OS ORBITAIS QUE NÃO PARTICIPAM DAS LIGAÇÕES, OS QUAIS SE DENOMINAM NÃO LIGANTES.)

É COMUM REPRESENTAR OS **ORBITAIS NA FORMA HÍBRIDA**, POR EXEMPLO:

O CARBONO, COM CONFIGURAÇÃO $2s^2 2p^2$, TEM DOIS ELÉTRONS S EMPARELHADOS E DOIS ELÉTRONS P NÃO EMPARELHADOS.

QUANDO UM ÁTOMO DE HIDROGÊNIO SE APROXIMA, SEU NÚCLEO ATRAI OS ELÉTRONS DO CARBONO, AUMENTANDO SUA ENERGIA.

UM ELÉTRON S DO CARBONO É "PROMOVIDO" PARA UM ORBITAL P, FICANDO AGORA TODOS DESEMPARELHADOS.

OS ORBITAIS COM ELÉTRON DESEMPARELHADOS SE REORGANIZAM OU **HIBRIDIZAM** COM LÓBULOS REDIRECIONADOS. TAL ORBITAL É CHAMADO HÍBRIDO SP. UM DELES SE PARECE COM ISTO.

E QUATRO DELES SE PARECEM COM ISTO. (AQUI CADA UM ESTÁ LIGADO A UM ÁTOMO DE HIDROGÊNIO.)

OS LÓBULOS REDIRECIONADOS REPELEM-SE MUTUAMENTE, LEVANDO A UMA GEOMETRIA TETRAÉDRICA PARA A MOLÉCULA DE CH_4. **A GEOMETRIA DAS MOLÉCULAS ESTÁ ASSOCIADA AO TIPO DE ORBITAL HÍBRIDO.**

OUTROS ASPECTOS DAS REPRESENTAÇÕES DE LEWIS E MOLÉCULAS CARREGADAS

EM UMA REPRESENTAÇÃO DE LEWIS, CADA ÁTOMO ADQUIRE UM OCTETO COMPLETO (VEJA A SEGUIR). TEM VÁRIAS FORMAS DISSO ACONTECER. POR EXEMPLO, JÁ APRESENTAMOS O SO_3, PORÉM, TAMBÉM EXISTE O SO_2, QUE NA REALIDADE É O ÓXIDO DE ENXOFRE MAIS COMUM.

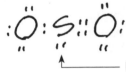

NOTE O PAR DE ELÉTRONS ISOLADO

O PAR DE ELÉTRONS ISOLADO NO ENXOFRE FAZ COM QUE A MOLÉCULA FIQUE ANGULAR.

NOTE QUE A DUPLA LIGAÇÃO NÃO ESTÁ REALMENTE SOBRE UM OUTRO OXIGÊNIO, MAS EM UM MEIO TERMO, FICANDO IGUALMENTE SOBRE AMBOS, AO MESMO TEMPO. É ALGO MISTERIOSO QUE VEM DA MECÂNICA-QUÂNTICA, CONHECIDO COMO **RESSONÂNCIA**.

$$O=S-O \rightleftharpoons O-S=O$$

PODEMOS TAMBÉM DESENHAR UMA REPRESENTAÇÃO DE LEWIS PARA O **SULFATO**, SO_4^{2-}, SEM LIGAÇÕES DUPLAS. ISSO PARECE LEGAL, EXCETO QUE SÃO NECESSÁRIOS MAIS DOIS ELÉTRONS PARA COMPLETAR AS LIGAÇÕES. ASSIM O SO_4^{2-} É, NA REALIDADE, UM ÍON POLIATÔMICO FORMADO POR LIGAÇÕES COVALENTES, COM UMA CARGA -2.

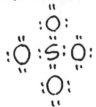 

MAIS ÍONS POLIATÔMICOS:

O **NITRATO**, NO_3^-, TEM UM ELÉTRON EXTRA E APRESENTA RESSONÂNCIA ENTRE TRÊS DIFERENTES FORMAS.

$$O=N-O \rightleftharpoons O-N-O \rightleftharpoons O-N=O$$

O **HIDRÓXIDO**, OH^-, TEM UM ELÉTRON EXTRA.

:Ö:H

GERALMENTE, TODOS OS ELÉTRONS ESTÃO EMPARELHADOS E CADA ÁTOMO ADQUIRE UM OCTETO COMPLETO – MAS EXISTEM EXCEÇÕES. NO DIÓXIDO DE NITROGÊNIO, NO_2, O NITROGÊNIO TEM UM ELÉTRON DESEMPARELHADO.

:Ö:N::Ö:

E NO FLUORETO DE BERÍLIO, BeF_2, O Be TEM APENAS A METADE DE UM OCTETO.

:F̈:Be:F̈:

MAS, O BeF_2 É PRATICAMENTE IÔNICO!

"PRATICAMENTE" IÔNICO? O QUE **ISSO** QUER DIZER?

POLARIDADE

MUITAS LIGAÇÕES NÃO SÃO PURAMENTE COVALENTES OU IÔNICAS, MAS ALGO INTERMEDIÁRIO.

CONSIDERE A ÁGUA, H_2O. O OXIGÊNIO, COM UMA ELETRONEGATIVIDADE (EN) DE 3,5, É MAIS ELETRONEGATIVO QUE O HIDROGÊNIO (EN = 2,1)[3]. ISSO SIGNIFICA QUE OS ELÉTRONS NA LIGAÇÃO O-H NÃO ESTÃO IGUALMENTE COMPARTILHADOS, MAS TENDEM A SE APROXIMAR DO ÁTOMO DE OXIGÊNIO.

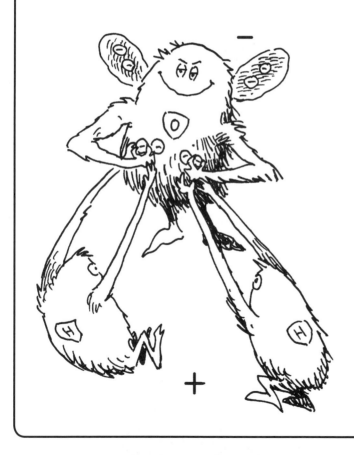

O EFEITO DESSA LIGAÇÃO NÃO-PURAMENTE-COVALENTE É QUE ESSA MOLÉCULA TEM **POLOS** POSITIVA E NEGATIVAMENTE CARREGADOS. A TERMINAÇÃO NO HIDROGÊNIO FICA COM UMA FRAÇÃO DE CARGA POSITIVA, ENQUANTO O OXIGÊNIO FICA COM UMA FRAÇÃO DE CARGA NEGATIVA, POIS OS ELÉTRONS SÃO MAIS ATRAÍDOS POR ELE.

[3] EM UMA ESCALA ARTIFICIAL, QUE VARIA DE 0,7 PARA O CÉSIO, QUE É O ELEMENTO MAIS ELETROPOSITIVO, ATÉ 4,0, PARA O FLÚOR, CONSIDERADO O MAIS ELETRONEGATIVO.

UMA LIGAÇÃO COMO O-H, NO QUAL OS ELÉTRONS ESTÃO PRÓXIMOS DE UMA EXTREMIDADE, É DITA **POLAR**. LIGAÇÕES POLARES SÃO INTERMEDIÁRIAS ENTRE LIGAÇÕES COVALENTES (COMPARTILHAMENTO POR IGUAL) E LIGAÇÕES IÔNICAS (TRANSFERÊNCIA COMPLETA DE ELÉTRONS).

A POLARIDADE DAS LIGAÇÕES AFETA O MODO COMO A CARGA SE DISTRIBUI SOBRE A MOLÉCULA.

A POLARIDADE DA LIGAÇÃO DEPENDE DA DIFERENÇA DE ELETRONEGATIVIDADE ENTRE DOIS ÁTOMOS. UMA GRANDE DIFERENÇA SIGNIFICA MAIOR POLARIDADE. QUANDO A DIFERENÇA CHEGA A **2,0** OU MAIS, A LIGAÇÃO É CONSIDERADA IÔNICA.

LIGAÇÃO	DIFERENÇA ELETRONEG.	TIPO DE LIGAÇÃO
N≡N	0	COVALENTE
C-H	0,4	ESSENCIALMENTE COVALENTE
O-H	1,4	MODERADAMENTE POLAR
H-F	1,9	FORTEMENTE POLAR
LI-F	3,0	IÔNICA

ELETRONEGATIVIDADES	
H 2,1	Na 0,9
Li 1,0	Mg 1,2
C 2,5	S 2,5
N 3,0	Cl 3,0
O 3,5	K 0,8
F 4,0	Ca 1,0

A POLARIDADE DA ÁGUA EXPLICA ALGUMAS DE SUAS PROPRIEDADES FAMILIARES, POR EXEMPLO:

A ÁGUA É LÍQUIDA NA TEMPERATURA AMBIENTE. AS CARGAS PARCIAIS EM CADA PONTA DA MOLÉCULA DE ÁGUA FAZEM COM QUE AS MOLÉCULAS SE ATRAIAM, EM TODA A EXTENSÃO, LIGANDO-SE FRACAMENTE. ESSA FORÇA DE COESÃO MANTÉM AS MOLÉCULAS DE ÁGUA JUNTAS, NA FORMA LÍQUIDA.

EM CONTRASTE, O SO_2 QUE É MUITO MAIS PESADO, PORÉM MENOS POLAR, TEM POUCA ATRAÇÃO MÚTUA, ASSIM ELE FORMA UM GÁS NA TEMPERATURA AMBIENTE.

A POLARIDADE TAMBÉM EXPLICA POR QUE A ÁGUA É TÃO BOA EM DISSOLVER COMPOSTOS IÔNICOS COMO O SAL DE COZINHA. AS LIGAÇÕES NOS CRISTAIS IÔNICOS LENTAMENTE CEDEM À AÇÃO DOS DIPOLOS DA ÁGUA. O RETÍCULO CRISTALINO ACABA DESMORONANDO QUANDO OS ÍONS SE JUNTAM ÀS MOLÉCULAS DE ÁGUA.

A ATRAÇÃO POLAR DO H COM OUTRA MOLÉCULA É CHAMADA **LIGAÇÃO DE HIDROGÊNIO.** ELA CONSTITUI UMA CARACTERÍSTICA FUNDAMENTAL NA QUÍMICA DA VIDA (VEJA A p. 249)

CAPÍTULO 4
REAÇÕES QUÍMICAS

OOPS! DE ALGUM MODO NAUFRAGAMOS EM UMA ILHA DESERTA. COMO SOBREVIVEREMOS? TALVEZ POSSAMOS FAZER ALGO ÚTIL COM OS MATERIAIS DISPONÍVEIS...

COMBUSTÃO, COMBINAÇÃO, DECOMPOSIÇÃO

VAMOS **EQUACIONAR UMA REAÇÃO** PARA O FOGO. A MADEIRA CONTÉM MUITOS MATERIAIS DIFERENTES, MAS É FEITA PRINCIPALMENTE DE C, H, E O NA PROPORÇÃO 1:2:1. PODEMOS ESCREVER A FÓRMULA EMPÍRICA DA MADEIRA COMO CH_2O E, ENTÃO, O FOGO FICARIA ASSIM[1]:

$$CH_2O\ (s) + O_2\ (g) \rightarrow CO_2\ (g)\uparrow + H_2O\ (g)\uparrow$$

EXPLICANDO MELHOR A NOTAÇÃO: AS SUBSTÂNCIAS À ESQUERDA DA SETA HORIZONTAL $\rightarrow$ SÃO CHAMADAS **REAGENTES** $\underset{\rightarrow}{\Delta}$ À DIREITA ESTÃO OS **PRODUTOS DA REAÇÃO**. SIGNIFICA QUE FOI ACRESCENTADO CALOR. AS LETRAS PEQUENAS ENTRE PARÊNTESES INDICAM O ESTADO FÍSICO DAS SUBSTÂNCIAS: g = GÁS; s = SÓLIDO; l = LÍQUIDO; aq = DISSOLVIDO EM ÁGUA. ↑ SIGNIFICA UM GÁS ESCAPANDO, E ↓ SIGNIFICA UM SÓLIDO SE DEPOSITANDO, OU **PRECIPITANDO**.

ENTÃO, A NOSSA EQUAÇÃO QUER DIZER: MADEIRA SÓLIDA MAIS OXIGÊNIO GASOSO E CALOR PRODUZ DIÓXIDO DE CARBONO GASOSO MAIS VAPOR DE ÁGUA. ESSA É UMA REAÇÃO TÍPICA DE **COMBUSTÃO**. (VOCÊ PODE OBSERVAR A FORMAÇÃO DE ÁGUA SEGURANDO UM COPO GELADO UM POUCO ACIMA DA CHAMA: GOTÍCULAS CONDENSARÃO EM SUA SUPERFÍCIE.)

[1] ESTAMOS DEIXANDO DE LADO OS PRODUTOS PARCIALMENTE OU INTEIRAMENTE NÃO COMBUSTÍVEIS COMO A FULIGEM, FUMAÇA, CO ETC.

AGORA QUE TEMOS FOGO, VAMOS FAZER UM COMBUSTÍVEL MELHOR: **CARVÃO**. VAMOS COLOCAR MADEIRA SECA E CASCAS DE COCO EM UMA COVA (PARA LIMITAR A QUANTIDADE DISPONÍVEL DE OXIGÊNIO) E COLOCAR FOGO. A REAÇÃO QUE OCORRE É[2]:

$$CH_2O \xrightarrow{\Delta} C(s) + H_2O(g)\uparrow$$

ESTA É UMA REAÇÃO DE **DECOMPOSIÇÃO** (DO TIPO AB → A + B). ELA PRODUZ CARBONO (O ELEMENTO) OU CARVÃO.

CONSTRUÍMOS UM FORNO DE PEDRA E ALIMENTAMOS COM CARVÃO. A COMBUSTÃO DO CARVÃO É UMA REAÇÃO DE **COMBINAÇÃO** (DO TIPO A + B → AB):

$$C(s) + O_2(g) \rightarrow CO_2(g)\uparrow$$

NESSE FORNO PODEMOS FAZER **CERÂMICA**. RETIRAMOS DO FUNDO DO LAGO UMA PORÇÃO DE MINERAL FINAMENTE DIVIDIDO (BARRO), A KAOLINITA, E A TRITURAMOS COM UM POUCO DE ÁGUA PARA FAZER UMA ARGILA BEM MACIA, $Al_2Si_2O_5(OH)_4$. DEPOIS TRABALHAMOS ESSA MASSA PARA OBTER VASOS E A COLOCAMOS EM UM FORNO QUENTE:

$$3Al_2Si_2O_5(OH)_4(s) \xrightarrow{\Delta} Al_6Si_2O_{13}(s) + 4SiO_2(s) + 6H_2O(g)\uparrow$$

O PRIMEIRO PRODUTO É CHAMADO **MULLITA**. O SEGUNDO É A **SÍLICA**, SiO_2, OU AREIA – QUE FUNDIDA VIRA **VIDRO**. QUANDO A ARGILA É QUEIMADA, A MULLITA FUNDE-SE COM A SÍLICA VÍTREA PARA FORMAR UM POTE MUITO DURO, À PROVA DE ÁGUA.

---

[2] MAIS OU MENOS. NOVAMENTE, ESTAMOS DESCONSIDERANDO PEQUENAS QUANTIDADES DE OUTROS REAGENTES E PRODUTOS.

BALANCEANDO AS EQUAÇÕES

NOTE QUE ALGUMAS DAS SUBSTÂNCIAS NA REAÇÃO DE OBTENÇÃO DA CERÂMICA TÊM COEFICIENTES NUMÉRICOS. A EQUAÇÃO SIGNIFICA QUE TRÊS FÓRMULAS UNITÁRIAS ("MOLÉCULAS") DA ARGILA KAOLIN PRODUZEM UMA DE MULLITA, QUATRO DE SÍLICA E SEIS DE ÁGUA.

$$3Al_2Si_2O_5(OH)_4 (s) \xrightarrow{\Delta} Al_6Si_2O_{13}(s) + 4SiO_2(s) + 6H_2O(g)\uparrow$$

OS COEFICIENTES FAZEM O **BALANCEAMENTO** DA EQUAÇÃO. O MESMO NÚMERO DE CADA TIPO DE ÁTOMO APARECE EM AMBOS OS LADOS: 6 Al, 6 Si, 27 O E 12 H. COMO PODEMOS OBTER ESSES COEFICIENTES?

COMECE COM UMA EQUAÇÃO NÃO BALANCEADA

$$Al_2Si_2O_5(OH)_4 (s) \xrightarrow{\Delta} Al_6Si_2O_{13} (s) + SiO_2 (s) + H_2O (g)\uparrow$$

ESCREVA O NÚMERO DE ÁTOMOS EM CADA LADO.

	ESQUERDA	DIREITA
Al	2	6
Si	2	3
O	9	16
H	4	2

CONSIDERE UM ELEMENTO, POR EXEMPLO Al, E FAÇA O BALANCEAMENTO, IGUALANDO OS NÚMEROS DA ESQUERDA E DIREITA NA TABELA.
PARA ISSO, É NECESSÁRIO MULTIPLICAR O LADO ESQUERDO POR 3:

$$3 Al_2Si_2O_5(OH)_4 (s) \xrightarrow{\Delta} Al_6Si_2O_{13} (s) + SiO_2 (s) + H_2O (g)\uparrow$$

CONTE NOVAMENTE OS ÁTOMOS EM CADA LADO.

	ESQUERDA	DIREITA
Al	2	6
Si	6	3
O	27	16
H	12	2

CONSIDERE AGORA OUTRO ELEMENTO, POR EXEMPLO Si. PARA FAZER O BALANCEAMENTO É NECESSÁRIO COLOCAR 4 SiO_2:

$$3 Al_2Si_2O_5(OH)_4 (s) \xrightarrow{\Delta} Al_6Si_2O_{13} (s) + 4SiO_2 (s) + H_2O (g)\uparrow$$

CONTE NOVAMENTE OS ÁTOMOS EM CADA LADO.

	ESQUERDA	DIREITA
Al	6	6
Si	6	6
O	27	22
H	12	2

FINALMENTE, COLOCANDO 6 H_2O, TANTO O HIDROGÊNIO COMO O OXIGÊNIO FICAM BALANCEADOS

$$3 Al_2Si_2O_5(OH)_4 (s) \xrightarrow{\Delta} Al_6Si_2O_{13} (s) + 4SiO_2 (s) + 6H_2O (g)\uparrow$$

	ESQUERDA	DIREITA
Al	6	6
Si	6	6
O	27	27
H	12	12

- ESCREVA AS EQUAÇÕES SEM OS COEFICIENTES.
- FAÇA UMA LISTA DOS ELEMENTOS QUE PARTICIPAM DA EQUAÇÃO.
- VERIFIQUE O NÚMERO DE CADA TIPO DE ÁTOMO EM AMBOS OS LADOS.
- FAÇA O BALANCEAMENTO DE UM ELEMENTO POR VEZ, AJUSTANDO OS COEFICIENTES.
- SIMPLIFIQUE OS COEFICIENTES, QUANDO HOUVER MULTIPLICIDADE.

O BALANCEAMENTO DAS EQUAÇÕES PERMITE CHEGAR AO QUE CHAMAMOS **ESTEQUIOMETRIA DA REAÇÃO**.

AQUI ESTÃO ALGUNS EXEMPLOS PRÁTICOS. COLOQUE OS COEFICIENTES EM CADA EQUAÇÃO.

$$Al(s) + Fe_2O_3(s) \xrightarrow{\Delta} Al_2O_3(s) + Fe(s)$$

$$KClO_3(s) \xrightarrow{\Delta} + KCl(s) + O_2(g)$$

$$C_4H_{10}(g) + O_2(g) \rightarrow CO_2(g) + H_2O(g)$$

$$N_2(g) + H_2(g) \rightarrow NH_3(g)$$

$$P_4(s) + F_2(g) \rightarrow PF_5(g)$$

$$Zn(NO_3)_2(s) \xrightarrow{\Delta} ZnO(s) + NO_2(g) + O_2(g)$$

$$H_3PO_4(l) \xrightarrow{\Delta} H_2O(l) + P_4O_{10}(s)$$

$$Cu(s) + AgNO_3(aq) \rightarrow Cu(NO_3)_2(aq) + Ag\downarrow$$

$$Fe(s) + O_2(g) \rightarrow Fe_2O_3(s)$$

$$FeCl_3(s) + H_2O(l) \rightarrow HCl(aq) + Fe(OH)_3\downarrow$$

O MOL

OS COEFICIENTES DA EQUAÇÃO NOS PERMITE ACHAR AS **MASSAS** RELATIVAS DOS PRODUTOS E REAGENTES. OS CÁLCULOS SÃO FEITOS COM BASE EM UMA UNIDADE DENOMINADO **MOL**. UM MOL DE UMA SUBSTÂNCIA É A QUANTIDADE CUJA MASSA SE IGUALA AO PESO ATÔMICO OU MOLECULAR DA SUBSTÂNCIA, **EXPRESSO EM GRAMAS**.

PARECE QUE ESTAMOS COMPLICANDO UMA IDEIA MUITO SIMPLES. VAMOS ILUSTRAR POR MEIO DE EXEMPLOS.

	"PESO MOLECULAR"	MASSA MOLAR
O_2	32 UMA	32 GRAMAS
SiO_2	60 UMA	60 GRAMAS
$Al_2Si_2O_5(OH)_4$	258 UMA	258 GRAMAS
Fe	56 UMA	56 GRAMAS
PRÓTON	1 UMA	1 GRAMA
NaCl	58,5 UMA	58,5 GRAMAS

NOTA: AQUI, O PESO MOLECULAR REALMENTE SIGNIFICA A MASSA DE UMA PARTÍCULA BÁSICA DA SUBSTÂNCIA EXPRESSA EM UNIDADES DE MASSA ATÔMICA, UMA. PARA UM CRISTAL IÔNICO COMO NaCl, ESTAMOS NOS REFERINDO A UM COMPONENTE BÁSICO DO CRISTAL.

O MOL É USADO PARA TRANSPOR DA ESCALA DE DIMENSÕES ATÔMICAS ATÉ A ESCALA MÉTRICA. PARA SER PRECISO, UM GRAMA É CERCA DE 602.200.000.000.000.000.000.000 VEZES UMA UNIDADE DE MASSA ATÔMICA. ISTO É, $1\ g = 6{,}022 \times 10^{23}$ UMA.

ESSE, PORTANTO, É O **NÚMERO DE PARTÍCULAS EM UM MOL**. UM MOL DE QUALQUER COISA TEM ESSE NÚMERO DE PARTÍCULAS! $6{,}022 \times 10^{23}$ É CHAMADO **NÚMERO DE AVOGADRO**, EM HOMENAGEM A AMEDEO AVOGADRO, O PRIMEIRO A SUGERIR QUE VOLUMES IGUAIS DE GASES ENCERRAM O MESMO NÚMERO DE MOLÉCULAS.

AGORA SE PARTIRMOS DE 100 kg DE ARGILA, QUANTOS KILOGRAMAS DE CERÂMICA IREMOS OBTER? VAMOS COMEÇAR COM A EQUAÇÃO BALANCEADA:

$$3Al_2Si_2O_5(OH)_4(s) \xrightarrow{\Delta} Al_6Si_2O_{13}(s) + 4SiO_2(s) + 6H_2O(g)\uparrow$$

ARGILA — CERÂMICA

ENTÃO, CONSTRUA UMA **TABELA DE BALANÇO DE MASSA,** MOSTRANDO A QUANTIDADE EM GRAMAS DE REAGENTE E PRODUTO:

REAGENTES	MASSA MOLAR	PRODUTOS	MASSA MOLAR
3 MOL $Al_2SiO_5(OH)_4$	3 × 258 = 774 g	1 MOL $Al_6Si_2O_{13}$	426 g
		4 MOL SiO_2	4 × 60 = 240 g
		6 MOL H_2O	6 × 18 = 108 g
TOTAL	774 g	TOTAL	774 g

ISSO SIGNIFICA QUE 774 g DE ARGILA KAOLIN RENDE 426 + 240 = 666 g DE CERÂMICA.

ENTÃO, 1 g DE KAOLIN RESULTA EM (666/774) g = 0,86 g DE CERÂMICA

E 100 kg PRODUZ (0,86)(100 kg)/(1000 g/kg) = 86.000 g = 86 kg.

PODEMOS IGUALMENTE FAZER O CÁLCULO NO SENTIDO CONTRÁRIO. SE QUEREMOS 100 kg DE CERÂMICA, QUANTA ARGILA DEVEMOS USAR? (RESPOSTA: (100)(774/666) kg.)

MAIS REAÇÕES

JÁ CONSTRUÍMOS VASOS E UM FORNO. AGORA VAMOS FAZER ALGUNS **MATERIAIS DE CONSTRUÇÃO**, AQUECENDO CALCÁREO, GIZ, E/OU CONCHAS DO MAR, QUE SÃO TODAS FEITAS DE CARBONATO DE CÁLCIO, $CaCO_3$. O PRODUTO É **CAL VIVA**, CaO.

$$CaCO_3(s) \xrightarrow{\Delta} CaO(s) + CO_2(g)\uparrow$$

AQUECENDO CaO JUNTO COM PÓ DE ROCHAS VULCÂNICAS, O RESULTADO É O CIMENTO. ACRESCENTE ÁGUA, AREIA E CASCALHOS – **CONCRETO!** VAMOS CONSTRUIR!

PODEMOS ATÉ PINTAR A NOSSA CASA. **CAL BRANCA** OU **CAL APAGADA**, $Ca(OH)_2$, É OBTIDA COMBINANDO CaO E H_2O:

$$CaO(s) + H_2O(l) \rightarrow Ca(OH)_2(aq)$$

A CAL APAGADA TAMBÉM FORNECE UMA BOA MASSA DE VIDRACEIRO E ARGAMASSA... E AO LONGO DO TEMPO, A CAL BRANCA COMBINA-SE COM O CO_2 DO AR, E ENDURECE FORMANDO UM MATERIAL PARECIDO COM O ESTUQUE:

$$Ca(OH)_2(s) + CO_2(g) \rightarrow CaCO_3(s) + H_2O(g)\uparrow$$

CALCÁREO NOVAMENTE!

AGORA VAMOS FAZER **SABÃO**, ASSIM SERÁ POSSÍVEL LAVAR.

PRIMEIRO QUEIME ALGA MARINHA PARA OBTER UM PÓ BRANCO COM MISTURA DE Na_2CO_3 (BARRILHA) E K_2CO_3 (POTASSA). SEPARE A BARRILHA (NÃO IMPORTA COMO).

COMBINE A BARRILHA COM A CAL APAGADA, ATRAVÉS DA REAÇÃO:

$$Ca(OH)_2(aq) + Na_2CO_3(aq) \rightarrow 2NaOH(aq) + CaCO_3(s)\downarrow$$

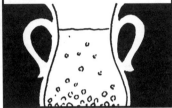

UMA NUVEM DE $CaCO_3$ FICA DEPOSITADA NO FUNDO. DECANTE — CUIDADOSAMENTE! — A SOLUÇÃO LÍMPIDA DE NaOH É UMA LIXÍVIA DE **SODA CÁUSTICA**, FORTEMENTE CORROSIVA.

VAMOS FERVER ALGUMA **GORDURA DE PORCO SELVAGEM** COM A SODA CÁUSTICA. A GORDURA NÃO É SOLÚVEL EM ÁGUA, MAS A SODA ACABA QUEBRANDO AS MOLÉCULAS E OS ÍONS DE SÓDIO SE ASSOCIAM À EXTREMIDADE POLAR, FAZENDO COM QUE ATUEM COMO SABÃO. QUAL SERIA A REAÇÃO?

BEM, O **PORCO NÃO** ESTÁ FELIZ!

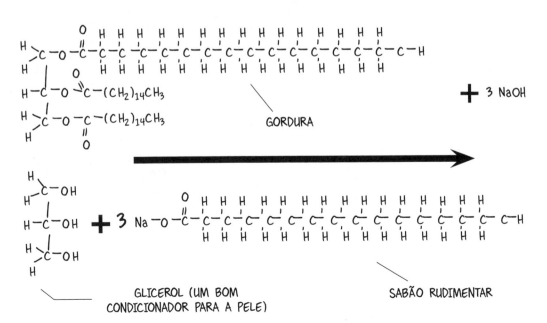

GORDURA + 3 NaOH

GLICEROL (UM BOM CONDICIONADOR PARA A PELE) + 3 Na-O... SABÃO RUDIMENTAR

REAÇÕES REDOX

AGORA VAMOS FAZER ALGUNS FOGOS, ASSIM PODEREMOS SINALIZAR PARA OS NAVIOS QUE PASSAM. PARA ISSO, SERÁ NECESSÁRIO UM **PÓ EXPLOSIVO**. SEUS INGREDIENTES SÃO **CARVÃO**, **ENXOFRE** E NITRATO DE POTÁSSIO OU **SALITRE**, KNO_3.

JÁ TEMOS CARVÃO... ENXOFRE PODEMOS RETIRAR NA FORMA ELEMENTAR DO VULCÃO QUE ESTÁ PRÓXIMO (É UMA COISA AMARELA)... K VIRÁ DA POTASSA E NITRATO SERÁ OBTIDO DO $Ca(NO_3)_2$ ENCONTRADO NO **ESTRUME DOS MORCEGOS**.

VAMOS FERVER O ESTRUME EM ÁGUA COM POTASSA E TEREMOS UMA REAÇÃO DE DUPLA-TROCA:

$$Ca(NO_3)_2(aq) + K_2CO_3(aq) \rightarrow CaCO_3(s)\downarrow + 2KNO_3(aq)$$

O CARBONATO DE CÁLCIO PRECIPITA DA SOLUÇÃO.

CUIDADOSAMENTE, DECANTAMOS A SOLUÇÃO DE KNO_3.

DEIXAMOS A ÁGUA EVAPORAR E VAMOS OBTER UMA PORÇÃO DE CRISTAIS EM FORMA DE AGULHA, DE KNO_3.

QUE REAÇÃO HAVERÁ QUANDO JUNTARMOS TODAS ESSA COISAS?

$$C + S + KNO_3 \to ??$$

FELIZMENTE, PODEMOS FAZER UMA BOA PREVISÃO SOBRE O QUE SE FORMARÁ, SEGUINDO OS **ELÉTRONS**.

AS EXPLOSÕES FAZEM PARTE DE UMA IMPORTANTE CLASSE DE REAÇÕES ENVOLVENDO **TRANSFERÊNCIA DE ELÉTRONS** DE UM ÁTOMO PARA OUTRO. TAIS REAÇÕES SÃO CHAMADAS OXIDAÇÃO-REDUÇÃO, OU **OXIRREDUÇÃO**, E, GERALMENTE, SE ABREVIA COMO **REDOX**.

EXEMPLO: NA COMBUSTÃO,

$$C + O_2 \to CO_2,$$

QUATRO ELÉTRONS SÃO TRANSFERIDOS DO CARBONO PARA OS DOIS ÁTOMOS DE OXIGÊNIO. DIZEMOS QUE O CARBONO FOI **OXIDADO**. O OXIGÊNIO, QUE GANHOU ELÉTRONS, FOI **REDUZIDO**. OUTRO EXEMPLO É A FERRUGEM, OU **CORROSÃO**:

$$4Fe + 3O_2 \to 2Fe_2O_3$$

O Fe FORNECE ELÉTRONS E SE OXIDA; O OXIGÊNIO OS RECEBE E É REDUZIDO.

NOTA: O OXIGÊNIO, EM SI, NÃO PRECISA ESTAR ENVOLVIDO EM UMA REAÇÃO DE OXIRREDUÇÃO! OXIDAÇÃO SIGNIFICA TRANSFERIR ELÉTRONS PARA **QUALQUER** ÁTOMO!

[3] OXIREDUC LEMBRA OXI-DUC, E DUCK É PATO EM INGLÊS. (NT)

NÚMEROS DE OXIDAÇÃO

QUANTOS ELÉTRONS CADA ÁTOMO GANHA OU PERDE?

O **ESTADO DE OXIDAÇÃO** OU **NÚMERO DE OXIDAÇÃO** DE UM ELEMENTO EM UM COMPOSTO EXPRESSA SEU CONTEÚDO OU FALTA DE ELÉTRONS. ISTO É, O NÚMERO DE OXIDAÇÃO É A CARGA EFETIVA SOBRE O ÁTOMO[4].

POR EXEMPLO, NO CaO, Ca TEM O NÚMERO DE OXIDAÇÃO +2 — ELE FORNECE DOIS ELÉTRONS — E O NÚMERO DE OXIDAÇÃO DO OXIGÊNIO É -2, POIS ELE RECEBE DOIS.

1) O NÚMERO DE OXIDAÇÃO DE UM ELEMENTO NO ESTADO ELEMENTAR É ZERO.

2) ALGUNS ELEMENTOS TÊM UM MESMO NÚMERO DE OXIDAÇÃO NA MAIORIA DE SEUS COMPOSTOS:

- H = +1 (EXCETO EM HIDRETOS METÁLICOS COMO NaH, ONDE É -1.
- METAIS ALCALINOS: Li, Na, K ETC. = +1
- METAIS DO GRUPO 2: Be, Mg ETC. = +2
- FLÚOR = -1
- OXIGÊNIO, QUASE SEMPRE = -2

3) EM COMPOSTOS NEUTROS, A SOMA DOS NÚMEROS DE OXIDAÇÃO É ZERO.

4) EM UM ÍON POLIATÔMICO, A SOMA DOS NÚMEROS DE OXIDAÇÃO SE IGUALA À SUA CARGA GLOBAL.

---

[4] OU O QUE SERIA, CASO A LIGAÇÃO FOSSE TOTALMENTE IÔNICA. QUANDO ATRIBUÍMOS NÚMEROS DE OXIDAÇÃO, IMAGINAMOS QUE OS ELÉTRONS ESTEJAM SENDO COMPLETAMENTE TRANSFERIDOS DE UM ÁTOMO PARA O OUTRO, MESMO EMBORA, NA REALIDADE, ELES POSSAM ESTAR SENDO COMPARTILHADOS APENAS DE FORMA DESIGUAL.

O NÚMERO DE OXIDAÇÃO DE UM ÁTOMO DEPENDE DOS OUTROS ÁTOMOS AO REDOR. POR EXEMPLO, NO HCl, O CLORO ADQUIRE UM ELÉTRON (PARA UM ESTADO DE OXIDAÇÃO -1) PORQUE O Cl É MAIS ELETRONEGATIVO (EN = 3,0) DO QUE O HIDROGÊNIO (EN = 2,1).

PORÉM, NO ÍON **PERCLORATO**, ClO_4^-, O CLORO TEM UM NÚMERO DE OXIDAÇÃO +7. SEUS ELÉTRONS DE VALÊNCIA VÃO TODOS PARA O OXIGÊNIO, QUE É MAIS ELETRONEGATIVO (EN = 3,5) AINDA QUE O CLORO.

AQUI ESTÃO ALGUNS ELEMENTOS COM SEUS NÚMEROS DE OXIDAÇÃO TÍPICOS. QUANTO MAIS POSITIVOS, MAIS OXIDADOS.

	MAIS REDUZIDO	INTERMEDIÁRIO	MAIS OXIDADO
H	NiH_2 (-1)	H_2 (0)	H_2O, OH^- (+1)
C	CH_4 (-4)	C (0)	CO_2, CO_3^{2-} (+4)
O	H_2O, CO_2, CaO ETC. (-2)	H_2O_2 (-1) (PERÓXIDO DE HIDROGÊNIO)	O_2 (0)
N	NH_3 (-3)	N_2 (0), N_2O (+1), NO (+2)	NO_3^- (+5)
S	H_2S, K_2S (-2)	S (0), SO_2 (+4)	SO_3, SO_4^{2-} (+6)
Fe	Fe (0)	FeO (+2)	Fe_2O_3 (+3)
Cl	HCl (-1)	Cl_2 (0)	ClO_4^- (+7)

⟶ OXIDAÇÃO

REDUÇÃO ⟵

NAS REAÇÕES REDOX, ALGUMAS SUBSTÂNCIAS – **AGENTES REDUTORES** – DOAM ELÉTRONS E OUTROS – **AGENTES OXIDANTES** – OS RECEBEM.

VOLTANDO PARA AQUELE PÓ PRETO EXPLOSIVO, QUAIS SÃO OS AGENTES OXIDANTES E REDUTORES MAIS PROVÁVEIS? VAMOS IGNORAR O ENXOFRE, POR ENQUANTO, E CONCENTRAR NO CARBONO E SALITRE:

$$C + KNO_3 \rightarrow ?$$

DESSES QUATRO ELEMENTOS, PODEMOS ELIMINAR K E O, POIS JÁ ESTÃO TOTALMENTE OXIDADOS (K = +1) OU TOTALMENTE REDUZIDOS (O = -2). DE FATO, É MUITO DIFÍCIL OXIDAR O^{2-} OU REDUZIR K^+! MAS, O CARBONO (C = 0) PODE SER OXIDADO A +4 TANTO NO CO_2 COMO NO CO_3^{2-}, E O NITROGÊNIO DO SALITRE (N = +5) PODE SER REDUZIDO A N_2. ASSIM PODEMOS ESPERAR QUE OCORRA A REAÇÃO A SEGUIR, MESMO ANTES DE FAZER O BALANCEAMENTO:

$$C(s) + KNO_3(s) \rightarrow CO_2(g)\uparrow + N_2(g)\uparrow + K_2CO_3(s)$$

PODEMOS BALANCEAR A EQUAÇÃO COM BASE NOS ELÉTRONS: CADA MOL DE CARBONO FORNECE 4 MOL DE ELÉTRONS, E CADA MOL DE NITROGÊNIO RECEBE 5. FICARÁ PERFEITAMENTE BALANCEADO SE **20** MOL DE ELÉTRONS FOREM DESLOCADOS DE 5 CARBONOS PARA 4 NITROGÊNIOS. (DEPOIS OBTEMOS OS OUTROS COEFICIENTES BALANCEANDO POTÁSSIO E OXIGÊNIO.)

$$5C(s) + 4KNO_3(s) \rightarrow 3CO_2(g)\uparrow + 2N_2(g)\uparrow + 2K_2CO_3(s)$$

ESSA REAÇÃO, NA REALIDADE, PRODUZIRÁ UM GRANDE ESTOURO. SÉCULOS DE EXPERIÊNCIA MOSTRARAM QUE ADICIONANDO ENXOFRE, O RESULTADO É AINDA MAIS EXTRAORDINÁRIO.

O ENXOFRE ELEMENTAR (S = 0) É FACILMENTE REDUZIDO A -2 NO K_2S. DE FATO, OS QUÍMICOS AGORA SABEM QUE É MAIS "FÁCIL" FORMAR K_2S DO QUE K_2CO_3. ASSIM, CONSUMINDO MENOS ENERGIA – SOBRAM MAIS RESERVAS PARA ALIMENTAR A EXPLOSÃO.

$$C(s) + KNO_3(s) + S(s) \rightarrow CO_2(s)\uparrow + N_2(G)\uparrow + K_2S(s)$$

CADA C PERDE 4 ELÉTRONS   CADA N GANHA 5 ELÉTRONS   CADA S GANHA 2 ELÉTRONS

O BALANCEAMENTO É FEITO COM 3 MOL DE C LIBERANDO 12 MOL DE ELÉTRONS, DOS QUAIS 10 MOL VÃO PARA 2 MOL DE N E 2 MOL VÃO PARA UM MOL DE S:

$$3C(s) + 2KNO_3(s) + S(s) \rightarrow 3CO_2(g)\uparrow + N_2(g)\uparrow + K_2S(s) + \textbf{BUM!}$$

AGORA PODEMOS FAZER A FÓRMULA PARA A PÓLVORA. COMEÇAREMOS COM A TABELA DE BALANÇO DE MASSA:

REAGENTES	MASSA MOLAR	PRODUTOS	MASSA MOLAR
3 mol C	3 × 12 = 36 g	3 mol CO_2	3 × 44 = 132 g
2 mol KNO_3	2 × 101 = 202 g	1 mol N_2	28 g
1 mol S	32 g	1 mol K_2S	110 g
TOTAL	270 g	TOTAL	270 g

PARA CADA GRAMA DE PÓLVORA, PRECISA-SE (36/270) g = 0,13 g C, (202/270) g = 0,75 g KNO_3, E (32/270) g = 0,12 g S. MULTIPLIQUE POR 100, PARA VER O QUE É NECESSÁRIO PARA FAZER 100 g DE PÓLVORA.

AGITE BEM, E RECUE!

13 g DE CARBONO, 75 g DE SALITRE (KNO_3), 12 g DE ENXOFRE.

NÃO, AGITE VOCÊ!

NADA MAL! UMA RECEITA TRADICIONAL DE PÓLVORA UTILIZA 10 g DE ENXOFRE, 15 g DE CARBONO, E 75 G DE SALITRE. A DIFERENÇA EM RELAÇÃO AO NOSSO RESULTADO É PROVENIENTE DA OCORRÊNCIA DE OUTROS PRODUTOS EM PEQUENAS QUANTIDADES, QUE FORAM DESPREZADOS. A RECEITA VERDADEIRA É FRUTO DE MUITAS TENTATIVAS E ERROS.

VOCÊ AGITA!

NÃO, VOCÊ!

VOCÊ!

CAPÍTULO 5
CALOR DE REAÇÃO

NO ÚLTIMO CAPÍTULO, CONSIDERAMOS AS REAÇÕES QUÍMICAS EM TERMOS DE TRANSFERÊNCIA DE MATÉRIA. DEDICAMOS ESPECIAL ATENÇÃO AOS ÁTOMOS, À MEDIDA EM QUE SE REARRANJAM.

AGORA VAMOS OLHAR PARA AS REAÇÕES DE UMA OUTRA MANEIRA: COMO TRANSFERÊNCIA DE **ENERGIA**.

OS FÍSICOS DEFINEM A ENERGIA MECÂNICA COMO SENDO A CAPACIDADE DE REALIZAR **TRABALHO**[1]. CONCEITUALMENTE, TRABALHO É O QUE ACONTECE QUANDO UMA FORÇA ATUA SOBRE UM OBJETO AO LONGO DE UMA DISTÂNCIA: TRABALHO = FORÇA X DISTÂNCIA. A UNIDADE MÉTRICA DE ENERGIA É NEWTON X METRO, OU **JOULE**.

1 JOULE = TRABALHO REALIZADO POR UMA FORÇA DE UM NEWTON ATUANDO AO LONGO DE UM METRO.

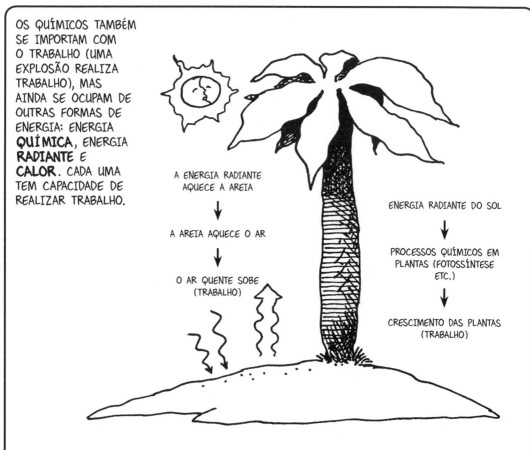

[1] NÃO CONFUNDIR COM TRABALHO ÚTIL.

VAMOS EXAMINAR A ENERGIA MECÂNICA MAIS DE PERTO. SE EU EMPURRAR ESTE COCO, ELE IRÁ MOVER-SE... E QUANTO MAIS FORTE OU POR MAIS TEMPO EU EMPURRAR, MAIS RÁPIDO ELE IRÁ. (ISTO É MAIS CLARO NO ESPAÇO EXTERIOR, ONDE NÃO HÁ ATRITO E GRAVIDADE.) APLICANDO TRABALHO NO COCO, EU PASSO ENERGIA PARA ELE: É A **ENERGIA CINÉTICA** (E.C.) OU ENERGIA DE MOVIMENTO.

$$E.C. = \frac{1}{2} mv^2$$

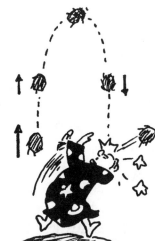

DE VOLTA À TERRA, EU EMPURRO O COCO NOVAMENTE, MAS NO SENTIDO ASCENDENTE. O COCO SOBE, MAS CADA VEZ MENOS, EM RAZÃO DA AÇÃO DA GRAVIDADE, ATÉ PARAR E COMEÇAR A CAIR. O QUE ACONTECEU COM A ENERGIA QUE EU APLIQUEI?

ESTACIONÁRIO, SEM ENERGIA CINÉTICA, ALTA ENERGIA POTENCIAL

BAIXA VELOCIDADE, ALGUMA ENERGIA CINÉTICA, ALGUMA ENERGIA POTENCIAL

ALTA VELOCIDADE, ALTA ENERGIA CINÉTICA

À MEDIDA QUE O COCO SOBE E PERDE ENERGIA CINÉTICA, ELE GANHA **ENERGIA POTENCIAL (E.P.)**. ESTA É UMA FORMA DE ENERGIA QUE DEPENDE DA POSIÇÃO DO CORPO NO CAMPO GRAVITACIONAL DA TERRA. E.C. + E.P. É CONSTANTE.

ACONTECE QUE **TODAS** AS FORMAS DE ENERGIA PODEM SER ENTENDIDAS EM TERMOS DE ENERGIA CINÉTICA E POTENCIAL. A ENERGIA RADIANTE, POR EXEMPLO, É A ENERGIA CINÉTICA DOS FÓTONS EM MOVIMENTO, OU PARTÍCULAS DE LUZ[2]. EXISTE ENERGIA POTENCIAL NAS LIGAÇÕES QUÍMICAS. E O CALOR É... CALOR É... O QUE É O CALOR, AFINAL?

É DIFÍCIL DE DESCREVER SEM SE ACALORAR.

[2] A "LUZ" NÃO PRECISA SER VISÍVEL. OS FÓTONS EM MOVIMENTO TRANSPORTAM ENERGIA DA RADIAÇÃO ELETROMAGNÉTICA, DESDE OS RAIOS X ATÉ AS ONDAS DE RÁDIO.

O CALOR, JÁ SABEMOS, TEM ALGO A VER COM **TEMPERATURA**, E TEMPERATURA É MUITO FAMILIAR. SABEMOS COMO MEDÍ-LA, BASTA UM TERMÔMETRO.

ESCALA CELSIUS — ESCALA KELVIN

100 °C — 373,15 °K

50 °C — 323,15 °K

0 °C — 273,15 °K

AS UNIDADES SÃO **GRAUS CELSIUS** (°C). A ESCALA CELSIUS TEM COMO BASE:

0 °C = PONTO DE FUSÃO DA ÁGUA
100 °C = PONTO DE EBULIÇÃO DA ÁGUA

A ESCALA **KELVIN** TEM GRAUS DA MESMA FORMA QUE A CELSIUS, PORÉM COMEÇA MAIS BAIXO:

0 K = ZERO ABSOLUTO, ONDE TODOS O MOVIMENTOS ATÔMICOS E MOLECULARES CESSAM = -273,15 °C.

°C = K -273,15

POR HÁBITO, DIZEMOS QUE ALGO ESTÁ QUENTE QUANDO QUEREMOS DIZER QUE SUA TEMPERATURA ESTÁ ALTA. UM QUÍMICO NUNCA DIRIA ISSO! **CALOR E TEMPERATURA NÃO SÃO A MESMA COISA.**

MAS NÃO EXATAMENTE DIFERENTE TAMBÉM...

PARA ILUSTRAR A DIFERENÇA, SUPONHA QUE ESTAMOS COZINHANDO DOIS COCOS, AUMENTANDO SUAS TEMPERATURAS DE 75 °C (DIGAMOS, DE 25° A 100°). ENTÃO, OS DOIS COCOS JUNTOS APRESENTARAM A **MESMA MUDANÇA DE TEMPERATURA** QUE UM COCO SOZINHO, MAS ABSORVERAM CALOR **DUAS VEZES MAIS**, POIS CONTÊM UMA MASSA DUAS VEZES MAIOR PARA SER AQUECIDA.

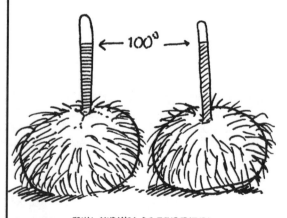

IGUAL MUDANÇA DE TEMPERATURA
DUPLICA A VARIAÇÃO DE CALOR

QUAL É, ENTÃO, A RELAÇÃO ENTRE TEMPERATURA E CALOR?

PARA COMEÇAR, SOB QUALQUER ASPECTO, TRANSFERÊNCIA DE CALOR ESTÁ ASSOCIADA COM **DIFERENÇA DE TEMPERATURA**. SABEMOS POR EXPERIÊNCIA QUE O CALOR SEMPRE FLUI DO QUENTE PARA O FRIO.

ISTO É, QUANDO UM OBJETO SOB ALTA TEMPERATURA ENCONTRA OUTRO À BAIXA TEMPERATURA, A ENERGIA FLUI DO QUENTE PARA O MAIS FRIO, ATÉ QUE AS TEMPERATURAS SE IGUALEM. UM EXEMPLO É QUANDO MERGULHAMOS ALGO FRIO EM ÁGUA QUENTE. (VAMOS SUPOR QUE ELE NÃO AFUNDA.)

ESTADO INICIAL
$T_2 < T_1$

OCORRE O FLUXO DE CALOR

ESTADO FINAL
$T_2 < T_{FINAL} < T_1$

(AS TEMPERATURAS FINAIS SÃO IGUAIS, E ENTRE OS EXTREMOS ORIGINAIS.)

A QUANTIDADE DE ENERGIA TRANSFERIDA É O CALOR: **CALOR É A VARIAÇÃO DE ENERGIA ASSOCIADA COM A DIFERENÇA DE TEMPERATURA.**

ENERGIA INTERNA

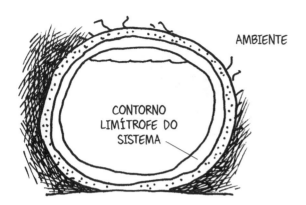

PARA ONDE VAI O CALOR? PARA RESPONDER ESSA QUESTÃO, CONSIDERE ESTE COCO, QUE REALMENTE ILUSTRA QUALQUER SISTEMA COM UMA FRONTEIRA BEM DEFINIDA, SEPARANDO-O DO AMBIENTE.

OLHANDO DE PERTO, O COCO SE AGITA COM A ENERGIA. TODAS AS SUAS MOLÉCULAS ESTÃO SE MOVENDO CAOTICAMENTE E, PORTANTO, TÊM ENERGIA CINÉTICA. ELAS TAMBÉM TÊM ENERGIA POTENCIAL: ATRAÇÕES ELÉTRICAS E REPULSÕES ACELERAM E DESACELERAM AS PARTÍCULAS, DA MESMA MANEIRA COMO A GRAVIDADE ATUA SOBRE UM OBJETO EM MOVIMENTO.

A **ENERGIA INTERNA** DO SISTEMA CORRESPONDE À SOMA DA ENERGIA CINÉTICA E POTENCIAL DE TODAS AS SUAS PARTÍCULAS.

A **TEMPERATURA** DE UM SISTEMA É UMA MEDIDA DA ENERGIA CINÉTICA TRANSLACIONAL[3] MÉDIA DE TODAS AS SUAS PARTÍCULAS, ISTO É, DE QUÃO RÁPIDO ELAS SE DESLOCAM OU AGITAM.

TUDO ISSO FAZ SENTIDO, LEVANDO EM CONTA O QUE JÁ SABEMOS A RESPEITO DA TEMPERATURA. UM SISTEMA DE MAIOR T AUMENTA A TEMPERATURA DE UM SISTEMA DE MENOR T, POIS AS PARTÍCULAS COM MAIOR ENERGIA TRANSFEREM SUA ENERGIA PARA AS QUE TÊM MENOS.

PARECIDO COM BOLAS DE BILHAR!

ISSO É UM POUCO MAIS COMPLICADO DO QUE PARECE SER. NOS GASES, T MEDE O QUANTO ENERGETICAMENTE AS PARTÍCULAS SE MOVIMENTAM, MAS NOS METAIS, T TAMBÉM INCLUI A ENERGIA DOS ELÉTRONS EM MOVIMENTO... NOS CRISTAIS, OS ÍONS AGITADOS TAMBÉM TÊM ENERGIA POTENCIAL E CINÉTICA, POIS AS PARTÍCULAS SE EMPURRAM MUTUAMENTE... E AS MOLÉCULAS (OU PARTE DELAS) PODEM GIRAR OU VIBRAR INTERNAMENTE. É DIFERENTE PARA CADA SUBSTÂNCIA!

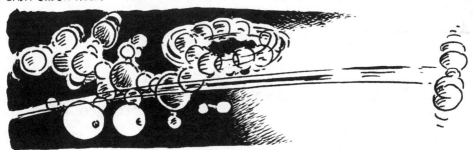

QUANDO O CALOR É ADICIONADO E A ENERGIA INTERNA AUMENTA, PARTE DA ENERGIA INTRODUZIDA NÃO CONTRIBUI PARA AUMENTAR A TEMPERATURA, MAS FICA ARMAZENADA INTERNAMENTE COMO ENERGIA POTENCIAL, ROTACIONAL OU VIBRACIONAL.

SÃO COMO BOLAS DE BILHAR, UNIDAS POR MOLAS.

DIFERENTES COMPOSTOS TÊM DIFERENTES RESPOSTAS AO CALOR.

ATENÇÃO

GAH! ESSA MÃO!

---

[3] ENERGIA TRANSLACIONAL É UMA ENERGIA ASSOCIADA COM PARTÍCULAS MOVIMENTANDO-SE EM UM ESPAÇO. A ENERGIA DE ROTAÇÃO E DE VIBRAÇÃO INTERNA NÃO ESTÁ INCLUÍDA.

CAPACIDADE DE CALOR

A **CAPACIDADE CALORÍFICA** DE UMA SUBSTÂNCIA EQUIVALE À ENERGIA QUE DEVE SER FORNECIDA PARA AUMENTAR SUA TEMPERATURA DE 1 °C. PODEMOS FALAR EM CAPACIDADE CALORÍFICA POR GRAMA ("CALOR ESPECÍFICO") OU POR MOL ("CAPACIDADE CALORÍFICA MOLAR").

JAMES PRESCOTT **JOULE** (1818-1889) MEDIU A CAPACIDADE CALORÍFICA DA ÁGUA. PARA ISSO, AMARROU UM PESO CADENTE EM UMA RODA COM PÁS GIRATÓRIAS IMERSA EM ÁGUA. MEDINDO O PEQUENO AUMENTO DE TEMPERATURA DA ÁGUA[4], JOULE CHEGOU AO TRABALHO EQUIVALENTE À VARIAÇÃO OBSERVADA. RESULTADO:

A CAPACIDADE CALORÍFICA POR GRAMA DA ÁGUA, OU **CALOR ESPECÍFICO**, É

4,184 JOULE/G °C

EXEMPLO: PARA AUMENTAR A TEMPERATURA DE 5 G DE ÁGUA EM 7 °C É NECESSÁRIO FORNECER UMA ENERGIA DE

5 X 7 X 4,184
= 146 J.

---

[4] VOCÊ PODE AUMENTAR A TEMPERATURA EXECUTANDO UM TRABALHO SOBRE O OBJETO. POR EXEMPLO, QUANDO VOCÊ MARTELA UM PREGO, A CABEÇA DELE SE AQUECE.

AQUI ESTÁ, FINALMENTE, A RELAÇÃO DEFINITIVA ENTRE TEMPERATURA E CALOR:

VARIAÇÃO DE CALOR = MASSA X ΔT X CALOR ESPECÍFICO

A PARTIR DESSA FÓRMULA SIMPLES E DO CALOR ESPECÍFICO DA ÁGUA, PODEMOS ENCONTRAR TODOS OS OUTROS CALORES ESPECÍFICOS! VAMOS COMEÇAR COM O COBRE. MERGULHE 2 kg DE COBRE A 25 °C EM 5 kg DE ÁGUA A 30 °C. DEIXE A TEMPERATURA ESTABILIZAR. VERIFIQUE O TERMÔMETRO. ELE ESTÁ MARCANDO 29,83 °C. A ÁGUA QUASE NÃO SOFREU VARIAÇÃO DE TEMPERATURA, MAS O COBRE REALMENTE SE AQUECEU!

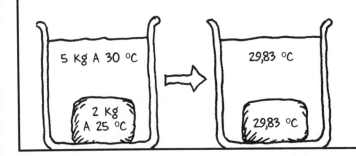

AS MUDANÇAS DE TEMPERATURA (ΔT) SÃO:

$\Delta T_{ÁGUA} = -0{,}17$ °C

$\Delta T_{COBRE} = 4{,}83$ °C

PODEMOS CALCULAR IMEDIATAMENTE A PERDA DE CALOR DA ÁGUA (AS VARIAÇÕES DE CALOR SÃO REPRESENTADAS PELA LETRA q):

$q_{ÁGUA} = (5.000\ g)(-0{,}17\ °C)(4{,}18\ J/g\ °C)$

$= -3.553\ J$

MAS O CALOR QUE A ÁGUA PERDEU É PRECISAMENTE IGUAL AO QUE FOI GANHO PELO COBRE (SUPONDO QUE NENHUM CALOR SE PERDEU PARA FORA DO VASO). ISTO É,

$Q_{COBRE} = 3.553$ JOULE.

COMO EXISTEM 2.000 g DE COBRE, SEGUNDO A FÓRMULA:

$3.553\ J = (2.000\ g)(4{,}83\ °C)\ C_{Cu}$

(C_{Cu} = CALOR ESPECÍFICO DO COBRE)

RESOLVENDO PARA C_{Cu},

$C_{Cu} = \dfrac{3.553\ J}{(2.000\ g)(4{,}83\ °C)} = 0{,}37\ J/g\ °C$

101

É SURPREENDENTE QUE O CALOR ESPECÍFICO DO COBRE SEJA MENOS QUE **UM DÉCIMO** DO QUE A ÁGUA PODE ABSORVER AUMENTANDO MUITO POUCO A TEMPERATURA, ENQUANTO A TEMPERATURA DO COBRE SOBE FACILMENTE.

MUITOS OUTROS CALORES ESPECÍFICOS PODEM SER DETERMINADOS DA MESMA MANEIRA. SE SUBSTITUIRMOS O COBRE PELO FERRO NO EXPERIMENTO (MESMA TEMPERATURA, MESMA MASSA), VAMOS ENCONTRAR:

$\Delta T_{ÁGUA} = -0{,}206\ °C$

$\Delta T_{FERRO} = 4{,}794\ °C$

CALCULANDO EXATAMENTE COMO ANTES, TEREMOS:

$C_{FERRO} = 0{,}45\ J/g\ °C$

TAMBÉM MUITO BAIXO.

AGORA COMPARE O FERRO COM O ETANOL, OU ÁLCOOL. CONSIDERE AS MESMAS MASSAS E UMA DIFERENÇA INICIAL DE TEMPERATURA DE 5 °C.

$\Delta T_{ETANOL} = -0{,}36\ °C$

$\Delta T_{FERRO} = 4{,}65\ °C$

E PODEMOS CALCULAR COMO ANTES:

$C_{ETANOL} = 2{,}4\ J/g\ °C$

É PRÓXIMO DA ÁGUA.

PODEMOS CONTINUAR MEDINDO UMA COISA CONTRA OUTRA, ATÉ CATALOGARMOS UMA TABELA INTEIRA DE CALORES ESPECÍFICOS.

SUBSTÂNCIA	CALOR ESPECÍFICO (J/g °C)
MERCÚRIO, Hg	0,14
COBRE, Cu	0,37
FERRO, Fe	0,45
CARBONO, C (GRAFITE)	0,68
MOLÉCULAS SIMPLES	
GELO, H_2O (s)	2,0
VAPOR D'ÁGUA, H_2O (g)	2,1
ANTICONGELANTE (CH_2OHCH_2OH)	2,4
ETANOL, (CH_3CH_2OH)	2,4
ÁGUA LÍQUIDA, H_2O (l)	4,2
AMÔNIA, NH_3 (l)	4,7
MATERIAIS COMPLEXOS	
LATÃO	0,38
GRANITO	0,79
VIDRO	0,8
CONCRETO	0,9
MADEIRA	1,8

NOTE QUE O ANTICONGELANTE É UM LÍQUIDO DE RESFRIAMENTO MENOS EFICIENTE DO QUE A ÁGUA, PORÉM ELE TEM COMO VANTAGENS UM PONTO DE CONGELAMENTO MAIS BAIXO, E O FATO DE SER MENOS CORROSIVO PARA OS COMPONENTES DO MOTOR.

SIM, Ó SÁBIA MÃO!

CALORIMETRIA

O INTUITO DE TODAS ESSAS DISCUSSÕES PRELIMINARES FOI CHEGAR ATÉ AS **VARIAÇÕES DE CALOR ASSOCIADAS ÀS REAÇÕES QUÍMICAS**: QUANTA ENERGIA É LIBERADA OU ABSORVIDA SOB A FORMA DE CALOR QUANDO OCORRE UMA REAÇÃO? AGORA ESTAMOS EM CONDIÇÕES DE MEDIR ISSO.

O MÉTODO É SEMELHANTE AO UTILIZADO PARA ENCONTRAR OS CALORES ESPECÍFICOS: EXECUTE A REAÇÃO EM UM VASO DE CAPACIDADE CALORÍFICA CONHECIDA E MEÇA A VARIAÇÃO DE TEMPERATURA. COMO O VASO ABSORVE O QUE A REAÇÃO LIBERA — OU VICE-VERSA — A VARIAÇÃO DE CALOR q DA REAÇÃO É $-q_{VASO} = -C\Delta T$.

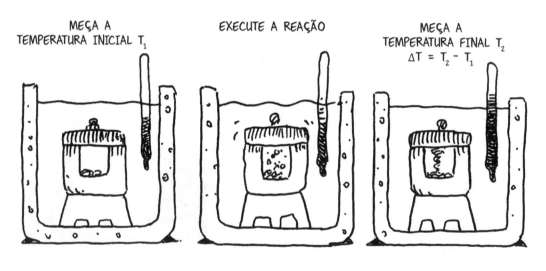

$$Q = -C\Delta T$$

O VASO DA REAÇÃO E SEU ENVOLTÓRIO CONSTITUEM UMA **BOMBA CALORIMÉTRICA**. A CÂMARA DE REAÇÃO OU "BOMBA" É GERALMENTE MERGULHADA EM ÁGUA, QUE PODE SER AGITADA PARA DISTRIBUIR O CALOR. UM TERMÔMETRO COMPLETA O APARELHO.

EXEMPLO

COMBUSTÃO DO **OCTANO** C_8H_{18}, UM COMPONENTE DA GASOLINA:

$$2C_8H_{18} (l) + 25\, O_2 (g) \rightarrow 16CO_2 (g) + 18H_2O (g)$$

PARA MEDIR O CALOR LIBERADO, PRECISAMOS DE UMA BOMBA CALORIMÉTRICA CAPAZ DE SUPORTAR A ALTA TEMPERATURA E PRESSÃO PRODUZIDA. UM RECIPIENTE DE AÇO COM PAREDES GROSSAS DEVE BASTAR... VAMOS SUPOR QUE SUA CAPACIDADE CALORÍFICA SEJA 15.000 J/°C. AGORA VAMOS MERGULHÁ-LO EM 2,5 L DE ÁGUA (2.500 g).

A CAPACIDADE CALORÍFICA DA ÁGUA É

$(2.500\text{ g})(4,184\text{ J/g °C}) = 10.460\text{ J/°C}$

E ASSIM A CAPACIDADE CALORÍFICA TOTAL DO CALORÍMETRO SERÁ

$10.460 + 15.000 = 25.460\text{ J/°C}$.

VAMOS SUPOR QUE A TEMPERATURA INICIAL DO CALORÍMETRO T_1 SEJA 25 °C.

VAI QUEIMAR... O CALOR VAI INVADIR O CALORÍMETRO... DEPOIS CONSULTE O TERMÔMETRO PARA ENCONTRAR $T_2 = 26{,}88$ °C. ENTÃO,

$\Delta T = T_2 - T_1 = 1{,}88$ °C

A FÓRMULA MÁGICA É

$q = -C_{\text{CALORÍMETRO}}(\Delta T)$

VAMOS APLICAR, E OBTER

$q = -(25.460\text{ J/°C})(1{,}88\text{ °C}) = -47.800\text{ J}$
$= -47{,}8\text{ KJ}$

ASSIM, CONCLUÍMOS QUE O OCTANO LIBERA 47,8 kJ/g DE CALOR QUANDO QUEIMADO.

ENTALPIA

A BOMBA CALORIMÉTRICA É LEGAL, MARAVILHOSA, FANTÁSTICA, PORÉM UM TANTO IRREAL, POIS O COMPARTIMENTO DE REAÇÃO É COMPLETAMENTE SELADO. ALGUMAS REAÇÕES PODEM PRODUZIR ALTAS PRESSÕES NO INTERIOR DA BOMBA, QUE PODEM AFETAR A TEMPERATURA.

POR EXEMPLO, UMA EXPLOSÃO A CÉU ABERTO LIBERA GASES QUE SE EXPANDEM RAPIDAMENTE E EMPURRAM O AR DAS IMEDIAÇÕES PARA FORA. EM OUTRAS PALAVRAS, OS GASES REALIZAM **TRABALHO** NAS VIZINHANÇAS.

NESSE CASO, A VARIAÇÃO DE ENERGIA DA REAÇÃO ΔE TEM DOIS COMPONENTES, **TRABALHO** E **CALOR**:

ΔE = ΔH + TRABALHO

EMPURRANDO O AR NO CAMINHO OS PRODUTOS ESFRIAM!

AQUI, ΔH SIGINIFICA A MUDANÇA DO CALOR QUANDO A REAÇÃO FUNCIONA AO AR LIVRE.

NA BOMBA CALORIMÉTRICA, OS GASES NÃO REALIZAM TRABALHO, POIS A EXPLOSÃO É CONFINADA EM UM VOLUME FIXO. **TODA** A ENERGIA É LIBERADA COMO CALOR.

ΔE = q

PORTANTO,

q = ΔH + TRABALHO

E, ENTÃO:

q > ΔH

A VARIAÇÃO DE CALOR NA BOMBA É MAIOR DA QUE OCORRE EM AMBIENTE ABERTO.

PARA MEDIR A VARIAÇÃO DE ENTALPIA, USAMOS UM CALORÍMETRO QUE MANTÉM A PRESSÃO CONSTANTE. ENTÃO, O PROCEDIMENTO É IGUAL AO DA BOMBA CALORIMÉTRICA: MEÇA AS TEMPERATURAS INICIAL E FINAL T_1 E T_2, ENTÃO, MULTIPLIQUE A DIFERENÇA $T_2 - T_1$ PELA CAPACIDADE CALORÍFICA DO CALORÍMETRO.

EXEMPLO

EXPLOSÃO DA PÓLVORA (AQUI A EQUAÇÃO É MOSTRADA DE FORMA MAIS REALÍSTICA QUE ANTES).

$$4KNO_3(s) + 7C(s) + S(s) \rightarrow 3CO_2\uparrow + 3CO\uparrow + 2N_2\uparrow + K_2CO_3(s) + K_2S(s)$$

SUPONHA QUE O NOSSO CALORÍMETRO TENHA UMA CAPACIDADE CALORÍFICA DE 337,6 KJ/°C. PODEMOS COMEÇAR COM 500 g DE PÓLVORA. A VARIAÇÃO DE TEMPERATURA ΔT FOI IGUAL A 4,78 °C, E ASSIM CALCULAMOS

$$\Delta H = -(337,6 \text{ kJ/°C})(4,78 \text{ °C})$$
$$= -1.614 \text{ kJ}$$

E DEPOIS, PODEMOS OBTER A VARIAÇÃO DE ENTALPIA POR GRAMA, ΔH/g.

$$\Delta H/g = \frac{-1.614}{500} = -3,23 \text{ kJ/g}$$

EXEMPLO

TEMOS AQUI UMA REAÇÃO QUE ABSORVE CALOR:

$$CaCO_3 (s) \overset{\Delta}{\rightarrow} CaO(s) + CO_2\uparrow$$

NO INÍCIO O CALORÍMETRO DEVE ESTAR SUFICIENTEMENTE QUENTE PARA OCORRER A REAÇÃO. NO FIM, O CALORÍMETRO ESTARÁ MAIS **FRIO** DO QUE ANTES. PARTINDO DE UM MOL DE $CaCO_3$, VAMOS OBTER

$$\Delta T = -0,53 \text{ °C}$$

ENTÃO

$$\Delta H = -(337,6 \text{ kJ/°C})(-0,53 \text{ °C})$$
$$= 179 \text{ kJ/mol}$$

REAÇÕES QUE LIBERAM CALOR (ΔH < 0) SÃO CHAMADAS **EXOTÉRMICAS**. REAÇÕES QUE ABSORVEM CALOR DO AMBIENTE (ΔH > 0) SÃO CHAMADAS **ENDOTÉRMICAS**.

CALOR DE FORMAÇÃO

QUE BOM! AGORA PODEMOS MEDIR ΔH PARA QUALQUER REAÇÃO! PORÉM, EXISTEM TANTAS REAÇÕES... ISSO VAI LEVAR UM BOM TEMPO... FELIZMENTE, DE FORMA CRIATIVA (OU TALVEZ POR PREGUIÇA) OS QUÍMICOS PENSARAM EM UMA **SAÍDA MAIS SIMPLES**: EM VEZ DE MEDIR MUDANÇAS DE ENTALPIA, SERIA MELHOR **CALCULÁ-LAS**.

O CONCEITO BÁSICO É CHAMADO **ENTALPIA DE FORMAÇÃO**, ΔH_F: ELA CORRESPONDE À VARIAÇÃO DE ENTALPIA QUANDO UM MOL DE SUBSTÂNCIA É FORMADO A PARTIR DE SEUS ELEMENTOS CONSTITUINTES. POR EXEMPLO, QUANDO UM MOL DE ÁGUA LÍQUIDA É FORMADA A PARTIR DO HIDROGÊNIO E OXIGÊNIO, NOSSO CALORÍMETRO MEDIRÁ:

$$H_2(g) + \frac{1}{2} O_2(g) \rightarrow H_2O(l) \qquad \Delta H_F = \Delta H = -285,8 \text{ kJ/mol}$$

CADA SUBSTÂNCIA TEM UM CALOR DE FORMAÇÃO, QUE PODE SER MEDIDO OU CALCULADO. TODO ELEMENTO EM SUA FORMA MAIS ESTÁVEL (POR EXEMPLO $C_{GRAFITE}$, O_2 OU S) TEM ΔH = 0.

SUBSTÂNCIA	ΔH_F, KJ/mol
$CO(g)$	-110,5
$CO_2(g)$	-393,8
$CaCO_3(s)$	-1207,6
$CaO(s)$	-635,0
$H_2O(l)$	-285,8
$H_2O(g)$	-241,8
$S(s)$	0
$KNO_3(s)$	-494,0
$K_2CO_3(s)$	-1151,0
$C_3H_5(NO_3)_3(l)$	-364,0
$N_2(g)$	0
$O_2(g)$	0

PARA QUE USAMOS OS CALORES DE FORMAÇÃO? EIS A IDEIA. IMAGINE QUALQUER REAÇÃO: REAGENTES → PRODUTOS. VAMOS SUPOR QUE ELA TENHA **DUAS ETAPAS SUCESSIVAS**: REAGENTES → ELEMENTOS CONSTITUINTES → PRODUTOS.

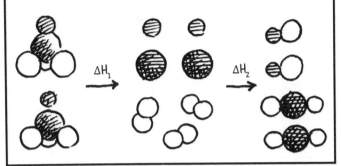

DECOMPOR OS REAGENTES NOS ELEMENTOS IMPLICA UMA **VARIAÇÃO** DE ENTALPIA TOTAL DE FORMAÇÃO COM SINAL TROCADO:

$\Delta H_1 = -\Delta H_F$ TOTAL DE TODOS OS REAGENTES.

A FORMAÇÃO DOS PRODUTOS TEM UMA VARIAÇÃO DE ENTALPIA IGUAL À COMBINAÇÃO DE SUAS ENTALPIAS INDIVIDUAIS DE FORMAÇÃO.

$\Delta H_2 = \Delta H_F$ TOTAL DE TODOS OS PRODUTOS

A VARIAÇÃO DE ENTALPIA DA REAÇÃO INTEIRA, ENTÃO, É A VARIAÇÃO TOTAL DA ENTALPIA DAS DUAS ETAPAS SUCESSIVAS:

$\Delta H = \Delta H_1 + \Delta H_2$

$\quad\quad = \Delta H \text{ (PRODUTOS)} - \Delta H \text{ (REAGENTES)}$

ISTO É, EM QUALQUER REAÇÃO, ΔH É SIMPLESMENTE A DIFERENÇA ENTRE AS ENTALPIAS DE FORMAÇÃO DOS PRODUTOS E DOS REAGENTES.

É TÃO FÁCIL!!

ISSO, À PROPÓSITO, É UM PRINCÍPIO CONHECIDO COMO **LEI DE HESS**: A VARIAÇÃO DA ENTALPIA DEPENDE SOMENTE DOS ESTADOS INICIAL E FINAL, E NÃO IMPORTA SE EXISTE ALGO NO CAMINHO. SE UMA REAÇÃO TEM ETAPAS INTERMEDIÁRIAS, ΔH SERÁ IGUAL À SOMA DAS VARIAÇÕES DE ENTALPIA DE CADA UMA DESSAS ETAPAS.

SE A NATUREZA DIZ PARA IGNORAR O QUE ESTÁ NO MEIO, QUEM SOU EU PARA DESOBEDECER?

HMM... VOCÊ É REALMENTE PREGUIÇOSO!

EXEMPLOS

CALCÁREO SENDO CALCINADO ATÉ A CAL VIRGEM:

$$CaCO_3(s) \xrightarrow{\Delta} CaCO(s) + CO_2\uparrow \quad \Delta H = ?$$

VAMOS CONSTRUIR UMA TABELA COM O **BALANÇO DE ENERGIA**, SEMELHANTE ÀS TABELAS DE BALANÇO DE MASSA DO ÚLTIMO CAPÍTULO. OS VALORES DE ENTALPIA DE FORMAÇÃO PODEM SER ENCONTRADAS NA TABELA DA PÁGINA 108.

REAGENTE	N = QUANTIDADE EM MOL	ΔH_f	$n\Delta H_f$	PRODUTO	n	ΔH_f	$n\Delta H_f$
$CaCO_3$	1	-1207,6	-1207,6	CaO	1	-635	-635
				CO_2	1	-393,8	-393,8
TOTAL			-1207,6				-1028,8

ENTÃO: ΔH = ΔH (PRODUTOS) - ΔH (REAGENTES)

= -1028,8 - (-1207,6) = 1207,6 - 1028,8

= 178,8 kJ PARA CADA MOL DE CaO PRODUZIDO.

COMO PODEMOS VER, A REAÇÃO É **ENDOTÉRMICA**.

TIRE AQUILO DISSO!

EXPLOSÃO DA NITROGLICERINA

$$4C_3H_5(NO_3)_3(l) \rightarrow 6N_2\uparrow + O_2\uparrow + 12CO_2\uparrow + 10H_2O\uparrow$$

REAGENTE	n	ΔH_f	$n\Delta H_f$	PRODUTO	n	ΔH_f	$n\Delta H_f$
$C_3H_5(NO_3)_3$	4	-364	-1.456	N_2	6	0	0
				O_2	1	0	0
				H_2O (g)	10	-241,8	-2418,0
				CO_2 (g)	12	-393,8	-4725,6
TOTAL			-1.456				-7143,6

ΔH = -7143,6 - (-1.456) = -5687,6 kJ POR 4 MOL DE NITROGLICERINA.

UM MOL DE NITROGLICERINA LIBERA UMA QUARTA PARTE DISSO:

ΔH/mol = (-5687,6)/4 = -1421,9 kJ/mol.

UM MOL DE NITROGLICERINA PESA 227 g, ASSIM TAMBÉM PODEMOS CALCULAR ΔH/grama:

ΔH/g = (-1421,9)/227 = -6,26 kJ/g.

NOTE QUE A NITROGLICERINA LIBERA **DUAS VEZES** MAIS CALOR POR GRAMA (6,26 kJ) QUE A PÓLVORA (3,23 kJ).

COMBUSTÃO DO GÁS NATURAL (METANO, CH_4)

$CH_4(g) + 2O_2(g) \rightarrow CO_2(g) + 2H_2O(g)$

REAGENTE	n	ΔH_f	$n\Delta H_f$	PRODUTO	n	ΔH_f	$n\Delta H_f$
CH_4	1	-74,9	-74,9	$CO_2(g)$	1	-393,8	-393,8
				$H_2O(g)$	2	-241,8	-483,6
TOTAL			-74,9				-877,4

$\Delta H = -877,4 - (-74,9) = -802,5$ kJ/mol, OU CERCA DE $-50,2$ kJ/g

---

QUANDO O O_2 É O OXIDANTE EM UMA REAÇÃO REDOX (COMO ANTERIORMENTE), A VARIAÇÃO DE ENTALPIA É CHAMADA **CALOR DE COMBUSTÃO**. AS REAÇÕES DE COMBUSTÃO SÃO ALTAMENTE EXOTÉRMICAS. A QUEIMA DE HIDROGÊNIO, POR EXEMPLO, LIBERA 286 kJ/mol OU 143 kJ/g. (= O CALOR DE FORMAÇÃO DA ÁGUA. VEJA A PÁGINA 108.) ALGUNS OUTROS VALORES DE CALOR DE COMBUSTÃO, EM kJ POR GRAMA DE COMBUSTÍVEL:

HIDROGÊNIO	143
GÁS NATURAL (CH_4)	50
GASOLINA	48
PETRÓLEO CRÚ	43
CARVÃO	29
PAPEL	20
BIOMASSA SECA	16
MADEIRA SECA AO AR	15

NESTE CAPÍTULO, VIMOS AS VARIAÇÕES DE CALOR SOB DOIS DIFERENTES CONTEXTOS: PRIMEIRO, ASSOCIADO COM AS MUDANÇAS DE TEMPERATURA E, SEGUNDO, ASSOCIADO COM AS REAÇÕES. NO PRÓXIMO CAPÍTULO VEREMOS O CALOR EM OUTRO LUGAR SURPREENDENTE: NAS **MUDANÇAS DE ESTADO.**

EXPLICANDO MELHOR, QUANDO UMA SUBSTÂNCIA PASSA DO ESTADO SÓLIDO PARA LÍQUIDO (OU LÍQUIDO PARA GÁS, OU SÓLIDO PARA GÁS ETC.), O CALOR É ADICIONADO OU RETIRADO – E ISSO ACONTECE SEM QUALQUER MUDANÇA NA TEMPERATURA. ÀS VEZES, O CALOR PODE MUDAR A **ESTRUTURA** EM VEZ DA TEMPERATURA.

PARA ENTENDER ESSE QUEBRA-CABEÇA, PRECISAMOS INGRESSAR NO MUNDO DOS SÓLIDOS, LÍQUIDOS E GASES...

CAPÍTULO 6
A MATÉRIA EM SEU ESTADO

SOB CONDIÇÕES NORMAIS – DIGAMOS, NÃO NO INTERIOR DAS ESTRELAS — A MATÉRIA EXISTE EM TRÊS ESTADOS: SÓLIDO, LÍQUIDO E GASOSO.

NOS SÓLIDOS, AS PARTÍCULAS ESTÃO REUNIDAS EM UMA ESTRUTURA RÍGIDA. UM SÓLIDO TEM TANTO FORMA COMO VOLUME DEFINIDO.

NOS LÍQUIDOS, AS PARTÍCULAS ESTÃO AGREGADAS, MAS SEM FORMAR UMA ESTRUTURA GLOBAL DEFINIDA. UM LÍQUIDO TEM VOLUME DEFINIDO, MAS SUA FORMA SE ADAPTA À DO RECIPIENTE.

NOS GASES, A ESTRUTURA ESTÁ AUSENTE. AS PARTÍCULAS VOAM QUASE QUE COM TOTAL INDEPENDÊNCIA. UM GÁS NÃO TEM NEM FORMA NEM VOLUME DEFINIDO, MAS PODE SE EXPANDIR PARA PREENCHER QUALQUER RECIPIENTE.

O QUE MANTÊM COESOS OS SÓLIDOS E LÍQUIDOS? A RESPOSTA ESTÁ NAS **FORÇAS INTERMOLECULARES** DENTRO DA SUBSTÂNCIA. SÃO ATRAÇÕES ENTRE MOLÉCULAS (DIFERENTES DAS LIGAÇÕES DENTRO DA MOLÉCULA).

UMA FORÇA INTERMOLECULAR QUE JÁ ENCONTRAMOS FOI A **LIGAÇÃO DE HIDROGÊNIO**. NAS MOLÉCULAS DE ÁGUA, OS ELÉTRONS FICAM PRÓXIMOS DOS ÁTOMOS DE OXIGÊNIO, E OS ÁTOMOS DE HIDROGÊNIO FICAM EFETIVAMENTE COM UMA CARGA POSITIVA. ISSO ACABA ATRAINDO O POLO NEGATIVO DE OUTRA MOLÉCULA DE ÁGUA.

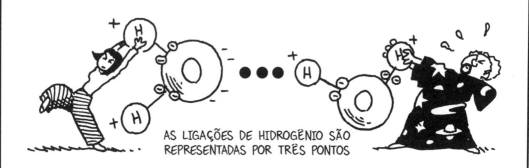

AS LIGAÇÕES DE HIDROGÊNIO SÃO REPRESENTADAS POR TRÊS PONTOS

POR CAUSA DE SEUS DOIS POLOS ELÉTRICOS, A MOLÉCULA DE ÁGUA APRESENTA O QUE CHAMAMOS DIPOLO. MUITAS OUTRAS MOLÉCULAS APRESENTAM DIPOLOS TAMBÉM, E SE ATRAEM MUTUAMENTE, PELO TERMINAL DE UM DIPOLO COM O OUTRO. OS DIPOLOS TAMBÉM PODEM ATRAIR ÍONS.

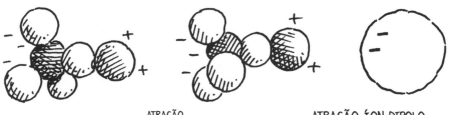

ATRAÇÃO DIPOLO-DIPOLO

ATRAÇÃO ÍON-DIPOLO

MOLÉCULAS APOLARES PODEM FORMAR DIPOLOS. POR EXEMPLO, QUANDO UM ÍON SE APROXIMA DE UMA MOLÉCULA, SUA CARGA ELÉTRICA PODE EMPURRAR OU PUXAR OS ELÉTRONS DELA EM SUA DIREÇÃO. A MOLÉCULA PASSA A APRESENTAR UM **DIPOLO INDUZIDO**, E UMA DAS EXTREMIDADES É ATRAÍDA PELO ÍON. UM DIPOLO TAMBÉM PODE INDUZIR OUTRO.

MESMO O VOO NEBULOSO DOS **ELÉTRONS DENTRO DE UM ÁTOMO** OU MOLÉCULA PODE GERAR UM DIPOLO "INSTANTÂNEO" – QUE INDUZIRÁ OUTRO NO ÁTOMO OU NA MOLÉCULA VIZINHA, E ASSIM POR DIANTE. ISSO GERA UMA ATRAÇÃO, COMO UMA ONDA, QUE É CONHECIDA COMO **FORÇA DE DISPERSÃO DE LONDON**.

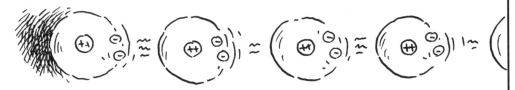

UM CARGA TEMPORÁRIA DESBALANCEADA DÁ ORIGEM A UMA ONDA DE ATRAÇÕES DIPOLO-DIPOLO.

EMBORA SEJAM CHAMADAS FORÇAS **INTERMOLECULARES**, ESSAS ATRAÇÕES NÃO ATUAM SOMENTE EM MOLÉCULAS. ÁTOMOS DE GASES NOBRES, POR EXEMPLO, SENTEM A FORÇA DE DISPERSÃO DE LONDON.

DESTE PONTO EM DIANTE SEREMOS UM POUCO MENOS RIGOROSOS COM A LINGUAGEM E, ALGUMAS VEZES, FALAREMOS DE FORÇAS INTERMOLECULARES COMO LIGAÇÕES. FORÇAS INTERMOLECULARES OU LIGAÇÕES SÃO ATRAÇÕES DE NATUREZA ELÉTRICA ENTRE PARTÍCULAS!

ESTA TABELA RESUME AS INTENSIDADES DE DIFERENTES FORÇAS ATRATIVAS. A **FORÇA** DE UMA LIGAÇÃO REFLETE A ENERGIA NECESSÁRIA PARA QUEBRÁ-LA.

ATRAÇÕES FORTES

	FORÇA
IÔNICA	300 – 1.000 kJ/mol
ATRAÇÃO ÍON-ÍON	
METÁLICA	50 – 1.000 kJ/mol
ELÉTRONS COMPARTILHADOS ENTRE ÁTOMOS METÁLICOS	
COVALENTE	300 – 1.000 kJ/mol
ELÉTRONS COMPARTILHADOS	

ATRAÇÕES MODERADAS

LIGAÇÕES DE HIDROGÊNIO	20 – 40 kJ/mol
UM PRÓTON EXPOSTO EM UMA MOLÉCULA ATRAI UM ÁTOMO CARREGADO NEGATIVAMENTE EM UMA MOLÉCULA VIZINHA	
ÍON-DIPOLO	10 – 20 kJ/mol

ATRAÇÕES FRACAS

DIPOLO-DIPOLO	1 – 5 kJ/mol
ÍON-DIPOLO INDUZIDO	1 – 3 kJ/mol
DIPOLO-DIPOLO INDUZIDO	0,05 – 2 kJ/mol
DIPOLO INSTANTÂNEO-DIPOLO INDUZIDO (DISPERSÃO)	0,05 – 2 kJ/mol

NOTA: AS FORÇAS DE DISPERSÃO SÃO MAIORES ENTRE ÁTOMOS GRANDES, POIS TÊM MAIS ELÉTRONS SUSCETÍVEIS E DISTANTES DO NÚCLEO, PARA SEREM FACILMENTE ATRAÍDOS.

AS SUBSTÂNCIA COM FRACAS FORÇAS INTERMOLECULARES PODEM SER SÓLIDAS OU LÍQUIDAS, APENAS A BAIXAS TEMPERATURAS, QUANDO AS PARTÍCULAS MOVEM-SE LENTAMENTE.

À MEDIDA QUE A TEMPERATURA AUMENTA, OS MOVIMENTOS DAS MOLÉCULAS DESFAZEM AS FORÇAS INTERMOLECULARES. SE AS FORÇAS SÃO FRACAS, A SUBSTÂNCIA TORNA-SE UM LÍQUIDO OU GÁS.

EM CONTRASTE, SUBSTÂNCIAS FORTEMENTE LIGADAS PODEM PERMANECER SÓLIDAS MESMO EM TEMPERATURAS DE MILHARES DE DEGRAUS CELSIUS.

EM OUTRAS PALAVRAS, SUBSTÂNCIAS COM FRACAS FORÇAS INTERMOLECULARES FUNDEM-SE E ENTRAM EM EBULIÇÃO A TEMPERATURAS MAIS BAIXAS, ENQUANTO AS QUE TÊM LIGAÇÕES FORTES OS FAZEM EM TEMPERATURAS MAIS ALTAS. A ÁGUA, COM SUAS LIGAÇÕES DE HIDROGÊNIO, ESTÁ EM UMA POSIÇÃO INTERMEDIÁRIA.

SUBSTÂNCIA	FORÇA	FORÇA DA LIGAÇÃO (kJ/mol)	PONTO DE FUSÃO (ºC)	PONTO DE EBULIÇÃO (ºC)
Ar	DISPERSÃO...	8	-189	-186
NH_3	LIG. HIDROGÊNIO	35	-78	-33
H_2O	LIG. HIDROGÊNIO	23	0	100
Hg	METÁLICA	68	-38	356
Al	METÁLICA	324	660	2.467
Fe	METÁLICA	406	1.535	2.750
NaCl	IÔNICA	640	801	1.413
MgO	IÔNICA	1.000	2.800	3.600
Si	COVALENTE	450	1.420	2.355
C (DIAMANTE)	COVALENTE	713	3.550	4.098

OS ESTADOS MAIS SIMPLES DA MATÉRIA NÃO APRESENTAM FORÇAS INTERMOLECULARES (OU QUASE).

GASES, REAIS E IDEAIS

GASES SÃO PARTÍCULAS QUE SE MOVEM LIVREMENTE, OU QUASE. QUANDO ELAS COLIDEM ENTRE SI, EXPERIMENTAM UMA FORÇA INTERMOLECULAR. ASSIM, AS COLISÕES SÃO COMO UMA ESPÉCIE DE "GRUDE" (E ALGUMA ENERGIA CINÉTICA É PERDIDA PARA VENCER A ATRAÇÃO).

TEORICAMENTE OS QUÍMICOS PODEM IGNORAR ESSE TIPO INSIGNIFICANTE DE COMPLICAÇÃO, E PENSAR EM TERMOS DE UM **GÁS IDEAL**. NESSE CASO, TODAS AS PARTÍCULAS SÃO IDÊNTICAS, MOVEM-SE LIVREMENTE, E TODAS AS COLISÕES SÃO PERFEITAMENTE ELÁSTICAS – OU SEJA, A ENERGIA CINÉTICA É PRESERVADA.

A PRESSÃO É DEFINIDA COMO **FORÇA POR UNIDADE DE ÁREA**. A FORÇA APLICADA A UMA PEQUENA ÁREA PODE TER MAIS EFEITO DO QUE A FORÇA APLICADA SOBRE UMA GRANDE ÁREA. ESSA É A RAZÃO DE VOCÊ PREFERIR SENTAR SOBRE UM ASSENTO DO QUE SOBRE UM PREGO! A FORÇA É IGUAL AO SEU PESO, O QUE MUDA É A ÁREA.

O GÁS EXERCE PRESSÃO, PORQUE SUAS PARTÍCULAS SE CHOCAM COM AS COISAS.

DOBRANDO UMA ÁREA, TAMBÉM DOBRAMOS O NÚMERO DE COLISÕES E, CONSEQUENTEMENTE, A FORÇA. PORTANTO, A ÁREA E A FORÇA CRESCEM JUNTAS, MAS A PRESSÃO (FORÇA/ÁREA) PERMANECE CONSTANTE NO GÁS.

$$PRESSÃO = \frac{FORÇA}{ÁREA}$$

O AR AO NOSSO REDOR EXERCE A PRESSÃO ATMOSFÉRICA. **UMA ATMOSFERA** (1 atm) EQUIVALE A ESSA PRESSÃO (EM MÉDIA) AO NÍVEL DO MAR. EM TERMOS DE UNIDADES MÉTRICAS:

$$1 \text{ atm} = 101.325 \text{ NEWTON/m}^2$$
$$= 10,1325 \text{ NEWTON/cm}^2$$

A PRESSÃO ATMOSFÉRICA É **ENORME**! NÃO A SENTIMOS PORQUE ELA ATUA EM TODAS AS DIREÇÕES, MAS LEMBRE-SE DO EXPERIMENTO DE GUERICKE COM OS CAVALOS TENTANDO SEPARAR DUAS SEMIESFERAS UNIDAS POR VÁCUO, E VEJA COMO É GRANDE.

TALVEZ SE EU TIVESSE O VENTO A MEU FAVOR...

LEIS DOS GASES

NÃO É SURPRESA QUE n, T, V, E P ESTEJAM TODOS INTER-RELACIONADOS. POR EXEMPLO, VOCÊ PODERIA ESPERAR QUE MAIS PARTÍCULAS OCUPASSEM UM VOLUME MAIOR, DESDE QUE TUDO MAIS FICASSE CONSTANTE. E ISSO ACONTECE! DE FATO, É UMA LEI, A PRIMEIRA DAS TRÊS LEIS PARA OS GASES, QUE RELACIONAMOS EM ORDEM ALFABÉTICA.

LEI DE AVOGADRO: A UMA MESMA TEMPERATURA E PRESSÃO, O VOLUME É PROPORCIONAL AO NÚMERO DE MOLÉCULAS (OU MOL).

$$\frac{n_1}{V_1} = \frac{n_2}{V_2}$$

DE OUTRA FORMA, A PRESSÃO VARIARIA, NÃO É MESMO?

ISSO IMPLICA QUE UM DADO VOLUME DE GÁS (T E P CONSTANTES) SEMPRE TEM O **MESMO NÚMERO DE MOLÉCULAS** – NÃO IMPORTA O TIPO DE GÁS! ESSE FATO PERMITIU QUE OS QUÍMICOS DO SÉCULO XIX CHEGASSEM A OBTER OS PESOS ATÔMICOS PELA PRIMEIRA VEZ.

LEI DE BOYLE: SE N E T FOREM CONSTANTES, O VOLUME SERÁ INVERSAMENTE PROPORCIONAL À PRESSÃO.

$$P_1 V_1 = P_2 V_2$$

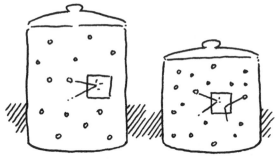

EM UM VOLUME MAIOR, MENOS PARTÍCULAS COLIDIRÃO POR UNIDADE DE ÁREA...

DO QUE EM UM VOLUME MENOR.

LEI DE CHARLES: FIXANDO-SE OS VALORES DE n E P, O VOLUME SERÁ PROPORCIONAL À TEMPERATURA.

$$\frac{V_1}{T_1} = \frac{V_2}{T_2}$$

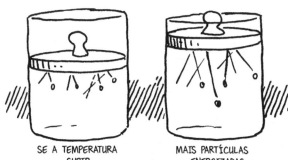

SE A TEMPERATURA SUBIR...

MAIS PARTÍCULAS ENERGIZADAS EMPURRARÃO O PISTÃO.

TODAS ESSAS LEIS PODEM SER REUNIDAS EM UMA SIMPLES EQUAÇÃO, QUE INTER-RELACIONA AS QUATRO VARIÁVEIS. ELA É CHAMADA **LEI DOS GASES IDEAIS**, E É DADA POR:

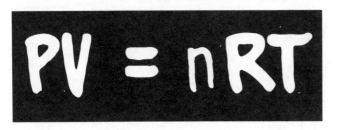

FIXE DUAS VARIÁVEIS, E VERÁ QUE AS RELAÇÕES ENTRE AS DEMAIS OBEDECEM EXATAMENTE AS TRÊS LEIS DA PÁGINA ANTERIOR.

R PODE SER ENCONTRADO DA SEGUINTE MANEIRA: DETERMINE EXPERIMENTALMENTE O VOLUME DE UM MOL DE UM GÁS (QUALQUER GÁS, DE ACORDO COM AVOGADRO!). A 0 °C (273 °K) E 1 ATM, **UM MOL DE GÁS OCUPA 22,4 LITROS.** ASSIM:

$n = 1$ mol
$T = 273$ °K
$P = 1$ atm
$V = 22,4$ L.

COLOCANDO NA EQUAÇÃO DA LEI DOS GASES:

(1 atm)(22,4 L) = (1 mol) R (273 °K)

ENTÃO,

R = (22,4/273) atm-L/mol °K
  = 0,082 atm-L/mol °K

AS CONDIÇÕES
    T = 0 °C E
    P = 1 atm

SÃO CONHECIDAS COMO **CONDIÇÕES PADRÃO DE TEMPERATURA** E **PRESSÃO (CPTP)**.

EXEMPLO:

QUE VOLUME DE GÁS É LIBERADO NA EXPLOSÃO DE UM GRAMA DE PÓLVORA?

$$4KNO_3(s) + 7C(s) + S(s) \rightarrow 3CO_2\uparrow + 3CO\uparrow + 2N_2\uparrow + K_2CO_3(s) + K_2S(s)$$

$$3 + 3 + 2 = 8 \text{ mol GÁS}$$

A MASSA MOLAR TOTAL NO LADO ESQUERDO É 520 g, E ESTÁ SENDO PRODUZIDO 8 mol DE GÁS. ASSIM, UM GRAMA DE PÓLVORA PRODUZIRÁ

$$(1/520)(8) = 0{,}015 \text{ mol GÁS.}$$

ENTÃO, n = 0,015, P = 1 atm, E O EXPERIMENTO MOSTROU QUE A TEMPERATURA T É 2.250 °K.

CALCULANDO O VOLUME

$$V = \frac{nRT}{P}$$

$$= \frac{(0{,}015 \text{mol})(0{,}082 \text{atm}-L/\text{mol}°K)(2.250°)}{1 \text{atm}}$$

$$= 2{,}8 L$$

UM GRAMA DE PÓLVORA OCUPA UM VOLUME DE CERCA DE 0,8 mL.

O GÁS LIBERADO EXPANDE EM (2.800)/(0,8) = 3.500 VEZES ESSE VOLUME! SE QUISERMOS CONFINAR O GÁS EM UM RECIPIENTE DE 1 mL (= 0,001 L), A PRESSÃO DESENVOLVIDA SERÁ:

$$P = \frac{nRT}{V}$$

$$= \frac{(0{,}015)(0{,}082)(2.250)}{(0{,}001)}$$

OU CERCA DE 2.800 atm.

LÍQUIDOS

POR CAUSA DAS FORÇAS INTERMOLECULARES, OS LÍQUIDOS APRESENTAM UM COMPORTAMENTO COMPLICADO. NÃO EXISTEM "LÍQUIDOS IDEAIS".

OS LÍQUIDOS COMPORTAM-SE COMO SE TIVESSEM UMA PELE. É A ATRAÇÃO ENTRE AS MOLÉCULAS DE SUPERFÍCIE – OU **TENSÃO SUPERFICIAL** – QUE OS MANTÊM JUNTOS, MAIS FORTEMENTE QUE AS MOLÉCULAS NO INTERIOR. ISSO EXPLICA POR QUE INSETOS CONSEGUEM ANDAR SOBRE A ÁGUA.

OS LÍQUIDOS SE EXPANDEM QUANDO AQUECIDOS: AS MOLÉCULAS MOVEM-SE MAIS RAPIDAMENTE E SE AFASTAM. ISSO TORNA O TERMÔMETRO POSSÍVEL: O LÍQUIDO – MERCÚRIO OU OUTRO – EXPANDE-SE NO TUBO QUANDO AQUECIDO, E ENCOLHE QUANDO RESFRIADO.

EVAPORAÇÃO E CONDENSAÇÃO

NA MAIORIA DOS LÍQUIDOS, O MOVIMENTO DAS MOLÉCULAS CONSEGUE VENCER AS FORÇAS COESIVAS. ASSIM, ALGUMAS MOLÉCULAS SE DESPRENDEM DA SUPERFÍCIE E **EVAPORAM**. EM OUTRO SENTIDO, AS MOLÉCULAS MENOS ENERGÉTICAS DO VAPOR PODEM VOLTAR PARA O LÍQUIDO, OU SE **CONDENSAR**.

QUANDO UMA MOLÉCULA SE TORNA GASOSA, A ENERGIA DEVE SER ABSORVIDA DAS REDONDEZAS PARA ROMPER AS FORÇAS ATRATIVAS (LIGAÇÕES, FORÇAS INTERMOLECULARES) QUE EXISTEM NO INTERIOR DO LÍQUIDO. **A EVAPORAÇÃO É ENDOTÉRMICA**.

$$\text{LÍQUIDO} \rightarrow \text{GÁS} \quad \Delta H > 0$$

EM OUTRAS PALAVRAS, O GÁS É UM **ESTADO DA MATÉRIA MAIS ENERGÉTICO** DO QUE O LÍQUIDO.

POR EXEMPLO, O CALOR DE VAPORIZAÇÃO DA ÁGUA (A 1 atm, 25 °C) É 44 kJ/mol. ESSA É A MUDANÇA DE ENTALPIA DA "REAÇÃO" $H_2O(l) \rightarrow H_2O(\mathbf{G})$.

ISSO EXPLICA POR QUE A PERSPIRAÇÃO FUNCIONA. A EVAPORAÇÃO DO SUOR RETIRA ENERGIA DO NOSSO CORPO.

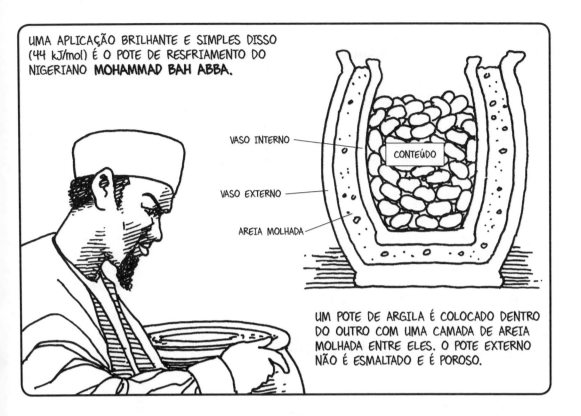

UMA APLICAÇÃO BRILHANTE E SIMPLES DISSO (44 kJ/mol) É O POTE DE RESFRIAMENTO DO NIGERIANO **MOHAMMAD BAH ABBA**.

VASO INTERNO
CONTEÚDO
VASO EXTERNO
AREIA MOLHADA

UM POTE DE ARGILA É COLOCADO DENTRO DO OUTRO COM UMA CAMADA DE AREIA MOLHADA ENTRE ELES. O POTE EXTERNO NÃO É ESMALTADO E É POROSO.

ÁGUA VAPOR E CALOR

EM UM AMBIENTE SECO, A ÁGUA NA CAMADA DE AREIA EVAPORA E PASSA PELOS POROS DO VASO EXTERNO. NESSE PROCESSO, ACABA REMOVENDO O CALOR DO SISTEMA.

A TEMPERATURA NO INTERIOR PODE DIMINUIR DE ATÉ 14 °C EM RELAÇÃO AO EXTERIOR... É UMA SALVAÇÃO EM PAÍSES DESÉRTICOS, NOS QUAIS A MAIORIA NÃO TEM ACESSO A UM REFRIGERADOR.

OH, É TÃO LEGAL ESTAR FRESCO!

COMO VOCÊ PODE SABER?

AGORA IMAGINE UM LÍQUIDO EM UM RECIPIENTE FECHADO, À TEMPERATURA CONSTANTE. À MEDIDA QUE O LÍQUIDO EVAPORA, FORMA-SE VAPOR E EM POUCO TEMPO ESTE ACABA SE CONDENSANDO.

NO PRINCÍPIO, A EVAPORAÇÃO SOBREPUJA A CONDENSAÇÃO, MAS EVENTUALMENTE A CONDENSAÇÃO PODERÁ IGUALAR. QUANDO OS DOIS PROCESSOS ESTÃO BALANCEADOS, NÃO HAVERÁ MUDANÇAS NA QUANTIDADE DE LÍQUIDO OU GÁS. OS DOIS ESTADOS PASSAM A ESTAR EM **EQUILÍBRIO**, E PODE-SE ESCREVER

LÍQUIDO ⇌ VAPOR

"NADA **PARECE** ESTAR ACONTECENDO, MAS NA REALIDADE AS **DUAS** COISAS ESTÃO OCORRENDO."

VELOCIDADES IGUAIS

A PRESSÃO EXTRA POR CAUSA DO VAPOR SOZINHO É CONHECIDA COMO **PRESSÃO PARCIAL**[1]. À MEDIDA QUE O VAPOR É FORMADO, SUA PRESSÃO PARCIAL AUMENTA PROGRESSIVAMENTE (MAIOR n, MESMO V E T) ATÉ CHEGAR AO EQUILÍBRIO. NESSA SITUAÇÃO, ESTA PRESSÃO PARCIAL É CHAMADA

PRESSÃO DE VAPOR.

É A PRESSÃO QUE O VAPOR "DESEJA" ATINGIR.

A PRESSÃO DE VAPOR (P_V) AUMENTA COM A TEMPERATURA, POIS AS MOLÉCULAS, QUANDO AGITADAS, TÊM MAIOR "NECESSIDADE" DE VAPORIZAR.

"WOW! FALE DE DESEJOS!"

PRESSÃO DE VAPOR DA ÁGUA

T (°C)	P_V (ATM)
0	0,006
20	0,023
40	0,073
60	0,197
80	0,467
90	0,692
100	1,00
200	15,34
300	84,8

[1] A PRESSÃO TOTAL DE UMA MISTURA DE GASES É IGUAL À SOMA DE SUAS PRESSÕES PARCIAIS.

P_v É A PRESSÃO NA QUAL O VAPOR "QUER" SE ESTABILIZAR. MAS O QUE ACONTECE SE A QUANTIDADE DE VAPOR QUE O LÍQUIDO LIBERA, POR MAIOR QUE SEJA, NÃO PERMITE QUE SUA PRESSÃO CHEGUE A P_v? NESSE CASO, A VAPORIZAÇÃO NÃO PODE SER REPRIMIDA E O LÍQUIDO ENTRA EM **EBULIÇÃO**.

PARA UM LÍQUIDO ENTRAR EM EBULIÇÃO, DEPENDE DA PRESSÃO TOTAL ACIMA DE SUA SUPERFÍCIE — A **PRESSÃO EXTERNA**. VAMOS CHAMÁ-LA DE P.

O EQUILÍBRIO É POSSÍVEL QUANDO A PRESSÃO DE **VAPOR P_v É MENOR QUE P**, POIS ELA REALMENTE ESTÁ ATUANDO COMO UMA PRESSÃO DE VAPOR PARCIAL.

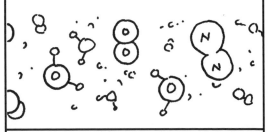

AQUI AS MOLÉCULAS DE H_2O SÃO APENAS PARTE DO AR, E PARECEM FELIZES!

SE P É MENOR QUE P_v, A PRESSÃO PARCIAL DE VAPOR TAMBÉM DEVE SER MENOR QUE P_v, E OCORRE EBULIÇÃO.

ISTO É, A EBULIÇÃO ACONTECE PRECISAMENTE QUANDO A **PRESSÃO DE VAPOR SE IGUALA À PRESSÃO EXTERNA.**

VAMOS RESUMIR TUDO ISSO EM UM MINIDIAGRAMA LÍQUIDO-GÁS. NO EIXO HORIZONTAL ESTÁ A TEMPERATURA; NO EIXO VERTICAL A PRESSÃO; E PARA CADA PAR DE VALORES (T, P) DÁ PARA VER SE A SUBSTÂNCIA É LÍQUIDO OU GÁS.

A LINHA CURVA (QUE SEPARA O LÍQUIDO DO GÁS) INDICA O PONTO DE EBULIÇÃO PARA UMA DADA PRESSÃO.

NOTE QUE TRANSIÇÕES DE FASE PODEM RESULTAR DA MUDANÇA DE PRESSÃO APENAS, OU SÓ DA TEMPERATURA, OU DE AMBAS.

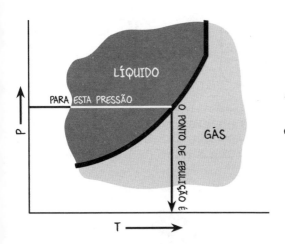
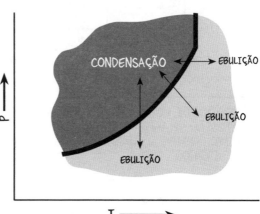

A CURVA TEM SEUS LIMITES. TODO LÍQUIDO TEM UMA **TEMPERATURA CRÍTICA** CARACTERÍSTICA, QUE É A MAIOR NA QUAL O ESTADO LÍQUIDO PODE EXISTIR. ACIMA DA TEMPERATURA CRÍTICA, NÃO EXISTE PRESSÃO CAPAZ DE INTERROMPER A EBULIÇÃO DO LÍQUIDO.

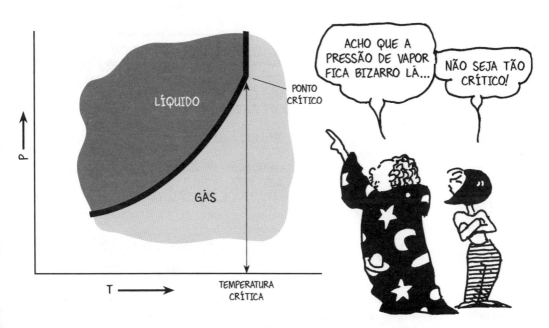

A FUSÃO DOS SÓLIDOS

EM AMBIENTE ABERTO, MUITOS LÍQUIDOS SIMPLESMENTE EVAPORAM. COMO O VAPOR ESCAPA, ISSO NÃO PRODUZ UMA PRESSÃO SIGNIFICATIVA SOBRE A SUPERFÍCIE, E DESSA FORMA A EVAPORAÇÃO CONTINUA INDEFINIDAMENTE.

A PRESSÃO PARCIAL NA SUPERFÍCIE É P_v, MAS EM AMBIENTE ABERTO, SENDO $<P_v$...

AS MOLÉCULAS CONTINUAM SAINDO.

NOS SÓLIDOS, EM CONTRASTE, POUCAS PARTÍCULAS TÊM ENERGIA SUFICIENTE PARA ESCAPAR. A PRESSÃO DE VAPOR É BAIXA – EMBORA NÃO TÃO BAIXA QUE NÃO POSSAMOS SENTIR O CHEIRO. MUITOS SÓLIDOS PODEM TER PRESSÃO DE VAPOR VIRTUALMENTE NULA. DIAMANTES SÃO ETERNOS!

QUEM SABE? TALVEZ, SE ESPERARMOS MUITO TEMPO...

COMO SABEMOS, OS SÓLIDOS **FUNDEM**[2], E ISSO ACONTECE A UMA DADA TEMPERATURA, O **PONTO DE FUSÃO**, QUE VARIA DE SÓLIDO PARA SÓLIDO.

QUAL É O PONTO DE FUSÃO DE UM ROSBIFE?

NESSA TEMPERATURA, QUALQUER CALOR ADICIONADO É TOTALMENTE CONSUMIDO NA QUEBRA DE LIGAÇÕES ATÉ QUE O SÓLIDO SE FUNDA COMPLETAMENTE. **A FUSÃO, COMO A EVAPORAÇÃO, É ENDOTÉRMICA.**

$$\text{SÓLIDO} \rightarrow \text{LÍQUIDO} \quad \Delta H > 0$$

ESSA VARIAÇÃO DE ENTALPIA É CHAMADA **CALOR DE FUSÃO**. PARA O GELO NAS CONDIÇÕES PADRÕES DE TEMPERATURA E PRESSÃO, EQUIVALE A 6,01 kJ/mol.

LEGAL!

[2] NORMALMENTE ALGUNS SUBLIMAM OU PASSAM DIRETO PARA A FASE GASOSA. MAIORES DETALHES EM BREVE.

A PRESSÃO EXTERNA AFETA O PONTO DE FUSÃO: NESTE MINIDIAGRAMA DE P E T, A CURVA MOSTRA O PONTO DE FUSÃO PARA CADA VALOR DE P.

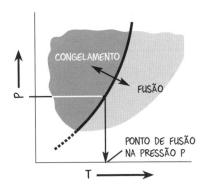

O EFEITO É MENOS DRAMÁTICO QUE NO CASO DO PONTO DE EBULIÇÃO. A CURVA DE FUSÃO É GERALMENTE MAIS ÍNGREME.

EM ALGUNS MATERIAIS ESTRANHOS, A PRESSÃO APLICADA LEVA A UMA REDUÇÃO NO PONTO DE FUSÃO. A ÁGUA É UM DESSES CASOS.

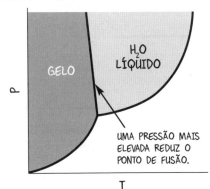

ISSO ACONTECE PORQUE A ÁGUA SE **EXPANDE** QUANDO CONGELA. A ESTRUTURA CRISTALINA DO GELO É EXCEPCIONALMENTE ESPAÇOSA.

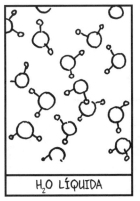 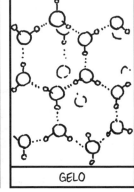

AO SE PRESSIONAR UM CUBO DE GELO, GERA-SE UMA TENSÃO NAS LIGAÇÕES E AS MOLÉCULAS FICAM MAIS JUNTAS, PORÉM EM UMA CONFIGURAÇÃO MAIS CAÓTICA. ASSIM, O GELO SE FUNDE NO PONTO EM QUE FOI APLICADA A PRESSÃO.

AO CONTRÁRIO DA MAIORIA DOS SÓLIDOS, O GELO FLUTUA SOBRE SUA FORMA LÍQUIDA (ÁGUA)... A EXPANSÃO DA ÁGUA CONGELADA PODE QUEBRAR ROCHAS... E ESSE FATO INUSITADO TEM UM IMPACTO PROFUNDO EM NOSSO MUNDO.

VEJA COMO SERIA A PATINAÇÃO NO GELO SE A ÁGUA CONGELASSE COMO UMA SUBSTÂNCIA NORMAL.

DIAGRAMA DE FASES

JUNTE OS QUATRO MINIDIAGRAMAS E TERÁ UM QUADRO COMPLETO DOS TRÊS ESTADOS DA MATÉRIA EM TERMOS DE T E P. A CURVA SÓLIDO-LÍQUIDO ENCONTRA-SE COM A CURVA LÍQUIDO-GÁS NO **PONTO TRIPLO,** NA QUAL AS TRÊS FASES ESTÃO EM EQUILÍBRIO.

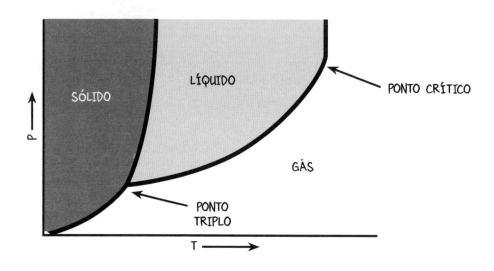

NOTE QUE HÁ SITUAÇÕES EM QUE UM SÓLIDO PODE PASSAR DIRETAMENTE À FORMA GASOSA, EM UM PROCESSO CONHECIDO COMO **SUBLIMAÇÃO.** O PROCESSO INVERSO, GÁS → SÓLIDO, É A **DEPOSIÇÃO.** O EXEMPLO MAIS CONHECIDO, NA PRESSÃO NORMAL, É O CO_2, "GELO SECO", USADO NAS MÁQUINAS GERADORAS DE FUMAÇA EM TEATROS.

DIAGRAMA DE FASE PARA O CO_2

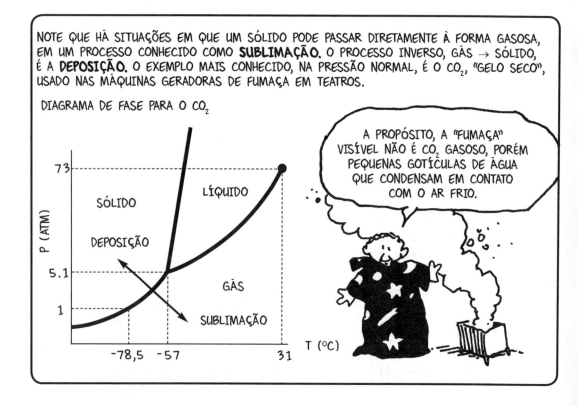

OUTRO EXEMPLO DE DIAGRAMA DE FASES MOSTRA ALGUMAS CARACTERÍSTICAS MAIS SUTIS E POUCO COMUNS DA MATÉRIA. TRATA-SE DO CARBONO.

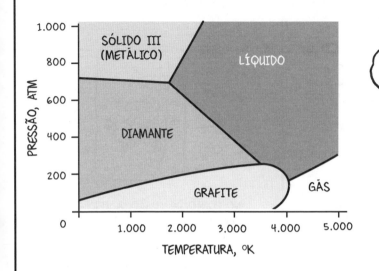

O CARBONO TEM **TRÊS FORMAS SÓLIDAS**, COM DIFERENTES ESTRUTURAS CRISTALINAS: GRAFITE, ENCONTRADA NO CARVÃO E LÁPIS, DIAMANTE, QUE É FORMADA APENAS SOB CONDIÇÕES DE ALTA PRESSÃO, E METÁLICO, QUE EXISTE APENAS SOB PRESSÕES EXTREMAMENTE ALTAS. OBSERVE COMO AS INCLINAÇÕES DAS CURVAS DE FUSÃO DIFEREM PARA CADA TIPO DE CRISTAL.

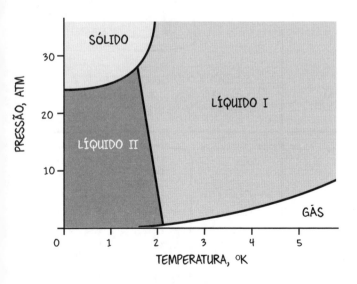

HÉLIO, SENDO O GÁS NOBRE MAIS LEVE, TEM FORMAS INTERMOLECULARES EXTREMAMENTE FRACAS. A 1 ATM, SEU PONTO DE EBULIÇÃO É PRÓXIMO DE 4 ºK, OU -269 ºC. ISSO É REALMENTE FRIO!!!

ABAIXO DESSA TEMPERATURA É UM LÍQUIDO... E ABAIXO DE 2,17 ºK — É UM OUTRO TIPO DE LÍQUIDO! ESSE HÉLIO II É UM "SUPERFLUÍDO" COM PROPRIEDADES ESTRANHAS! ELE DESLIZA SEM VISCOSIDADE (LEVEZA)... SAIRÁ PELO PORO MAIS ESTREITO... SUBIRÁ ATÉ PELAS PAREDES DO RECIPIENTE! VEJA OS DETALHES EM http:/criowwebber.gsfc.nasa.gov/introduction/liquid_helium.html. O HÉLIO TAMBÉM PODE SER SÓLIDO, MAS SOMENTE EM TEMPERATURAS ACIMA DE 25 ATM.

CURVAS DE AQUECIMENTO

FINALMENTE, VAMOS VOLTAR AOS CALORES DE FUSÃO E EVAPORAÇÃO E VER O QUE ACONTECE QUANDO AQUECEMOS UM BLOCO DE GELO ATÉ A FUSÃO E, DEPOIS, A EBULIÇÃO.

VAMOS USAR MICRO-ONDAS PARA AQUECER A ÁGUA UNIFORMEMENTE.

SUPONHAMOS QUE A TEMPERATURA INICIAL DO GELO SEJA -5 °C. À MEDIDA QUE ACRESCENTAMOS CALOR, A TEMPERATURA SUBIRÁ ATÉ 0 °C.

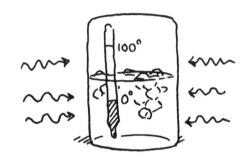

NO PONTO DE FUSÃO, A TEMPERATURA PERMANECE EM 0 °C, MESMO ADICIONANDO CALOR.

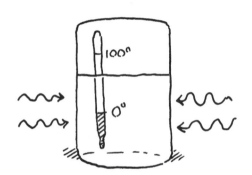

TODO O CALOR FORNECIDO SERÁ USADO PARA QUEBRAR AS LIGAÇÕES NO INTERIOR DO CRISTAL DE GELO.

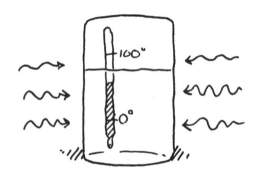

SÓ QUANDO O GELO DERRETER COMPLETAMENTE, A TEMPERATURA SUBIRÁ NOVAMENTE.

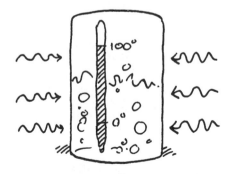

NO PONTO DE EBULIÇÃO, A TEMPERATURA NOVAMENTE SE ESTABILIZA, E O CALOR É USADO APENAS PARA PROMOVER A MUDANÇA DE FASE.

SÓ DEPOIS QUE A ÁGUA VAPORIZAR COMPLETAMENTE, A TEMPERATURA DO VAPOR SUBIRÁ.

OS SEIS ÚLTIMOS QUADRINHOS PODEM SER REPRESENTADOS POR ESTA **CURVA DE AQUECIMENTO**, QUE CORRELACIONA TEMPERATURA COM CALOR ADICIONADO. T DEIXA DE SUBIR DURANTE A MUDANÇA DE FASE.

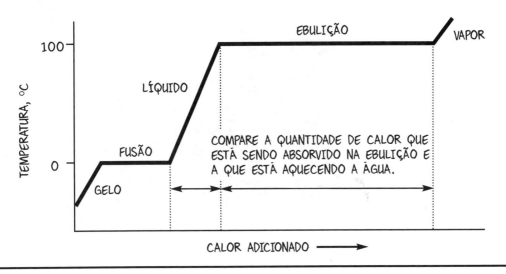

O CALOR ESPECÍFICO DA ÁGUA, COMO JÁ VIMOS, É 4,18 J/g °C. PORTANTO, PARA AUMENTAR A TEMPERATURA DE UM GRAMA DE ÁGUA LÍQUIDA ATÉ 100 °C É NECESSÁRIO ADICIONAR

$$4,18 \ (J/°C) \ 100 \ (°C)$$
$$= 418 \ J$$

EM CONTRASTE, A 100 °C O CALOR DE VAPORIZAÇÃO DA ÁGUA É CERCA DE 41 KILOJOULE POR MOL. VISTO QUE UM MOL DE ÁGUA EQUIVALE A 18 G, ENTÃO,

$$\frac{41 \ kJ \ / \ mol}{18 \ g \ / \ mol} = 2,28 \ kJ/g$$

= 2.280 Joules/gram

EM OUTRAS PALAVRAS, GASTA-SE CINCO VEZES MAIS CALOR PARA FERVER E EVAPORAR COMPLETAMENTE A ÁGUA, DO QUE PARA AQUECÊ-LA DE 0 A 100 °C!!

NESTE CAPÍTULO VIMOS OS TRÊS ESTADOS DA MATÉRIA, E O QUE MANTÉM A COESÃO OU PROVOCA A SEPARAÇÃO. TAMBÉM APRENDEMOS AS LEIS DOS GASES, QUE EXPLICAM QUALQUER COISA, DESDE O CÁLCULO DOS PESOS ATÔMICOS ATÉ O FUNCIONAMENTO DOS REFRIGERADORES.

EXISTE AINDA UM QUARTO ESTADO DA MATÉRIA. EM TEMPERATURAS MUITO ALTAS, OS ELÉTRONS ESCAPAM DOS NÚCLEOS E AS LIGAÇÕES SE QUEBRAM; E TODAS AS SUBSTÂNCIAS VIRAM UMA SOPA DE PARTÍCULAS CHAMADA **PLASMA**. FELIZMENTE, ISSO NÃO É ALGO PARA OS QUÍMICOS SE PREOCUPAREM COM FREQUÊNCIA.

CAPÍTULO 7
SOLUÇÕES

ATÉ AGORA VIMOS OS ESTADOS DA MATÉRIA, UM DE CADA VEZ. AGORA VAMOS COMBINAR DOIS DELES, OU MELHOR, VAMOS COMBINAR QUALQUER COISA COM UM LÍQUIDO. POR EXEMPLO: ADICIONE UMA PITADA DE SAL EM UM COPO COM ÁGUA.

O SAL, É CLARO, DESINTEGROU-SE COMPLETAMENTE.

O SAL, PODEMOS DIZER COM CERTEZA, **DISSOLVE-SE** EM ÁGUA.

QUANDO UMA SUBSTÂNCIA DISSOLVE EM UM LÍQUIDO, A COMBINAÇÃO É CHAMADA **SOLUÇÃO**. O LÍQUIDO É O **SOLVENTE**, E O MATERIAL DISSOLVIDO É O **SOLUTO**[1].

SOLUTO + SOLVENTE → SOLUÇÃO

UM SÓLIDO DISSOLVIDO DESFAZ-SE EM SUAS PARTÍCULAS CONSTITUINTES INDIVIDUAIS, SEJAM ÍONS OU MOLÉCULAS. OS GASES TAMBÉM SE DISSOLVEM, MOLÉCULA POR MOLÉCULA. ISSO EXPLICA POR QUE AS SOLUÇÕES SÃO GERALMENTE TRANSPARENTES.

POR EXEMPLO, O CLORETO DE SÓDIO, NaCl, DISSOCIA-SE EM ÍONS Na^+ E Cl^- QUE FICAM LIGADOS ÀS MOLÉCULAS DE ÁGUA.

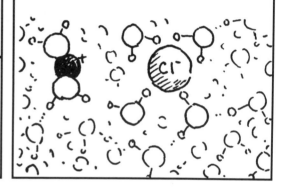

O AÇÚCAR – SACAROSE, $C_{12}H_{22}O_{11}$ – LIBERA MOLÉCULAS INTEIRAS QUANDO DISSOLVIDO EM ÁGUA. (AS MOLÉCULAS DE ÁGUA GOSTAM DE SEUS GRUPOS OH).

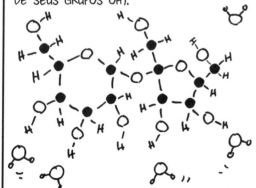

O VINAGRE, UMA SOLUÇÃO DE ÁCIDO ACÉTICO, CH_3CO_2H, CONTÉM ÍONS DE HIDROGÊNIO, H^+, ÍONS ACETATO, $CH_3CO_2^-$, E MUITO CH_3CO_2H AINDA INTACTO.

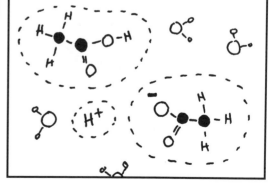

[1] NA REALIDADE, A SOLUÇÃO TAMBÉM PODE SER SÓLIDA OU GASOSA. QUALQUER MISTURA HOMOGÊNEA DE DUAS OU MAIS SUBSTÂNCIAS É UMA SOLUÇÃO, NÃO IMPORTA A FASE.

VAMOS OLHAR MAIS DE PERTO PARA O PROCESSO DE DISSOLUÇÃO. IMAGINE UMA PORÇÃO DE MATERIAL MERGULHADO EM LÍQUIDO. PARA QUE OCORRA DISSOLUÇÃO, ALGUMAS DE SUAS PARTÍCULAS DEVEM SOFRER A QUEBRA DAS LIGAÇÕES QUE AS MANTINHAM UNIDAS, PARA FORMAR NOVAS LIGAÇÕES COM AS MOLÉCULAS DO LÍQUIDO. DA MESMA MANEIRA, AS FORÇAS INTERMOLECULARES NO LÍQUIDO TAMBÉM DEVERÃO SER VENCIDAS.

CADA PARTÍCULA DE SOLUTO ATRAI UMA OU MAIS MOLÉCULAS DE SOLVENTE, QUE SE AGLOMERAM AO SEU REDOR FORMANDO UMA "GAIOLA". ESSE PROCESSO, QUE ENVOLVE QUEBRA E FORMAÇÃO DE LIGAÇÕES, É CHAMADO **SOLVATAÇÃO**.

TODO ESSE REARRANJO DE LIGAÇÕES SIGNIFICA QUE A **DISSOLUÇÃO É UMA REAÇÃO QUÍMICA**. ENTRE OUTRAS COISAS, ELA TAMBÉM TEM UMA VARIAÇÃO DE ENTALPIA ASSOCIADA, QUE PODE SER POSITIVA OU NEGATIVA.

ΔH NOVAMENTE!

POR EXEMPLO, QUANDO O CLORETO DE MAGNÉSIO, $MgCl_2$, DISSOLVE-SE EM ÁGUA, SUA ENTALPIA DE SOLVATAÇÃO É IGUAL A

$$\Delta H = 119 \text{ kJ/mol}$$

ISSO É MUITO ENDOTÉRMICO! UMA PORÇÃO DE 4 g DE $MgCl_2$ (= 0,042 mol) EM 50 mL (= 50 g) DE ÁGUA PROVOCA UMA REDUÇÃO DE TEMPERATURA DE 23,9 °C (CALCULADO POR MEIO DA EQUAÇÃO CALORIMÉTRICA).

PRODUTOS QUÍMICOS REFRIGERANTES SÃO, NA REALIDADE, FEITOS DE $MgCl_2$ E OUTROS SAIS QUE ABSORVEM CALOR QUANDO DISSOLVIDOS EM ÁGUA.

MAIS COISAS SOBRE ENERGIA VIRÃO NO PRÓXIMO CAPÍTULO... MAS POR HORA... QUERO ME REFRESCAR... AHHH...

ALGUMAS MISTURAS LÍQUIDAS NÃO SÃO SOLUÇÕES.

EMULSÃO É A SUSPENSÃO DE UM LÍQUIDO EM OUTRO. A MAIONESE, POR EXEMPLO, CONSISTE PRINCIPALMENTE DE MINÚSCULAS GOTAS DE ÓLEO SUSPENSAS EM VINAGRE. NORMALMENTE, ÓLEO E VINAGRE SE SEPARARAM, MAS COM A ADIÇÃO DE UMA PEQUENA QUANTIDADE DE MOSTARDA E OVO, A EMULSÃO É ESTABILIZADA.

MOLÉCULAS GRANDES PROVENIENTES DA GEMA DO OVO SE LIGAM ÀS GOTÍCULAS DE ÓLEO, DEIXANDO UMA TERMINAÇÃO POLAR QUE ATRAI AS MOLÉCULAS DE ÁGUA DO VINAGRE. ISSO IMPEDE QUE AS GOTAS SE COALESÇAM.

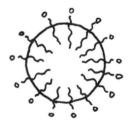

CONCENTRAÇÃO

É UMA MEDIDA RELATIVA DE QUANTO SOLUTO ESTÁ PRESENTE NA SOLUÇÃO.

POR EXEMPLO, PESE 35 g DE NaCl. COLOQUE EM UM RECIPIENTE GRADUADO E ADICIONE ÁGUA ATÉ OBTER UM LITRO DE SOLUÇÃO.

A CONCENTRAÇÃO DESSA SOLUÇÃO É 35 g/L E EXPRESSA A **MASSA DO SOLUTO POR VOLUME DA SOLUÇÃO**.

OUTRAS MEDIDAS POSSÍVEIS (TODAS SÃO USADAS!):

MASSA DE SOLUTO POR MASSA DE SOLUÇÃO

VOLUME DE SOLUTO POR VOLUME DE SOLUÇÃO

MASSA DE SOLUTO POR VOLUME DE SOLVENTE (NÃO É O MESMO QUE VOLUME DE SOLUÇÃO!)

MASSA DE SOLUTO POR VOLUME DE SOLVENTE

PARTES POR MILHÃO (PPM) (UMA RAZÃO MASSA/MASSA PARA SOLUÇÕES MUITO DILUÍDAS)

PARTES POR BILHÃO (PPB, AINDA MAIS DILUÍDO)

QUANDO O SOLVENTE É ÁGUA, PODEMOS FACILMENTE CONVERTER A RAZÃO MASSA/MASSA PARA MASSA/VOLUME, POIS **UM LITRO DE ÁGUA PESA UM QUILOGRAMA**. UM LITRO DE SOLUÇÃO AQUOSA DILUÍDA PESA PRATICAMENTE A MESMA QUANTIDADE QUE O DE ÁGUA PURA.

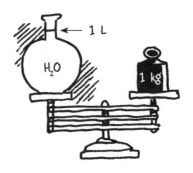

Nossa medida favorita de concentração nos diz quantas moléculas estão dissolvidas em um dado volume. É a **MOLARIDADE** ou concentração molar. Ela é definida como a quantidade em mol de soluto por litro de solução, e se escreve

M = MOL/L

Qual é a molaridade da nossa solução com 35 g/l de sal? Um mol de NaCl pesa 58,4 g, e então

$$\frac{35\ g}{58,4\ g/mol} = 0,6\ mol\ NaCl$$

Em um litro de solução, a molaridade é 0,6 mol/L ou 0,6 M[2].

Usamos colchetes [ ] para expressar a concentração em mol/L de qualquer "espécie" (ou seja, qualquer íon ou molécula) em solução. Como o NaCl se dissocia completamente em solução

[Na$^+$] = 0,6 MOL/L
[Cl$^-$] = 0,6 MOL/L

Em uma solução 1 mol/L de Na$_2$SO$_4$ (que também se dissocia completamente),

[Na$^+$] = 2 MOL/L
[SO$_4^{2-}$] = 1 MOL/L

Existem 2 moles de Na$^+$ para cada mol de Na$_2$SO$_4$.

---

[1] O termo molaridade, M, está sendo substituído por concentração em mol por litro, mol/L, ou mol L^{-1}, para seguir as normas oficiais da IUPAC. Da mesma forma a expressão número de moles está sendo suprimida. Mol, como unidade, não admite plural. (NT)

[2] Mol também é uma espécie de toupeira, em inglês (*mole*). (NT)

SOLUBILIDADE

QUALQUER SUBSTÂNCIA SE DISSOLVERÁ EM UM LÍQUIDO – EM ALGUMA EXTENSÃO, EMBORA ISSO POSSA SER REALMENTE MUITO PEQUENA. POR EXEMPLO, NÃO MAIS QUE 0,000006 g DE MERCÚRIO ELEMENTAR (Hg) PODE SER DISSOLVIDO EM UM LITRO DE ÁGUA NA TEMPERATURA AMBIENTE. UM MOL DE Hg PESA 200,6 g...

MAS QUANDO UMA SUBSTÂNCIA FOR MUITO SOLÚVEL, SEMPRE HAVERÁ UM LIMITE! VOCÊ PODE ADICIONAR SAL EM ÁGUA ATÉ UM PONTO, E ESTE COMEÇARÁ A FICAR NO FUNDO, SEM SE DISSOLVER.

ESSE LIMITE, QUE REPRESENTA A CONCENTRAÇÃO MÁXIMA POSSÍVEL DA SUBSTÂNCIA, É CHAMADO **SOLUBILIDADE**. NESSE PONTO, A SOLUÇÃO É DENOMINADA **SATURADA**.

DIZEMOS QUE UM MATERIAL É SOLÚVEL SE ELE SE DISSOLVE EM UMA "APRECIÁVEL" EXTENSÃO, E INSOLÚVEL, SE FOR O CONTRÁRIO – PARECE UM CONCEITO MEIO VAGO, REALMENTE.

A PALAVRA EQUIVALENTE NO CASO DA INTERAÇÃO LÍQUIDO-LÍQUIDO É **MISCIBILIDADE**: DOIS LÍQUIDOS SÃO MISCÍVEIS SE SÃO SOLÚVEIS UM NO OUTRO, E IMISCÍVEIS SE, COMO O ÓLEO E A ÁGUA, ACABAM SEPARANDO.

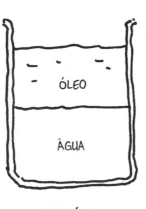

IMISCÍVEL

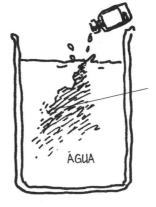

MISCÍVEL

OS IGUAIS SE DISSOLVEM. UM SOLVENTE POLAR (COMO A ÁGUA) TENDE A DISSOLVER (OU SE MISTURAR COM) OUTROS COMPOSTOS POLARES. AS ATRAÇÕES DIPOLO-DIPOLO OU ÍON-DIPOLO PROMOVEM A SOLVATAÇÃO. POR EXEMPLO:

O **METANOL**, CH_3OH, É POLAR E FORMA LIGAÇÕES DE HIDROGÊNIO COM A ÁGUA, COM A QUAL SE MISTURA EM QUALQUER PROPORÇÃO.

SEU PRIMO **METANO**, CH_4, É COMPLETAMENTE SIMÉTRICO E APOLAR. A ÁGUA O REJEITA, E SUA SOLUBILIDADE É MUITO BAIXA (0,024 g/L OU 0,0015 MOL/L).

TAMANHO MOLECULAR: MOLÉCULAS GRANDES, MAIS PESADAS, TENDEM A SER MENOS SOLÚVEIS QUE AS MENORES E MAIS LEVES. AS MOLÉCULAS DO SOLVENTE SENTEM MAIS DIFICULDADE DE CERCAR COMPLETAMENTE AS PARTÍCULAS GRANDES.

TEMPERATURA TAMBÉM AFETA A SOLUBILIDADE. À MEDIDA QUE A TEMPERATURA AUMENTA, AS MOLÉCULAS AGITADAS OU ÍONS QUEBRAM SUAS LIGAÇÕES MAIS FACILMENTE, E ASSIM A SOLUBILIDADE AUMENTA. PORÉM, EXISTEM EXCEÇÕES, E O EFEITO, ALGUMAS VEZES, É PEQUENO.

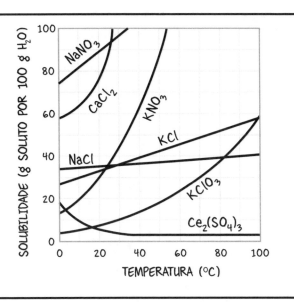

PARA GASES DISSOLVIDOS, A PRESSÃO AFETA A SOLUBILIDADE. PARA SER PRECISO, A **PRESSÃO PARCIAL** DE UM GÁS ACIMA DA SOLUÇÃO TEM INFLUÊNCIA SOBRE A QUANTIDADE QUE IRÁ DISSOLVER. QUANTO MAIOR FOR A PRESSÃO PARCIAL, MAIOR SERÁ A SOLUBILIDADE DO GÁS.

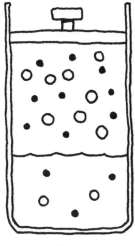

PRESSÃO BAIXA
MENOR CONCENTRAÇÃO

PRESSÃO ALTA
MAIOR CONCENTRAÇÃO

E SUPÕE-SE QUE ISSO SEJA UMA COISA BOA...

REFRIGERANTES QUE CONTÊM CO_2 DISSOLVIDO SÃO ENGARRAFADOS SOB ALTA PRESSÃO PARA AUMENTAR A QUANTIDADE DE GÁS DISSOLVIDO. QUANDO A TAMPA É REMOVIDA A PRESSÃO SE REDUZ E O CO_2 ESCAPA DA SOLUÇÃO.

CONGELAMENTO

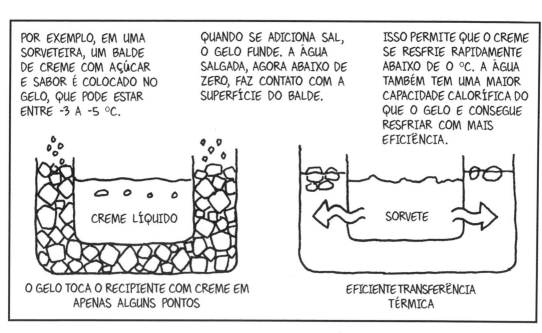

EM GERAL, MATERIAIS DISSOLVIDOS REDUZEM O PONTO DE CONGELAMENTO. PARTÍCULAS DE SOLUTO DESORGANIZAM AS FORÇAS DE COESÃO DENTRO DO SOLVENTE, DIFICULTANDO QUE A SOLUÇÃO SE SOLIDIFIQUE. QUANTO MAIOR A CONCENTRAÇÃO, MENOR SERÁ O PONTO DE CONGELAMENTO.

POR EXEMPLO, EM UMA SORVETEIRA, UM BALDE DE CREME COM AÇÚCAR E SABOR É COLOCADO NO GELO, QUE PODE ESTAR ENTRE -3 A -5 °C.

QUANDO SE ADICIONA SAL, O GELO FUNDE. A ÁGUA SALGADA, AGORA ABAIXO DE ZERO, FAZ CONTATO COM A SUPERFÍCIE DO BALDE.

ISSO PERMITE QUE O CREME SE RESFRIE RAPIDAMENTE ABAIXO DE 0 °C. A ÁGUA TAMBÉM TEM UMA MAIOR CAPACIDADE CALORÍFICA DO QUE O GELO E CONSEGUE RESFRIAR COM MAIS EFICIÊNCIA.

O GELO TOCA O RECIPIENTE COM CREME EM APENAS ALGUNS PONTOS

EFICIENTE TRANSFERÊNCIA TÉRMICA

O SORVETE RARAMENTE CONGELA POR COMPLETO. À MEDIDA QUE O LÍQUIDO CONGELA, O AÇÚCAR FICA MAIS CONCENTRADO NO XAROPE, E SEU PONTO DE CONGELAMENTO CAI AINDA MAIS. POR ISSO, UMA PARTE NÃO CONGELA. ESSE É O MOTIVO DO SORVETE GERALMENTE SER MACIO.

[4] UM TROCADILHO. (NT)

EBULIÇÃO

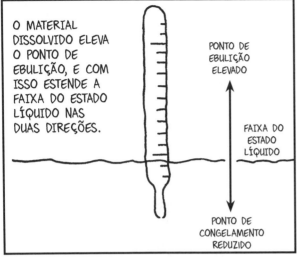

O MATERIAL DISSOLVIDO ELEVA O PONTO DE EBULIÇÃO, E COM ISSO ESTENDE A FAIXA DO ESTADO LÍQUIDO NAS DUAS DIREÇÕES.

PONTO DE EBULIÇÃO ELEVADO

FAIXA DO ESTADO LÍQUIDO

PONTO DE CONGELAMENTO REDUZIDO

ISSO, NOVAMENTE, É RESULTADO DAS INTERAÇÕES SOLUTO-SOLVENTE. AS MOLÉCULAS QUE ESTÃO LIGADAS ÀS PARTÍCULAS DO SOLUTO TÊM MAIOR DIFICULDADE DE ESCAPAR PARA A FASE GASOSA.

VAMOS!

ESTOU OCUPADO!

A EVAPORAÇÃO É REDUZIDA, ASSIM COMO A PRESSÃO DE VAPOR, P_v.

P_v = PRESSÃO DE VAPOR ACIMA DA SUPERFÍCIE DO LÍQUIDO[5]

ASSIM, UMA ALTA TEMPERATURA SERÁ NECESSÁRIA PARA FAZER A PRESSÃO DE VAPOR VENCER A PRESSÃO EXTERNA. (LEMBRE-SE QUE A EBULIÇÃO ACONTECE QUANDO P_v = PRESSÃO EXTERNA.)

TALVEZ ISSO EXPLIQUE POR QUE OS CHEFS ADICIONAM SAL À ÁGUA PARA COZINHAR O ESPAGUETE. A ÁGUA SALGADA FERVE ACIMA DE 100 °C (A 1 ATM), E O ESPAGUETE FICA PRONTO MAIS RÁPIDO. TAMBÉM FICA MAIS SABOROSO...

EU NÃO TENHO PACIÊNCIA COM ESPAGUETE DURO!

[5] VEJA O CAPÍTULO 6, PÁGINA 126.

E ENTÃO?

MUITOS FATOS QUÍMICOS IMPORTANTES E FAMILIARES ACONTECEM EM SOLUÇÃO: NA CULINÁRIA, CERVEJARIA, FERMENTAÇÃO, DIGESTÃO, BATERIA ELÉTRICA, MEDICINA, GRAVAÇÃO EM METAIS E VIDROS, LAVANDERIA E OUTRAS LIMPEZAS, SANGUE, PROBLEMAS DENTÁRIOS, CALCIFICAÇÃO EM TUBULAÇÕES, CHUVA ÁCIDA, REFINO DO PETRÓLEO, PURIFICAÇÃO DA ÁGUA, METABOLISMO CELULAR – SÓ PARA LEMBRAR ALGUNS!

NESTA PARTE FINAL DO LIVRO, TENTAREMOS ENTENDER TAIS PROCESSOS EM MAIORES DETALHES. COMEÇAREMOS OBSERVANDO POR QUE ALGUMAS REAÇÕES SÃO RÁPIDAS, ENQUANTO OUTRAS SÃO TÃO LENTAS...

CAPÍTULO 8
VELOCIDADES DE REAÇÃO E EQUILÍBRIO

NA QUÍMICA, É IMPORTANTE SABER NÃO APENAS **O QUE** REAGE, MAS TAMBÉM O **QUÃO RÁPIDO** ISSO OCORRE. A PÓLVORA EXPLODE EM UM LAMPEJO, ENQUANTO O AÇÚCAR EM NOSSO CAFÉ PARECE NUNCA ACABAR DE SE DISSOLVER. PRECISAMOS ACELERAR A LIMPEZA DO MEIO AMBIENTE, E RETARDAR A FERRUGEM E O ENVELHECIMENTO. EM OUTRAS PALAVRAS, **VELOCIDADE** É IMPORTANTE.

"À PRIMEIRA VISTA, NADA PARECE SER MAIS ÓBVIO QUE TUDO TENHA UM INÍCIO E UM FIM."

— SVANTE ARRHENIUS, PRÊMIO NOBEL DE QUÍMICA DE 1903.

QUAL É A VELOCIDADE DE UMA REAÇÃO QUÍMICA? VAMOS COMEÇAR COM O CASO MAIS SIMPLES QUE ENVOLVE APENAS UM REAGENTE:

A → PRODUTOS

NESSE CASO A **VELOCIDADE DE REAÇÃO** v_A É A VELOCIDADE COM QUE O REAGENTE **A** É CONSUMIDO EM FUNÇÃO DO TEMPO. ELA PODE SER EXPRESSA EM MOL POR SEGUNDO.

SE A ESPÉCIE **A** ESTÁ EM SOLUÇÃO, v_A GERALMENTE SE REFERE À VELOCIDADE COM QUE A SUA CONCENTRAÇÃO [A], VARIA, EM MOL POR LITRO POR SEGUNDO. SE **A** FOR UM GÁS, v_A PODE SE REFERIR TANTO À CONCENTRAÇÃO COMO À PRESSÃO PARCIAL P_A, POIS AMBAS REFLETEM A MESMA COISA.

POR EXEMPLO, NA TROPOSFERA, A LUZ DO SOL INCIDINDO SOBRE O DIÓXIDO DE NITROGÊNIO, NO_2, PROVOCA A SUA QUEBRA EM ÓXIDO NÍTRICO, NO, DEIXANDO UM ÁTOMO DE OXIGÊNIO SOLTO (CHAMADO RADICAL LIVRE):

$$NO_2 \xrightarrow{LUZ} NO + O$$

(O ÁTOMO DE OXIGÊNIO LIVRE VAI LIGAR-SE AO OXIGÊNIO PARA FORMAR OZÔNIO, O_3. COM OS ÓXIDOS DE NITROGÊNIO, O OZÔNIO É UM POLUENTE MUITO INDESEJÁVEL.)

POR VOLTA DO MEIO-DIA, O NO_2 CONSTITUI CERCA DE 20 PARTES POR BILHÃO DO AR – 20 MOL DE NO_2 POR UM 10^9 MOL DE AR – OU 20 MOL DE NO_2 EM $24,4 \times 10^9$ L DE AR (A 25 °C). ASSIM, A SUA CONCENTRAÇÃO É $[NO_2] = 20/(24,4 \times 10^9) = 8,2 \times 10^{-10}$ MOL/L. VAMOS RETIRAR UMA AMOSTRA DE AR E MEDIR $[NO_2]$ A CADA 40 SEGUNDOS, À MEDIDA QUE ELE SE DECOMPÕE. CHAMAREMOS $[A]_t$ A CONCENTRAÇÃO DE NO_2 NO TEMPO t.

t (s)	$[A]_t$ ($\times 10^{-10}$ MOL/L)	
0	8,20	$[A]_0$
40	5,80	
80	4,10	$([A]_0)/2$
120	2,90	
160	2,05	$([A]_0)/4$
200	1,45	
240	1,02	$([A]_0)/8$
280	0,72	
320	0,51	$([A]_0)/16$
360	0,36	

A REAÇÃO COM CERTEZA FICA MAIS LENTA COM O TEMPO. EM 10^{10} LITROS DE AR, **2,4** MOL = $([A]_0 - [A]_{40})$ FORAM USADOS NOS PRIMEIROS 40 s, MAS APENAS **0,21** MOL NOS 40 s ENTRE T = 280 E T = 320, OU $([A]_{280} - [A]_{320})$.

O DECAIMENTO TEM UM PADRÃO: **METADE DOS REAGENTES ESTÁ SENDO CONSUMIDO A CADA 80 s.** QUANDO T = 80 s, SOBRA METADE DO NO_2. APÓS 160 s, PERMANECE UM QUARTO... APÓS 240 s, UM OITAVO ETC. DIZEMOS QUE A REAÇÃO TEM UM **TEMPO DE MEIA-VIDA**, OU TM, DE 80 SEGUNDOS. DURANTE QUALQUER INTERVALO DE TEMPO IGUAL A TM, METADE DO REAGENTE É CONSUMIDO. APÓS n MEIAS-VIDAS, ENTÃO:

$$[A]_{NTM} = (1/2)^N [A]_0$$

NTM = n MEIAS-VIDAS

ESSE COMPORTAMENTO É EXPLICADO POR UM MODELO SIMPLES. VAMOS COMEÇAR COM UM PUNHADO DE MOLÉCULAS DO REAGENTE **A**, E SUPOR QUE CADA MOLÉCULA TENHA A MESMA PROBABILIDADE DE SE DECOMPOR. ENTÃO, UMA MESMA FRAÇÃO REAGIRÁ POR UNIDADE DE TEMPO.

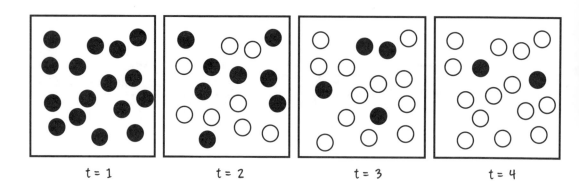

EM OUTRAS PALAVRAS, A **VELOCIDADE DE REAÇÃO** (MOL/L POR UNIDADE DE TEMPO) É PROPORCIONAL À **QUANTIDADE DE REAGENTE** PRESENTE. ASSIM, PODEMOS ESCREVER UMA SEGUNDA FÓRMULA PARA A VELOCIDADE DE REAÇÃO: PARA UM DADO TEMPO,

$$V_A = -k[A]$$

k É DENOMINADA **CONSTANTE DE VELOCIDADE**. POR CONVENÇÃO, k É SEMPRE UM NÚMERO POSITIVO, NECESSITANDO DE UM SINAL DE MENOS PARA DEIXAR V_A NEGATIVO E EXPRESSAR QUE [A] ESTÁ DIMINUINDO.

NOTA: SE O LEITOR TIVER AVERSÃO POR MATEMÁTICA PULE ESTA PÁGINA.

PODEMOS AVALIAR K A PARTIR DOS DADOS. VAMOS COMEÇAR COM A PRIMEIRA EQUAÇÃO

$[A]_{nh} = 2^{-N}[A]_0$

[A] **DIMINUI EXPONENCIALMENTE** (POR CAUSA DO EXPOENTE DE 2 NESTA EQUAÇÃO). EM PARTICULAR [A] **NUNCA CHEGA A ZERO.** TEORICAMENTE, A REAÇÃO NUNCA ACABA!

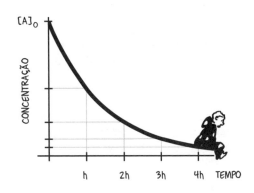

O TEMPO DE MEIA-VIDA, TM, É UMA UNIDADE DE TEMPO ESTRANHA – ELE VARIA DE UMA REAÇÃO PARA OUTRA. O QUE QUEREMOS É UMA UNIDADE FIXA DE TEMPO, T, (DIAS, SEGUNDOS, OU O QUE FOR ADEQUADO). ENTÃO,

$t = nh$ ou $n = t/h$

E PODEMOS ESCREVER

$[A]_t = 2^{-t/h}[A]_0$

APLICANDO O LOGARITMO NATURAL A AMBOS OS LADOS,

$\ln[A]_t = \frac{-1}{h}(\ln 2)t + \ln[A]_0$

VISTO QUE $k = (1/h)\ln 2$, ENTÃO:

$\ln[A]_t = -kt + \ln[A]_0$

ISTO É, O GRÁFICO DE $\ln[A]_t$ CONTRA t É UMA **LINHA RETA** COM INCLINAÇÃO $-k$. PODEMOS MOSTRAR (ATRAVÉS DE CÁLCULO) QUE ESTE É O MESMO k EM $V_A = -k[A]$. EM NOSSO EXEMPLO COM O NO_2,

$k = (1/80 \text{ s})(\ln 2) = (1/80 \text{ s})(0{,}693) = 0{,}0087 \text{ s}^{-1}$. ISTO É,

0,87% DO NO_2 É CONSUMIDO A CADA SEGUNDO.

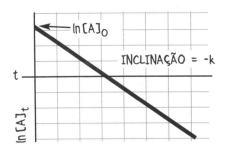

A REAÇÃO COM $V_A = -k[A]$ É CHAMADA **REAÇÃO DE PRIMEIRA-ORDEM:** ELA VARIA COM A POTÊNCIA UNITÁRIA DA CONCENTRAÇÃO. VOCÊ PODERÁ VERIFICAR EXPERIMENTALMENTE SE A REAÇÃO É DE PRIMEIRA-ORDEM POR MEIO DO GRÁFICO H$\ln[A]_t$ CONTRA T, OBSERVANDO SE FOR UMA RETA. NESSE CASO, A CONSTANTE DE VELOCIDADE SERÁ IGUAL À INCLINAÇÃO, COM SINAL NEGATIVO.

O PROCESSO DE COLISÃO

E NO CASO DE UMA REAÇÃO DE SEGUNDA-ORDEM? SERIA DO TIPO

A + B → PRODUTOS

AGORA, $V_A = V_B$ POIS A REAÇÃO CONSOME TANTO A COMO B, JUNTOS. A VELOCIDADE DA REAÇÃO, V, FICA ENTÃO:
$V = V_A = V_B$

PARA ANALISAR V, A PRIMEIRA COISA A CONSIDERAR É QUE DUAS MOLÉCULAS SÓ SE COMBINAM QUANDO COLIDEM.

BEM...

ESSA BRILHANTE OBSERVAÇÃO É O PONTO DE PARTIDA DA **TEORIA DAS COLISÕES**.

COM QUE FREQUÊNCIA AS PARTÍCULAS COLIDEM? DEPENDE DE SUAS CONCENTRAÇÕES (OU PRESSÃO PARCIAL).

IMAGINE QUE UM VOLUME DE GÁS OU SOLUÇÃO SEJA DIVIDIDO EM INCONTÁVEIS MINÚSCULOS COMPARTIMENTOS. SE DUAS PARTÍCULAS DIVIDEM UM COMPARTIMENTO, ELES ESTARÃO COLIDINDO.

SE [B] FOR CONSTANTE, ENTÃO A MUDANÇA DE [A] ALTERARÁ O NÚMERO DE COLISÕES A-B PROPORCIONALMENTE. (NA ILUSTRAÇÃO, A ESTÁ REPRESENTADO EM PRETO E B EM BRANCO)

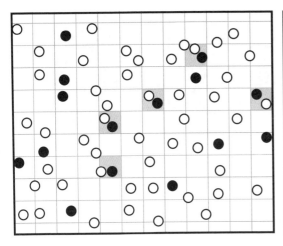

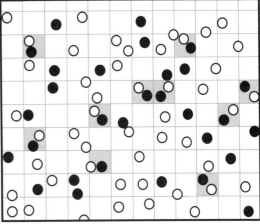

ISSO TAMBÉM SERÁ VERDADEIRO QUANDO [B] VARIAR. ASSIM A FREQUÊNCIA DE COLISÃO DEVE SER PROPORCIONAL AO PRODUTO [A][B], OU $P_A P_B$, CASO A E B SEJAM GASES.

NEM TODAS AS COLISÕES RESULTAM EM REAÇÃO. AS QUE CONSEGUEM SÃO DENOMINADAS **EFETIVAS**. PODEMOS ASSUMIR QUE A RELAÇÃO ENTRE AS COLISÕES EFETIVAS E O NÚMERO TOTAL SEJA CONSTANTE (A UMA DADA TEMPERATURA).

ENTÃO, A VELOCIDADE DE REAÇÃO É IGUAL À VELOCIDADE DAS COLISÕES EFETIVAS, QUE É PROPORCIONAL AO PRODUTO [A][B] OU $P_A P_B$. CONCLUSÃO:

$$VA = -k\,[A][B]$$

ONDE k É UMA CONSTANTE COM SINAL POSITIVO

INCRÍVEL COMO ESSAS PEQUENAS COISAS NUNCA SE ENCONTRAM!

PODEMOS DIZER QUE A REAÇÃO É DE PRIMEIRA-ORDEM EM **A**, E DE PRIMEIRA-ORDEM EM **B**, PORÉM DE SEGUNDA-ORDEM GLOBAL.

EXEMPLO

JÁ VIMOS QUE À LUZ DO DIA,

$NO_2 \rightarrow NO + O$
(REAÇÃO FOTOQUÍMICA)

O OXIGÊNIO MONOATÔMICO FORMADO PROSSEGUE ATÉ FORMAR OZÔNIO

$O + O_2 \rightarrow O_3$

ENTÃO, NO GLOBAL

$NO_2 + O_2 \rightarrow NO + O_3$

ESSA REAÇÃO TEM UMA VELOCIDADE V = VELOCIDADE DE CONSUMO DE NO = VELOCIDADE DE CONSUMO DE O_3, E É DADA POR:

$V = -k[NO][O_3]$ $k = 1{,}11 \times 10^7$ mol L^{-1} s^{-1}

UMA CONCENTRAÇÃO TÍPICA DE NO É EM TORNO DE 24 PPB[1], QUE COMO JÁ VIMOS EQUIVALE A $[NO] = (24$ MOL $NO/22{,}4 \times 10^9$ L DE AR$) = 10^{-9}$ MOL L^{-1}.
$[O_3]$ É CERCA DE DUAS VEZES ISSO, OU 2×10^{-9} MOL L^{-1}.

COM UM POUCO DE CÁLCULO É POSSÍVEL GERAR ESTE GRÁFICO DE CONCENTRAÇÕES. A REAÇÃO SE PROCESSA RAPIDAMENTE: ELA SE COMPLETA EM CINCO OU SEIS MINUTOS.

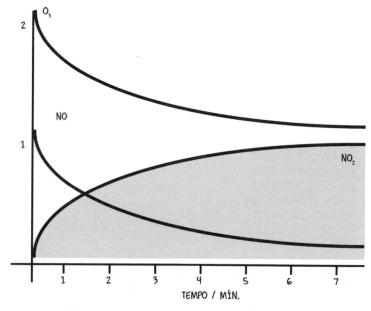

NOTA: ESTE GRÁFICO É BOM SOMENTE PARA UMA AMOSTRA ISOLADA. PARA PREVER AS CONCENTRAÇÕES NO AMBIENTE, PRECISAMOS SABER AS VELOCIDADES DE TODAS AS REAÇÕES QUE CONSOMEM E PRODUZEM NO E O_3, ASSIM COMO A CONTRIBUIÇÃO DAS FONTES EXTERNAS.

---

[1] PARTES POR BILHÃO.

OLHANDO DE PERTO AS REAÇÕES

POR QUE ALGUMAS COLISÕES SÃO EFETIVAS E OUTRAS NÃO?

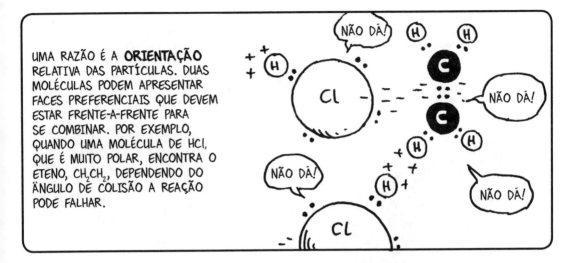

UMA RAZÃO É A **ORIENTAÇÃO** RELATIVA DAS PARTÍCULAS. DUAS MOLÉCULAS PODEM APRESENTAR FACES PREFERENCIAIS QUE DEVEM ESTAR FRENTE-A-FRENTE PARA SE COMBINAR. POR EXEMPLO, QUANDO UMA MOLÉCULA DE HCl, QUE É MUITO POLAR, ENCONTRA O ETENO, CH_2CH_2, DEPENDENDO DO ÂNGULO DE COLISÃO A REAÇÃO PODE FALHAR.

MAS QUANDO O POLO POSITIVO DO HCl ENCONTRA A DUPLA LIGAÇÃO, OS ELÉTRONS SE DESLOCAM – EM PRINCÍPIO, UM VAI PARA O HIDROGÊNIO (POR ESTAR MAIS PRÓXIMO).

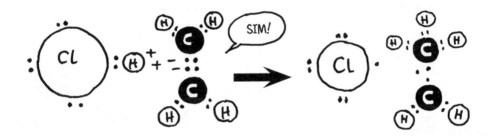

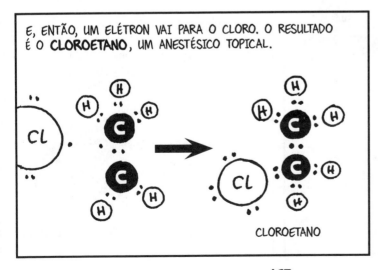

E, ENTÃO, UM ELÉTRON VAI PARA O CLORO. O RESULTADO É O **CLOROETANO**, UM ANESTÉSICO TOPICAL.

CLOROETANO

O ESTADO INTERMEDIÁRIO, ANTES DO CLORO SE LIGAR, É CHAMADO **ESTADO DE TRANSIÇÃO**. ESSE ESTADO SE FORMA APENAS QUANDO AS MOLÉCULAS ESTÃO ORIENTADAS APROPRIADAMENTE.

OUTRO FATOR QUE DETERMINA SE AS COLISÕES SÃO PRODUTIVAS É A VELOCIDADE DAS PARTÍCULAS.

QUANDO MOLÉCULAS DE H_2 E O_2 GASOSOS COLIDEM, SUAS NUVENS ELETRÔNICAS NEGATIVAMENTE CARREGADAS REPELEM-SE MUTUAMENTE, E PODEM FICAR DISTORCIDAS.

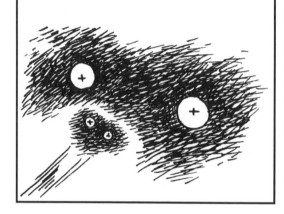

SE A ENERGIA CINÉTICA DA COLISÃO FOR MUITO BAIXA, AS MOLÉCULAS SIMPLESMENTE SE DESVIARÃO.

MAS SE A ENERGIA CINÉTICA INICIAL FOR ALTA O SUFICIENTE PARA VENCER A REPULSÃO ELÉTRICA, PODERÁ OCORRER QUEBRA DE LIGAÇÕES.

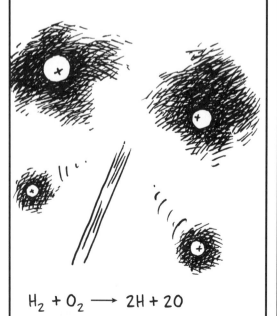

$H_2 + O_2 \longrightarrow 2H + 2O$

SE UM OXIGÊNIO LIVRE ENCONTRAR UM H_2, A REPULSÃO ELÉTRICA DEFORMARÁ EM NÍVEL ELETRÔNICO.

SE A **ENERGIA DA COLISÃO** FOR SUFICIENTE, OS ELÉTRONS SE REARRANJARÃO. SERÁ FORMADA UMA MOLÉCULA DE ÁGUA E LIBERAÇÃO DE ENERGIA (A REAÇÃO É EXOTÉRMICA).

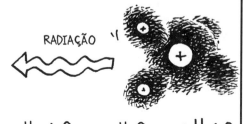

$H_2 + O \longrightarrow H_2O \qquad \Delta H < 0$

ASSIM, A MISTURA DE GÁS PRECISA DE ALGUMA ENERGIA EXTRA PARA INICIAR A REAÇÃO: UMA FAÍSCA OU CHAMA PARA ENERGIZAR AS PARTÍCULAS.

MAS UMA VEZ INICIADA, A REAÇÃO $H_2 + O \rightarrow H_2O$, POR SER TÃO **EXOTÉRMICA,** ACABA EXCITANDO AS PARTÍCULAS AO REDOR E DESENCADEANDO UMA REPENTINA RUIDOSA...

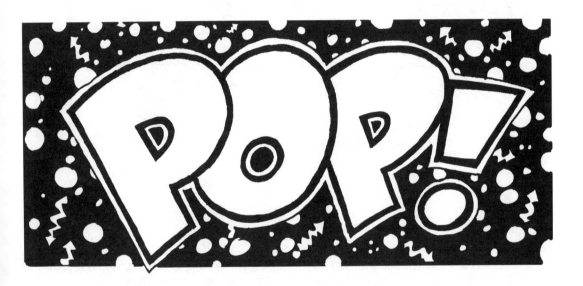

ESTA É A RAZÃO PELA QUAL OS QUÍMICOS ESTÃO SEMPRE AQUECENDO AS COISAS... TEMOS DE SUPRIR AQUELA ENERGIA INICIAL PARA O CHUTE "ALÉM DA BARREIRA".

APROXIMADAMENTE TODA REAÇÃO DE COMBINAÇÃO FUNCIONA DA MESMA MANEIRA. É NECESSÁRIO FORNECER UMA ENERGIA INICIAL PARA APROXIMAR OU JUNTAR OS REAGENTES. ESSA INICIAÇÃO É CHAMADA **ENERGIA DE ATIVAÇÃO** DA REAÇÃO, E_A. EM OUTRAS PALAVRAS, AS REAÇÕES QUÍMICAS NÃO SE PASSAM COMO QUANDO ATIRAMOS MORRO ABAIXO.

A MANEIRA ÓBVIA DE TORNAR UMA REAÇÃO RÁPIDA É FAZER COM QUE MAIS PARTÍCULAS EXCEDAM A ENERGIA DE ATIVAÇÃO – EM OUTRAS PALAVRAS, **AUMENTANDO A TEMPERATURA**. ASSIM, UMA FRAÇÃO MAIOR DE COLISÕES SERÁ MAIS EFETIVA.

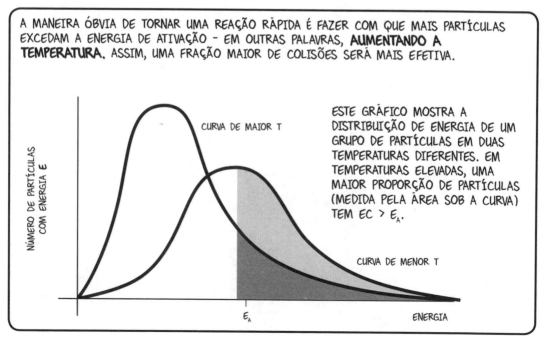

CATALISADORES, OU AUMENTANDO K

VOCÊ PROVAVELMENTE NÃO ESTÁ SURPRESO COM O FATO DE QUE AUMENTANDO A TEMPERATURA, A REAÇÃO ACELERA[2]. AFINAL, JÁ VIMOS IMAGENS DOS QUÍMICOS AQUECENDO COISAS. TALVEZ, ATÉ TENHAMOS COLOCADO FOGO, ALGUMAS VEZES.

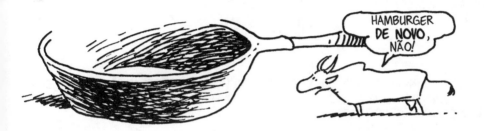

AGORA, CONTUDO, PODEMOS SER MAIS PRECISOS, POIS V = -K[A][B]. PARA A REAÇÃO DE SEGUNDA-ORDEM, PODEMOS DIZER QUE ELEVANDO A TEMPERATURA AUMENTAMOS A CONSTANTE DE VELOCIDADE k.

EXISTEM OUTRAS MANEIRAS DE AUMENTAR k? BASEADO NA DISCUSSÃO ANTERIOR, PODEMOS ESPECULAR SE É POSSÍVEL REDUZIR AS ORIENTAÇÕES DESFAVORÁVEIS DOS REAGENTES, OU DIMINUIR A ENERGIA DE ATIVAÇÃO. É AQUI QUE ENTRAM OS **CATALISADORES**.

[2] EXISTEM LIMITES. QUANDO A TEMPERATURA SOBE DEMAIS, TUDO PODE SE DESFAZER E INTERROMPER A REAÇÃO.

O **CATALISADOR** É UMA SUBSTÂNCIA QUE ACELERA UMA REAÇÃO, SAINDO DEPOIS INALTERADO.

POR EXEMPLO, O **CONVERSOR CATALÍTICO** DE UM MOTOR DE CARRO ACELERA A DECOMPOSIÇÃO DOS GASES DE EXAUSTÃO. UMA DAS REAÇÕES É A QUEBRA DO ÓXIDO NÍTRICO EM N_2 E O_2:

$$2NO \rightarrow N_2 + O_2$$

NA CÂMARA DE CONVERSÃO, CATALISADORES, FEITOS DE TELAS DE PLATINA, RÓDIO E PALÁDIO, INTERAGEM COM AS MOLÉCULAS DO GÁS POR MEIO DE FORÇAS INTERMOLECULARES.

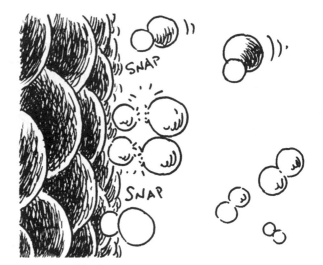

OS CATALISADORES ALINHAM AS MOLÉCULAS DE **NO**, SEGUNDO UMA ORIENTAÇÃO FAVORÁVEL QUE DIMINUI A ENERGIA DE ATIVAÇÃO, FACILITANDO A QUEBRA DA LIGAÇÃO N-O. **CONTUDO**, O MECANISMO EXATO É DESCONHECIDO.

REAÇÕES DE ORDENS ELEVADAS

VIMOS QUE

A + B → PRODUTOS

É UMA REAÇÃO DE SEGUNDA-ORDEM COM VELOCIDADE V = -k[A][B]. ISSO TAMBÉM INCLUI O CASO ESPECIAL EM QUE **A E B SÃO IGUAIS**. A REAÇÃO

A + A → PRODUTOS

TEM UMA VELOCIDADE DADA POR $-k[A]^2$.

AGORA GOSTARÍAMOS DE AMPLIAR ISSO PARA REAÇÕES MAIS COMPLEXAS. PODERÍAMOS **ESPERAR**, POR EXEMPLO, QUE AS LEIS DE VELOCIDADE SERIAM ANÁLOGAS:

2A + B → PRODUTOS $\qquad$ V = $-k[A]^2[B]$ (TERCEIRA-ORDEM)

2A + 3B → PRODUTOS $\qquad$ V = $-k[A]^2[B]^3$ (QUINTA-ORDEM)

E DE MODO GERAL,

aA + bB → PRODUTOS $\qquad$ V = $-k[A]^a[B]^b$ (ORDEM a + b)[3]

GOSTARÍAMOS MUITO DE DIZER EXATAMENTE ISSO PARA VOCÊ, LEITOR, MAS INFELIZMENTE NÃO PODEMOS, PORQUE É **FALSO**. AS VELOCIDADES DAS REAÇÕES, NA REALIDADE, NÃO PODEM SER PREVISTAS TEORICAMENTE, E **DEVEM SER MEDIDAS EXPERIMENTALMENTE**.

[3] PRECISAMOS SER CUIDADOSOS SOBRE O QUE CHAMAMOS VELOCIDADE V. É A RAPIDEZ COM QUE aA + bB SÃO CONSUMIDOS, OU SEJA, V = $(1/a)V_A = (1/b)V_B$.

DE FATO, ATÉ A REAÇÃO (A+B → PRODUTOS), ÀS VEZES, NÃO SE COMPORTA COMO ESTAMOS DIZENDO. SIM, BOA PARTE DO INÍCIO DESTE CAPÍTULO É SIMPLESMENTE **MENTIRA!**

DE FORMA SORRATEIRA, ACATAMOS UMA **HIPÓTESE SIMPLIFICADA**, COMO PODE VER, IMAGINANDO QUE AS REAÇÕES ACONTECEM EM UMA ÚNICA ETAPA.

SIM... ENTÃO... POR QUE NÃO?

MAS, NA REALIDADE, ELES PRECISAM DE VÁRIAS ETAPAS PARA ACONTECER... É UMA PENA!

POR EXEMPLO, QUANDO ESCREVEMOS 2A + B, ESTAREMOS IMAGINANDO QUE AS TRÊS PARTÍCULAS COLIDEM SIMULTANEAMENTE? POUCO PROVÁVEL... É MAIS RAZOÁVEL SUPOR QUE **A** SE COMBINE COM **B**, PARA FORMAR **AB**, E DEPOIS QUE ESSE SE COMBINE COM OUTRO **A** LOGO A SEGUIR...

FOI UMA MENTIRA...

AS ETAPAS QUE REALMENTE ACONTECEM SÃO CHAMADAS **ELEMENTARES**... E SE FOSSE O CASO DA REAÇÃO aA + bB → PRODUTOS, A VELOCIDADE DE REAÇÃO

$V = -k[A]^a[B]^b$

SERIA DE FATO VERDADEIRA.

BEM, JÁ É ALGUMA COISA...

EM UMA REAÇÃO COM MÚLTIPLAS ETAPAS, AQUELAS INTERMEDIÁRIAS FICAM GERALMENTE INCÓGNITAS... PODEM SER RÁPIDAS DEMAIS PARA SEREM OBSERVADAS. MAS TEM UMA COISA QUE É VERDADE: **A ETAPA INTERMEDIÁRIA MAIS LENTA** É A QUE DETERMINA A VELOCIDADE GLOBAL.

PARA VER ISSO, SUPONHA UMA LAVADORA-SECADORA COMBINADA, QUE PROCESSA UMA CARGA DE 30 PEÇAS DE ROUPA EM EXATAMENTE **24 H.** ENTÃO, VAMOS LEVANTAR A TAMPA PARA VER COMO ELA FUNCIONA...

A LAVAGEM PARECE ESTAR SENDO FEITA MANUALMENTE POR UM BANDO DE DONINHAS MAL TREINADAS, QUE PRECISAM DE **23,999 HORAS** PARA DAR CONTA DO TRABALHO. POR OUTRO LADO, A SECADORA MAIS PARECE UM FORNO COM EXAUSTORES NUCLEARES QUE TORRAM SUAS ROUPAS EM UM MILISEGUNDO.

PROCESSO 1: VELOCIDADE = 1 CARGA/DIA

PROCESSO 2: VELOCIDADE = 86.4 MILHÕES DE CARGAS/DIA

VELOCIDADE GLOBAL = 1 CARGA/DIA

AGORA ESTÁ CLARO QUE A VELOCIDADE GLOBAL É A VELOCIDADE DA ETAPA MAIS LENTA? QUANDO AS "DONINHAS" ACABAREM, A "REAÇÃO" ESTARÁ FINALIZADA!

UM EXEMPLO QUÍMICO: O ÍON IODETO REDUZINDO O PEROXIDISSULFATO

$$S_2O_8^{2-} + 2I^- \rightarrow 2SO_4^{2-} + I_2$$

PARECE SER DE TERCEIRA-ORDEM, MAS OS EXPERIMENTOS DIZEM QUE É DE SEGUNDA-ORDEM, COM

$$V = -k[S_2O_8^{2-}][I^-]$$

MALDITAS DONINHAS!

OS QUÍMICOS PROPUSERAM DUAS ETAPAS ELEMENTARES:

$$S_2O_8^{2-} + I^- \rightarrow 2SO_4^{2-} + I^+$$

$$I^+ + I^- \rightarrow I_2$$

A VELOCIDADE TEÓRICA DA PRIMEIRA REAÇÃO

$$V = -k[S_2O_8^{2-}][I^-]$$

CORRESPONDE À VELOCIDADE OBSERVADA EXPERIMENTALMENTE. PODEMOS PRESUMIR QUE A SEGUNDA REAÇÃO OCORRE MUITO RAPIDAMENTE.

EQUILÍBRIO...

É UM ESTADO DE **BALANÇO DINÂMICO**. NA NATUREZA FREQUENTEMENTE ENCONTRAMOS DOIS PROCESSOS QUE SE CONTRAPÕEM, POR EXEMPLO, EVAPORAÇÃO E CONDENSAÇÃO. QUANDO OS PROCESSOS SE CONTRAPÕEM COM A **MESMA VELOCIDADE**, NADA PARECE ESTAR OCORRENDO. ISSO É O **EQUILÍBRIO**.

MUITAS REAÇÕES QUÍMICAS SÃO **REVERSÍVEIS**,

$$aA + bB \rightleftharpoons cC + dD$$

OS REAGENTES **A** E **B** SE COMBINAM PARA GERAR **C** E **D**... MAS COMO TUDO PERMANECE MISTURADO, **C** E **D** PODEM SE COMBINAR PARA FORMAR **A** E **B**.

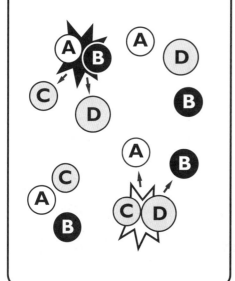

JÁ VIMOS UM EXEMPLO NO CAPÍTULO 4:

$$CaCO_3(s) \rightleftharpoons CaO(s) + CO_2\uparrow$$

NESSE EXEMPLO, O CALCÁREO QUEIMADO PRODUZIU CAL VIVA E DIÓXIDO DE CARBONO. DEPOIS, O CaO DA CAL REAGIU COM O CO_2 DA ATMOSFERA PARA FORMAR $CaCO_3$ NOVAMENTE.

SE NÃO TIVÉSSEMOS DEIXADO O CO_2 ESCAPAR DA REAÇÃO (POR EXEMPLO, USANDO UM FRASCO FECHADO), UMA PARTE DO GÁS TERIA RECOMBINADO.

AGORA SUPONHA UM FRASCO DE REAÇÃO CONTENDO OS REAGENTES **A** E **B**.

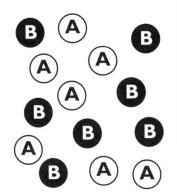

A **REAÇÃO COMEÇA PRODUZINDO C E D** A UMA VELOCIDADE V_F. À MEDIDA QUE **C** E **D** SE FORMAM, COMEÇAM A COLIDIR, INICIANDO A REAÇÃO REVERSA COM UMA VELOCIDADE BAIXA, V_{REV}.

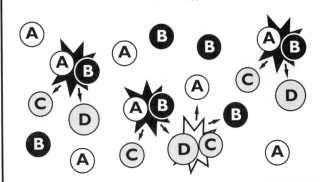

NO INÍCIO, $V_F > V_{REV}$, E A REAÇÃO CAMINHA COM A SETA APONTANDO PARA A DIREITA. **A** E **B** SÃO CONSUMIDOS MAIS RAPIDAMENTE DO QUE SÃO REGENERADOS, E **C** E **D** SÃO FORMADOS MAIS RAPIDAMENTE DO QUE SÃO CONSUMIDOS.

EM OUTRAS PALAVRAS, ENQUANTO $V_F > V_{REV}$, [A] E [B] DIMINUEM E [C] E [D] AUMENTAM.

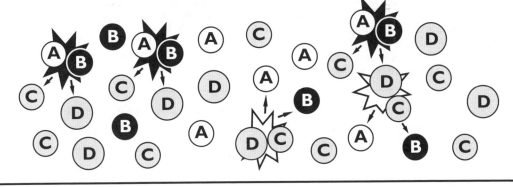

MAS AS VELOCIDADES SÃO PROPORCIONAIS ÀS CONCENTRAÇÕES (E SUAS POTÊNCIAS). ASSIM, ENQUANTO $V_F > V_{REV}$, V_F DEVERÁ DIMINUIR E V_{REV} AUMENTAR. **ISSO CONTINUA** ATÉ QUE

$V_F = V_{REV}$.

NESSE PONTO, CADA SUBSTÂNCIA ESTÁ SENDO CONSUMIDA COM A MESMA VELOCIDADE COM QUE PASSA A SER REGENERADA. AS CONCENTRAÇÕES [A], [B], [C], E [D] JÁ NÃO MUDAM MAIS. A REAÇÃO, ENTÃO, CHEGOU AO **EQUILÍBRIO**.

"UM POUCO MAIS DE MATEMÁTICA..."

AGORA, VAMOS EXPERIMENTAR UMA HIPÓTESE ARRISCADA: VAMOS SUPOR QUE AS ORDENS DE REAÇÃO SÃO DADAS PELOS COEFICIENTES ESTEQUIOMÉTRICOS A, B, C, E D. ISTO É,

$$V_F = -k_f[A]^a[B]^b$$

$$V_{REV} = -k_{REV}[C]^c[D]^d$$

(AQUI, k_F E k_{REV} SÃO AS CONSTANTES DE VELOCIDADE NO SENTIDO DIRETO E REVERSO, RESPECTIVAMENTE.)

NO EQUILÍBRIO, ENTÃO, AS VELOCIDADES SÃO IGUAIS:

$$k_f[A]^a[B]^b = k_{REV}[C]^c[D]^d$$

REARRANJANDO,

$$\frac{[C]^c[D]^d}{[A]^a[B]^b} = \frac{k_f}{k_{rev}} = K,$$

ONDE K É A **CONSTANTE** DE EQUILÍBRIO.

MAS, E SE NOSSA HIPÓTESE ESTIVESSE ERRADA, E AQUELAS NÃO FOSSEM AS VELOCIDADES CORRETAS? SEM PROBLEMAS! COMO POR MILAGRE, TODAS AS ETAPAS INTERMEDIÁRIAS ACABAM SE COMBINANDO PERFEITAMENTE, E É POSSÍVEL MOSTRAR QUE, NO FINAL, É **VÁLIDO O USO DOS COEFICIENTES ESTEQUIOMÉTRICOS** (NA EXPRESSÃO DA CONSTANTE DE EQUILÍBRIO), PORTANTO, EXISTE REALMENTE UMA CONSTANTE K, COMO ESTA, NO EQUILÍBRIO.

$$\frac{[C]^c[D]^d}{[A]^a[B]^b} = K$$

EM OUTRAS PALAVRAS, NÃO IMPORTA COMO A REAÇÃO COMEÇA OU QUANTO DE CADA ESPÉCIE ESTÁ PRESENTE EM UM DADO TEMPO, A CONCENTRAÇÃO **NO EQUILÍBRIO** SEMPRE SE COMPORTARÁ DE ACORDO COM A EQUAÇÃO:

$$\frac{[C]^c[D]^d}{[A]^a[B]^b} = K$$

ESSE FATO É CONHECIDO COMO A

LEI DA AÇÃO DAS MASSAS,

E A CONSTANTE K É A

CONSTANTE DE EQUILÍBRIO

DA REAÇÃO.

EXEMPLO: IONIZAÇÃO DA ÁGUA

CONSIDERE A REAÇÃO $H_2O \rightleftharpoons H^+ + OH^-$. AS MOLÉCULAS DE ÁGUA, OCASIONALMENTE, SE DISSOCIAM, E H^+ E OH^- ATINGEM A CONCENTRAÇÃO DE EQUILÍBRIO.

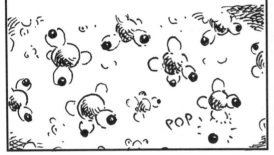

MEDIDAS PRECISAS PARA A ÁGUA PURA, A 25 °C, MOSTRAM QUE $[H^+]$ E $[OH^-]$ SÃO IGUAIS A 10^{-7} MOL/L - O QUE NÃO É MUITO!

PARECEM CRIATURAS COM TRÊS OLHOS!

OS ÍONS H^+ SEMPRE SE LIGAM A MOLÉCULAS DE ÁGUA PARA FORMAR H_3O^+.

VAMOS USAR ESSES VALORES E CALCULAR A CONSTANTE DE EQUILÍBRIO.

$$k = \frac{[H^+][OH^-]}{[H_2O]} = \frac{(10^{-7})(10^{-7})}{[H_2O]} = \frac{10^{-14}}{[H_2O]}$$

QUANTO VALE $[H_2O]$? ANTES DA DISSOCIAÇÃO, ISSO É IGUAL A 55,6 MOL/L. (1 L DE ÁGUA PESA 1.000 g; 1 MOL DE ÁGUA PESA 18 g; E 1.000/18 = 55,6.) DEPOIS DA DISSOCIAÇÃO, ISSO FICA IGUAL A

$$55,6 - 0,0000001$$

OU SEJA, PRATICAMENTE NÃO MUDOU. ASSIM, PODEMOS DIZER

$$k = \frac{10^{-14}}{55,6}$$

É TÃO PEQUENO...

VERDADE. MAS MESMO EM 10^{-7} MOL/L, EXISTE CERCA DE 60.000.000.000.000.000 DE CADA ÍON POR LITRO.

E COMO VAMOS USAR ISSO?

NÃO É À TOA QUE O CHAMAMOS CONSTANTE. ASSIM, PODEMOS ESCREVER

$$10^{-14} = 55,6 \, k = [H^+][OH^-]$$
$$= (0,1)[OH^-]$$

RESOLVENDO $[OH^-]$,

$$[OH^-] = 10^{-13}$$

ISTO É, OS ÍONS H^+ CONSUMIRAM UMA QUANTIDADE EXATA DE ÍONS OH^- PARA MANTER O PRODUTO $[H^+][OH^-]$ CONSTANTE EM 10^{-14}.

AGORA, SUPONHA QUE 0,1 MOL DE **ÁCIDO CLORÍDRICO**, HCl, SE DISSOLVA EM UM LITRO DE ÁGUA. O HCl É UMA MOLÉCULA POLAR QUE SE DISSOCIA QUASE QUE COMPLETAMENTE EM ÍONS H^+ E OH^-. DE REPENTE, $[H^+]$ SUBIU PARA 0,1 MOL/L. E ENTÃO?

GRR-RR!

O PRINCÍPIO DE LE CHATELIER

VOCÊ PODE PENSAR NO EQUILÍBRIO COMO UMA BALANÇA DE DOIS PRATOS, COM OS REAGENTES DE UM LADO E OS PRODUTOS NO OUTRO. NO EXEMPLO ANTERIOR, H_2O ESTAVA À ESQUERDA E H^+ À DIREITA.

NESTE EXEMPLO, O EQUILÍBRIO FOI PERTURBADO ADICIONANDO H^+ DO LADO DIREITO. O QUE ACONTECE ENTÃO?

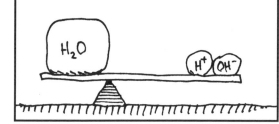

O QUÍMICO FRANCÊS **HENRY LE CHATELIER** NOS DEIXOU UM PRINCÍPIO GERAL PARA ANALISAR O QUE ACONTECE QUANDO O EQUILÍBRIO QUÍMICO É PERTURBADO.

QUANDO UMA AÇÃO É APLICADA A UM SISTEMA EM EQUILÍBRIO, ESTE REAGIRÁ DE TAL MANEIRA A REDUZIR O SEU EFEITO.

POR EXEMPLO, SE AS ESPÉCIES EM $aA + bB \rightleftharpoons cC + dD$ ESTÃO EM EQUILÍBRIO, ENTÃO, A ADIÇÃO DE UM REAGENTE **A** DESLOCARÁ A REAÇÃO PARA A DIREITA – CONSUMINDO MAIS **A**.

EM NOSSO EXEMPLO, ADICIONANDO H^+ DO LADO DIREITO DO EQUILÍBRIO $H_2O \rightleftharpoons H^+ + OH^-$ DESLOCARÁ A REAÇÃO PARA A ESQUERDA.

NESSE CASO, $[OH^-]$ CAI ABRUPTAMENTE. CADA ÍON OH^- QUE DESAPARECE LEVA UM H^+ CONSIGO, E, PORTANTO, $[H^-]$ DIMINUI.

LE CHATELIER, COM MUITA LUCIDEZ, APLICOU SEU PRÓPRIO PRINCÍPIO NA SÍNTESE DA **AMÔNIA**, NH_3, INGREDIENTE FUNDAMENTAL EM INCONTÁVEIS PRODUTOS, DE FERTILIZANTES A EXPLOSIVOS.

$$N_2(g) + 3H_2(g) \rightleftharpoons 2NH_3(g)$$

AUMENTANDO A **PRESSÃO**, SEGUNDO SEU PRINCÍPIO, DEVERIA DESLOCAR A REAÇÃO NO SENTIDO DE **REDUZIR DA PRESSÃO**.

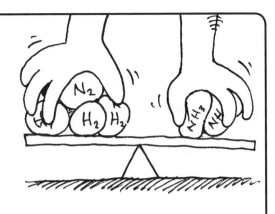

EXISTEM 4 MOLES DE GÁS DO LADO ESQUERDO, PORÉM, APENAS DOIS DO LADO DIREITO. PELA LEI DOS GASES, A PRESSÃO É DIRETAMENTE PROPORCIONAL À CONCENTRAÇÃO OU SUA QUANTIDADE EM MOL. ASSIM, A PRESSÃO É ALIVIADA QUANDO A REAÇÃO VAI NA DIREÇÃO DE UMA **MENOR QUANTIDADE EM MOL**, OU SEJA, PARA A DIREITA.

EM 1901, LE CHATELIER TENTOU REALIZAR A SÍNTESE DA AMÔNIA A UMA PRESSÃO DE 200 **ATM**, USANDO UMA "BOMBA" DE AÇO AQUECIDA A 600 °C. INFELIZMENTE, UM VAZAMENTO DE AR PROVOCOU A EXPLOSÃO DA BOMBA...

E O QUÍMICO DESISTIU DA SUA FÉRTIL LINHA DE INVESTIGAÇÃO.

EU NÃO AGUENTO A PRESSÃO...

CINCO ANOS MAIS TARDE, O ALEMÃO **FRITZ HABER** ACABOU TENDO SUCESSO ONDE LE CHATELIER HAVIA FALHADO E, DESDE ENTÃO, A SÍNTESE DA AMÔNIA FICOU CONHECIDA COMO

O PROCESSO HABER.

"DEIXEI A DESCOBERTA DA SÍNTESE DA AMÔNIA ESCAPAR DAS MINHAS MÃOS. FOI A MAIOR TOLICE EM MINHA CARREIRA CIENTÍFICA."
— LE CHATELIER

NESTE CAPÍTULO VIMOS COMO VÁRIOS FATORES INFLUENCIAM AS VELOCIDADES DAS REAÇÕES.

CONCENTRAÇÃO: AUMENTANDO A CONCENTRAÇÃO A VELOCIDADE CRESCE.

TEMPERATURA: AUMENTANDO A TEMPERATURA A VELOCIDADE SOBE.

ENERGIA DE ATIVAÇÃO: DIMINUINDO-A POR MEIO DE UM CATALISADOR, A VELOCIDADE AUMENTA.

TAMBÉM VIMOS COMO A FORMAÇÃO DE PRODUTOS PODE DAR INÍCIO À REAÇÃO REVERSA, QUE PROSSEGUE, NIVELANDO A REAÇÃO ATÉ ALCANÇAR O **EQUILÍBRIO.**

NO PRÓXIMO CAPÍTULO, EXPLORAREMOS ALGUNS DOS GRANDES USOS DO CONCEITO E DA CONSTANTE DE EQUILÍBRIO E, MAIS ADIANTE, IREMOS MAIS FUNDO, PARA DESCOBRIR **O QUE REALMENTE O EQUILÍBRIO SIGNIFICA.**

CAPÍTULO 9
ÁCIDOS E BASES

ÁCIDOS, AZEDOS E AGRESSIVOS, ESTÃO EM TODOS OS LUGARES: NO TEMPERO DE SALADA, NA ÁGUA DE CHUVA, NAS BATERIAS DE CARRO, NOS REFRIGERANTES E NO SEU ESTÔMAGO. ELES PODEM QUEIMAR, CORROER, DIGERIR OU ADICIONAR UM GOSTO AGRADÁVEL AO ALIMENTO OU BEBIDA...

BASES, AMARGOS E ESCORREGADIOS, PODEM SER MENOS FAMILIARES, MAS SÃO TÃO COMUNS COMO OS ÁCIDOS. VOCÊ IRÁ ENCONTRÁ-LOS NA CERVEJA, NOS ANTIÁCIDOS, SABÃO, NO FERMENTO QUÍMICO E NOS DESENTUPIDORES DE CANOS...

ÁCIDOS E BASES SÃO ÚTEIS, ÀS VEZES PERIGOSOS, MAS SEMPRE UMA GRANDE OPORTUNIDADE DE LIDAR COM CONSTANTES DE EQUILÍBRIO!

ÁCIDOS E BASES SÃO INTIMAMENTE INTERLIGADOS POR MEIO DOS PRÓTONS, OU SEJA, ÍONS DE HIDROGÊNIO, H⁺.

UM **ÁCIDO** É UMA SUBSTÂNCIA QUE SOLTA PRÓTONS. QUANTO MAIS FORTE FOR O ÁCIDO, MAIS FACILMENTE ELE LIBERA H⁺.

COMO OS PRÓTONS LIVRES SÃO CRIATURAS AGRESSIVAS, OS ÁCIDOS FORTES SÃO MUITO REATIVOS.

BASE É QUALQUER SUBSTÂNCIA QUE CONSOME PRÓTONS. AS BASES, GERALMENTE, TÊM UM PAR DE ELÉTRONS EXPOSTO QUE PODE ABRIGAR UM PRÓTON.

QUANTO MAIS FORTE FOR A BASE, MAIOR SERÁ SUA AVIDEZ POR PRÓTONS.

COMO VOCÊ PODE VER, UM ÁCIDO É NADA MAIS QUE UM PRÓTON LIGADO A UMA BASE! UM ÁCIDO E UMA BASE EMPARELHADOS DESSA MANEIRA FORMAM UM PAR **CONJUGADO**.

POR DEFINIÇÃO, QUANTO MAIS FORTE FOR UM ÁCIDO, MAIS FRACA SERÁ SUA BASE CONJUGADA, E VICE-VERSA.

ÁCIDO FORTE, BASE CONJUGADA FRACA, PRÓTON FRACAMENTE LIGADO.

ÁCIDO FRACO, BASE CONJUGADA FORTE, PRÓTON FORTEMENTE LIGADO.

ALGUNS PARES CONJUGADOS DE ÁCIDO-BASE

ÁCIDOS, DO MAIS FORTE PARA O MAIS FRACO	BASES, DO MAIS FRACO PARA O MAIS FORTE
ÁCIDO SULFÚRICO, H_2SO_4	BISSULFATO, HSO_4^-
ÁCIDO IODÍDRICO, HI	IODETO, I^-
ÁCIDO BROMÍDRICO, HBr	BROMETO, Br^-
ÁCIDO CLORÍDRICO, HCl	CLORETO, Cl^-
ÁCIDO NÍTRICO, HNO_3	NITRATO, NO_3^-
ÍON HIDRÔNIO, H_3O^+	ÁGUA, H_2O
ÍON BISSULFATO, HSO_4^-	SULFATO, SO_4^{2-}
ÁCIDO SULFUROSO, H_2SO_3	BISSULFITO, HSO_3^-
ÁCIDO FOSFÓRICO, H_3PO_4	DI-HIDROGENOFOSFATO, $H_2PO_4^-$
ÁCIDO FLUORÍDRICO, HF	FLUORETO, F^-
ÁCIDO NITROSO, HNO_2	NITRITO, NO_2^-
ÁCIDO ACÉTICO, VINAGRE CH_3CO_2H	ACETATO, $CH_3CO_2^-$
ÁCIDO CARBÔNICO, H_2CO_3	BICARBONATO, HCO_3^-
ÍON AMÔNIO, NH_4^+	AMÔNIA, NH_3
ÁCIDO CIANÍDRICO, HCN	CIANETO, CN^-
ÍON BICARBONATO, HCO^{3-}	CARBONATO, CO_3^{2-}
ÁGUA, H_2O	HIDRÓXIDO, OH^-

NOTA: ÁCIDOS E BASES PODEM SER TANTO NEUTROS COMO CARREGADOS.

175

ÁCIDOS E BASES EM ÁGUA

AGORA O QUE QUEREMOS É UMA MEDIDA **NUMÉRICA DA FORÇA** DE UM ÁCIDO. ISSO É MAIS FÁCIL PARA ÁCIDOS DISSOLVIDOS EM ÁGUA. (A MAIORIA DOS ÁCIDOS QUE ENCONTRAMOS NO MUNDO E NO LABORATÓRIO SÃO SOLÚVEIS EM ÁGUA.)

NOTA DE SEGURANÇA IMPORTANTE: SEMPRE ADICIONE **ÁCIDO À ÁGUA**, NUNCA O CONTRÁRIO. USE LUVAS QUANDO ESTIVER MANIPULANDO ÁCIDOS FORTES.

QUANDO UM ÁCIDO **FORTE** É DISSOLVIDO EM ÁGUA, O ÁCIDO **IONIZA** COMPLETAMENTE. O ÁCIDO CLORÍDRICO, POR EXEMPLO, FAZ O SEGUINTE:

$$HCl \rightarrow H^+ + Cl^-$$

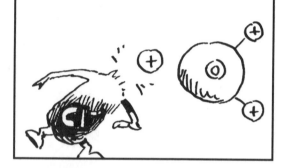

MAS O PRÓTON LIBERADO NÃO FICA VAGANDO LIVREMENTE. SUA CARGA RAPIDAMENTE FAZ JUNTAR UMA PORÇÃO DE MOLÉCULAS DE ÁGUA.

QUE BELEZA!

POR CONVENIÊNCIA, PODEMOS ASSOCIÁ-LO A UMA DESSAS MOLÉCULAS DE ÁGUA E CHAMAR ESSE AGLOMERADO DE ÍON **HIDRÔNIO**, H_3O^+. EM RESUMO,

$$HCl + H_2O \rightarrow H_3O^+ + Cl^-$$

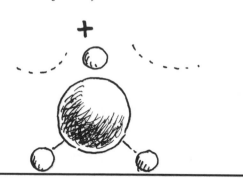

ISTO É, ADICIONANDO ÁCIDO FORTE À ÁGUA AUMENTA A CONCENTRAÇÃO DE H_3O^+. ESSE ÍON É UM ÁCIDO FORTE, E QUANTO MAIOR FOR SUA CONCENTRAÇÃO, MAIS ÁCIDA SERÁ A SOLUÇÃO.

pH

ATÉ QUANTO VAI $[H_3O^+]$? VAMOS REVER A DISCUSSÃO NA PÁGINA 169 DO CAPÍTULO 8. A ÁGUA SEMPRE SE AUTO-IONIZA UM POUCO:

$$H_2O + H_2O \rightleftharpoons H_3O^+ + OH^-$$

NO EQUILÍBRIO, EM ÁGUA PURA A 25 °C, AS CONCENTRAÇÕES DE H_3O^+ E OH^- SÃO IGUAIS A $1,0 \times 10^{-7}$ mol/L.

A CONSTANTE DE EQUILÍBRIO PARA ESTA REAÇÃO É

$$k_{eq} = \frac{[H_3O^+][OH^-]}{[H_2O]^2}$$

MAS O DENOMINADOR É CONSTANTE, OU MUITO PRÓXIMO DISSO. SOMENTE UMA MOLÉCULA DE ÁGUA EM 556.000.000 IONIZA! PORTANTO, O NUMERADOR É UMA CONSTANTE TAMBÉM. É CONHECIDA COMO **PRODUTO IÔNICO DA ÁGUA.**

$$K_W = [H_3O^+][OH^-]$$
$$= (10^{-7})(10^{-7})$$
$$= 10^{-14}.$$

UM ÁCIDO FORTE TRANSFERE TODOS SEUS PRÓTONS PARA A ÁGUA PARA FORMAR H_3O^+. POR EXEMPLO, UMA SOLUÇÃO 1 mol/L DE HNO_3 TEM

$[H_3O^+]$ = 1 mol/L = 10^0 /L

PORTANTO,

$[OH^-]$ CAI PARA $k_W/[H_3O^+]$

= 10^{-14}

POR OUTRO LADO, UM COMPOSTO BÁSICO COMO NaOH DISSOCIA COMPLETAMENTE EM ÁGUA E AUMENTA $[OH^-]$. O $[H_3O^+]$ DIMINUI DA MESMA FORMA. UMA SOLUÇÃO 1 mol/L DE NaOH TEM

$[OH^-]$ = 1

$[H_3O^+]$ = 10^{-14}.

EM TERMOS PRÁTICOS, ENTÃO, $[H_3O^+]$ OSCILA ENTRE 1 E 10^{-14}.

QUANDO OS QUÍMICOS ENCONTRAM 10^x, ELES PREFEREM LIDAR DIRETAMENTE COM X, SOB A FORMA DE LOGARITMO. DAÍ VEM A DEFINIÇÃO

$$pH = -\log[H_3O^+]$$

O pH É UMA POTÊNCIA HIDROGENO-IÔNICO. ELE VARIA APROXIMADAMENTE DE 0 ATÉ 14. QUANTO MENOR O pH, MAIS ÁCIDA SERÁ A SOLUÇÃO. POR EXEMPLO, UMA SOLUÇÃO 0,01 mol/L DE HCl TEM $[H_3O^+] = 0,01 = 10^{-2}$, E ASSIM pH = 2.

EM SE TRATANDO DE BASES, PODE SER MAIS CONVENIENTE USAR pOH. ESTE É DEFINIDO COMO:

$pOH = -\log[OH^-]$

E, ASSIM:

$pH + pOH = 14$

pH	SUBSTÂNCIA
0	ÁCIDO SULFÚRICO A 5%
1	ÁCIDO ESTOMACAL
2	LIMÃO VINAGRE
3	MAÇÃ, GRAPEFRUIT, COCA-COLA, LARANJA
4	TOMATE, LAGOS ÁCIDOS
5	CAFÉ PÃO BATATA
6	RIOS LEITE
7	ÁGUA PURA, SALIVA LÁGRIMA, SANGUE
8	ÁGUA DO MAR FERMENTO QUÍMICO
9	
10	ÁGUA EM LAGO ALCALINO (MONO) LEITE DE MAGNÉSIA
11	
12	ÁGUA DE CAL
13	
14	LIXÍVIA, HIDRÓXIDO DE SÓDIO A 4%

IONIZAÇÃO FRACA

EM ÁGUA, ÁCIDOS FORTES IONIZAM... BEM... FORTEMENTE. QUANDO O HCl DISSOLVE LIBERA TODOS SEUS HIDROGÊNIOS COMO H⁺, E ASSIM O pH PASSA A SER DADO, LITERALMENTE, PELA QUANTIDADE DE HCl QUE FOI COLOCADA NA SOLUÇÃO.

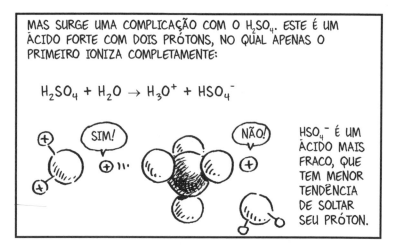

MAS SURGE UMA COMPLICAÇÃO COM O H_2SO_4. ESTE É UM ÁCIDO FORTE COM DOIS PRÓTONS, NO QUAL APENAS O PRIMEIRO IONIZA COMPLETAMENTE:

$$H_2SO_4 + H_2O \rightarrow H_3O^+ + HSO_4^-$$

HSO_4^- É UM ÁCIDO MAIS FRACO, QUE TEM MENOR TENDÊNCIA DE SOLTAR SEU PRÓTON.

COMO PODEMOS ESPECIFICAR A "**ACIDEZ**" DOS ÁCIDOS FRACOS? ESSES ÁCIDOS SÓ IONIZAM PARCIALMENTE EM ÁGUA. ISTO É, SE HB FOR UM ÁCIDO FRACO QUALQUER EM SOLUÇÃO AQUOSA, ELE, ÀS VEZES, CEDERÁ SEU H⁺ PARA A ÁGUA, E OUTRAS VEZES É O PRÓTON QUE VIRÁ DE VOLTA:

$$HB + H_2O \rightleftharpoons H_3O^+ + B^-$$

OH, NOSSA! EU SINTO UMA CONSTANTE DE EQUILÍBRIO SE APROXIMANDO!

A CONSTANTE DE EQUILÍBRIO DA REAÇÃO EXPRESSA A EXTENSÃO DA IONIZAÇÃO:

$$\frac{[H_3O^+][B^-]}{[HB][H_2O]}$$

COMO SEMPRE, $[H_2O]$ É CONSTANTE, E PODEMOS REMOVÊ-LA DA EXPRESSÃO. ASSIM, A CONSTANTE DE IONIZAÇÃO DO ÁCIDO, K_a, É DEFINIDO POR

QUANTO MAIS IONIZADO FOR O ÁCIDO, MAIOR EU FICO!

$$K_a = \frac{[H^+][B^-]}{[HB]}$$

H_3O^+ FOI ABREVIADO COMO H⁺...

EIS ALGUNS VALORES DE k_a PARA ÁCIDOS FRACOS. UM VALOR ALTO DE k_a SIGNIFICA UM NUMERADOR GRANDE, OU SEJA, UMA GRANDE QUANTIDADE DE ÍONS EM RELAÇÃO ÀS ESPÉCIES NÃO IONIZADAS NO DENOMINADOR. EM OUTRAS PALAVRAS, UM k_a ALTO SIGNIFICA UM ÁCIDO FORTE.

		K_{a1}	K_{a2}
ACÉTICO	CH_3CO_2H	$1,75 \times 10^{-5}$	
CARBÔNICO	H_2CO_3	$4,45 \times 10^{-7}$	$4,7 \times 10^{-11}$
FÓRMICO	HCO_2H	$1,77 \times 10^{-4}$	
FLUORÍDRICO	HF	$7,0 \times 10^{-4}$	
HIPOCLOROSO	$HOCl$	$3,0 \times 10^{-8}$	
NITROSO	HNO_2	$4,6 \times 10^{-4}$	
SULFÚRICO	H_2SO_4	FORTE	$1,20 \times 10^{-2}$
SULFUROSO	H_2SO_3	$1,72 \times 10^{-2}$	$6,43 \times 10^{-8}$

E K_{a2} QUER DIZER:

ÁCIDOS QUE LIBERAM MAIS QUE UM PRÓTON TÊM MAIS DE UMA CONSTANTE DE IONIZAÇÃO. POR EXEMPLO, H_2CO_3, QUE PODE LIBERAR DOIS PRÓTONS, TEM K_{a1}

$$H_2CO_3 \rightleftharpoons H^+ + HCO_3^-$$

E K_{a2} PARA

$$HCO_3^- \rightleftharpoons H^+ + CO_3^{2-}$$

O PRIMEIRO PRÓTON SAI MAIS FÁCIL QUE O SEGUNDO!

NOTE TAMBÉM: EM SOLUÇÃO AQUOSA, ALGUNS ÍONS METÁLICOS PODEM ATUAR COMO ÁCIDOS. PEGANDO OH^- DA ÁGUA, ELES PODEM GERAR H_3O^+. O Fe^{3+} É UM EXEMPLO:

$$Fe^{3+} + 2H_2O \rightleftharpoons FeOH^{2+} + H_3O^+$$

$$FeOH^{2+} + 2H_2O \rightleftharpoons Fe(OH)_2^+ + H_3O^+$$

$$Fe(OH)_2^+ + 2H_2O \rightleftharpoons Fe(OH)_3 + H_3O^+$$

A DRENAGEM ÁCIDA DAS MINAS CONTÉM Fe^{3+}. QUANDO ELA VAI PARA UM RIO COM pH MAIS ALTO, ESSE ÍON METÁLICO PRECIPITA FORMANDO UMA LAMA ASSUSTADORA, CONHECIDA COMO "YELLOW BOY".

TRAGA-ME A MAIOR CAIXA DE FERMENTO QUÍMICO DO MUNDO[1]!

---

[1] BICARBONATO DE SÓDIO; TEM AÇÃO ANTIÁCIDO. (NT)

EXEMPLO

k_a PODE SER USADO PARA DETERMINAR O pH DE UMA SOLUÇÃO ÁCIDA.

O VINAGRE É UMA SOLUÇÃO DE 5% DE ÁCIDO ACÉTICO. ISSO EQUIVALE A 0,8 MOL/L. QUAL É O pH DESSA SOLUÇÃO?

$CH_3CO_2H \rightleftharpoons CH_3CO_2^- + H^+$ (H_3O^+ FOI SIMPLIFICADO COMO H^+)

A CONCENTRAÇÃO DO ÁCIDO ANTES DA IONIZAÇÃO É 0,8 MOL. SUPONHA QUE A IONIZAÇÃO REDUZA ESSE VALOR POR UMA QUANTIDADE X. ENTÃO, PODEMOS FAZER UMA TABELA:

	CH_3CO_2H	$CH_3CO_2^-$	H^+
CONCENTRAÇÃO ANTES DA IONIZAÇÃO	0,8	0,0	0,0
MUDANÇA NA CONCENTRAÇÃO	-X	X	X
CONCENTRAÇÃO NO EQUILÍBRIO	0,8-X	X	X

HIPÓTESE 1: OS ÍONS H^+ DA ÁGUA SÃO DESPREZÍVEIS EM RELAÇÃO AOS PROVENIENTES DO ÁCIDO.

INSIRA OS VALORES DE EQUILÍBRIO NA EQUAÇÃO DA CONSTANTE k_A

$$K_a = \frac{[CH_3CO_2^-][H^+]}{[CH_3CO_2H]} = \frac{(X)(X)}{(0,8-X)} = 1,75 \times 10^{-5} \text{ (DA TABELA)}.$$

$\frac{X^2}{0,8} = 1,75 \times 10^{-5}$

HIPÓTESE 2: X É MUITO PEQUENO EM COMPARAÇÃO COM 0,8 E PODE SER DESPREZADO NO DENOMINADOR.

$X^2 = (0,8)(1,75)10^{-5} = 14 \times 10^{-6}$

$X = (14)^{1/2} \times 10^{-3} = 3,74 \times 10^{-3}$

MAS, X = $[H^+]$ E, PORTANTO,

pH = $-\log(3,74 \times 10^{-3}) = 3 - \log(3,74) = 3 - 0,57$

= 2,43

A HIPÓTESE 2 FOI JUSTIFICADA. X É REALMENTE MUITO MENOR QUE 0,8.

ISTO TAMBÉM NOS FORNECE A FRAÇÃO DE MOLÉCULAS QUE IONIZAM:

$\frac{[CH_3CO_2^-]}{[CH_3CO_2H]} = \frac{3,74 \times 10^{-3}}{0,8} = 4,7 \times 10^{-3}$

UM POUCO MENOS QUE 5 MOLÉCULAS EM CADA MIL.

TENTE FAZER O MESMO CÁLCULO COM UMA SOLUÇÃO 0,08 MOL. USE AS MESMAS SIMPLIFICAÇÕES. VOCÊ ENCONTRARÁ pH = 2,93 E TAMBÉM QUE A FRAÇÃO DE MOLÉCULAS IONIZADAS AUMENTA À MEDIDA QUE A CONCENTRAÇÃO DIMINUI.

REAÇÕES COMO

$$FE^{3+} + 2H_2O \rightleftharpoons FeOH^{2+} + H_3O^+$$

SÃO CHAMADAS **HIDRÓLISE**. NESSE EXEMPLO, ELA ENVOLVE UM ÁCIDO, MAS TAMBÉM É MUITO COMUM COM BASES.

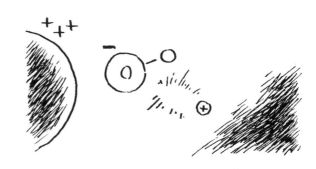

EM OUTRAS PALAVRAS, B⁻ **HIDROLISA** A ÁGUA E PROVOCA UM AUMENTO NO OH⁻,

$$H_2O + B^- \rightleftharpoons HB + OH^-$$

E LEVA A UMA NOVA CONSTANTE DE EQUILÍBRIO, A **CONSTANTE DE IONIZAÇÃO DA BASE**, k_b.

$$K_b = \frac{[HB][OH^-]}{[B^-]}$$

QUANTO MAIOR FOR k_b, MAIS FORTE É A BASE, POIS

- MAIOR k_b SIGNIFICA MAIOR $[OH^-]$, PORTANTO, MAIOR pH.

- k_b MEDE A CAPACIDADE DE B^- DE RETIRAR UM PRÓTON DO H_2O.

- k_b É O INVERSO DE k_a. SE HB É O ÁCIDO CONJUGADO, ENTÃO

BASE B		K_b
OH^-	HIDRÓXIDO	55,6
S^{2-}	SULFETO (OU SULFIDO)	10^5
CO_3^{2-}	CARBONATO	$2,0 \times 10^{-4}$
NH_3	AMÔNIA	$1,8 \times 10^{-5}$
$B(OH)_4^-$	BORATO	$2,0 \times 10^{-5}$
HCO_3^-	BICARBONATO	$2,0 \times 10^{-8}$

$$K_a K_b = \frac{[H^+][\cancel{B^-}]}{[HB]} \frac{[\cancel{HB}][OH^-]}{[\cancel{B^-}]} = [H^+][OH^-] = k_w = 10^{-14}$$

EXEMPLO

QUAL O pH DE UMA SOLUÇÃO 0,15 MOL DE AMÔNIA? CALCULE COMO ANTES, USANDO A REAÇÃO

$NH_3 + H_2O \rightleftharpoons NH_4^+ + OH^-$

	NH_3	NH_4^+	OH^-
CONCENTRAÇÃO INICIAL	0,15	0,0	0,0
MUDANÇA NA CONCENTRAÇÃO	-X	X	X
CONCENTRAÇÃO NO EQUILÍBRIO	0,15-X	X	X

HIPÓTESE 1: OH^- DA ÁGUA É DESPREZÍVEL

$$K_b = \frac{[NH_4^+][OH^-]}{[NH_3]} \qquad \frac{X^2}{(0,15-X)} = 1,8 \times 10^{-5}$$

HIPÓTESE 2: X É DESPREZÍVEL EM COMPARAÇÃO COM 0,15.

$$\frac{X^2}{0,15} = 1,8 \times 10^{-5}$$

$X^2 = 2,7 \times 10^{-6} \qquad X = 1,64 \times 10^{-3}$

$[OH^-] = 1,64 \times 10^{-3}$

$pOH = 3 - \log(1,64) = 2,78$

$pH = 14 - POH = \mathbf{11,22}$

NOTE: A HIPÓTESE 2 FOI NOVAMENTE COMPROVADA NO FINAL!

NEUTRALIZAÇÃO E SAIS

NA ÁGUA, OS ÁCIDOS GERAM H⁺ E AS BASES GERAL OH⁻. QUANDO OS ÁCIDOS E BASES SE COMBINAM, ESSES ÍONS SE **NEUTRALIZAM**. POR EXEMPLO:

$$HCl(aq) + NaOH(aq) \rightarrow Na^+(aq) + Cl^-(aq) + H_2O$$

DOIS REAGENTES REPUGNANTES SE COMBINAM PARA PRODUZIR UMA SOLUÇÃO COMUM DE SAL DE COZINHA. EVAPORANDO A ÁGUA, RESTARÃO APENAS OS CRISTAIS DE SAL.

ISTO É TÍPICO, TÃO TÍPICO, DE FATO, QUE É A PRÓPRIA DEFINIÇÃO DE **SAL**: SUBSTÂNCIA FORMADA PELA NEUTRALIZAÇÃO DE UM ÁCIDO POR UMA BASE.

O **PESO EQUIVALENTE** DE UM ÁCIDO É IGUAL À QUANTIDADE CAPAZ DE PRODUZIR **1 MOL DE PRÓTONS** EM ÁGUA QUANDO SE DISSOCIA COMPLETAMENTE.

$$1 \text{ EQUIV. } HCl = 1 \text{ MOL}$$

MAS,

$$1 \text{ EQUIV. } H_2SO_4 = 0,5 \text{ MOL}$$

POIS, O H_2SO_4 PODE LIBERAR DOIS PRÓTONS. DA MESMA FORMA,

$$1 \text{ EQUIV. } H_2CO_3 = 0,5 \text{ MOL}$$

O EQUIVALENTE DE BASE É A QUANTIDADE CAPAZ DE PRODUZIR 1 MOL DE OH^- DISSOCIANDO-SE COMPLETAMENTE. ASSIM

$$1 \text{ EQUIV. } NaOH = 1 \text{ MOL}$$
$$1 \text{ EQUIV. } Ca(OH)_2 = 0,5 \text{ MOL}$$
$$1 \text{ EQUIV. } NH_3 = 1 \text{ MOL}$$

POIS,

$$NH_3 + H_2O \rightarrow NH_4^+ + OH^-$$

SE A IONIZAÇÃO FOSSE COMPLETA.

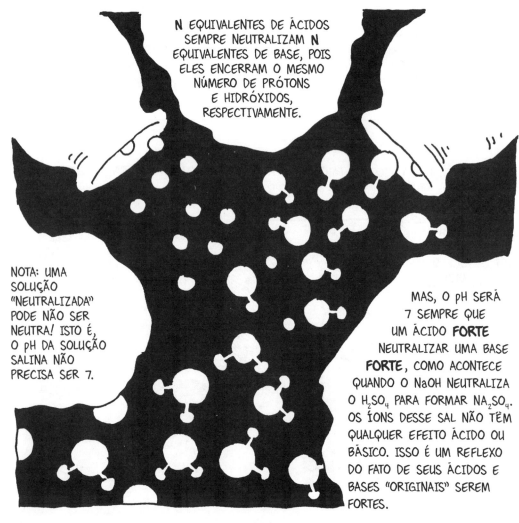

N EQUIVALENTES DE ÁCIDOS SEMPRE NEUTRALIZAM N EQUIVALENTES DE BASE, POIS ELES ENCERRAM O MESMO NÚMERO DE PRÓTONS E HIDRÓXIDOS, RESPECTIVAMENTE.

NOTA: UMA SOLUÇÃO "NEUTRALIZADA" PODE NÃO SER NEUTRA! ISTO É, O pH DA SOLUÇÃO SALINA NÃO PRECISA SER 7.

MAS, O pH SERÁ 7 SEMPRE QUE UM ÁCIDO **FORTE** NEUTRALIZAR UMA BASE **FORTE**, COMO ACONTECE QUANDO O NaOH NEUTRALIZA O H_2SO_4 PARA FORMAR Na_2SO_4. OS ÍONS DESSE SAL NÃO TÊM QUALQUER EFEITO ÁCIDO OU BÁSICO. ISSO É UM REFLEXO DO FATO DE SEUS ÁCIDOS E BASES "ORIGINAIS" SEREM FORTES.

QUANDO UM ÁCIDO FORTE NEUTRALIZA UMA BASE FRACA, A SOLUÇÃO TERÁ UM pH < 7. CONSIDERE O NITRATO DE AMÔNIO, NH_4NO_3, USADO COMO FERTILIZANTE. ELE PODE SER PREPARADO PELA NEUTRALIZAÇÃO DO NH_3 (BASE FRACA) COM HNO_3 (ÁCIDO FORTE).

$$HNO_3(aq) + NH_3(aq) \rightarrow NH_4^+(aq) + NO_3^-(aq)$$

O NO_3^- NÃO TEM EFEITO BÁSICO (POIS, O HNO_3 É FORTE), E POR ISSO PODE SER IGNORADO. É UM "ÍON EXPECTADOR". MAS O NH_4^+ É UM ÁCIDO FRACO E DISSOCIARÁ, COM $k_a = 5{,}7 \times 10^{-10}$.

$$NH_4^+(aq) \rightleftharpoons NH_3(aq) + H^+(aq)$$

EXEMPLO

SUPONHA QUE CONCENTRAÇÃO DO NH_4NO_3 SEJA 0,1 MOL. QUAL É O pH DA SOLUÇÃO? VAMOS FAZER A TABELA E OS CÁLCULOS USUAIS:

	NH_4^+	NH_3	H^+
CONC. ANTES DA IONIZAÇÃO	0,1	0,0	0,0
MUDANÇA NA CONCENTRAÇÃO	$-x$	x	x
CONCENTRAÇÃO NO EQUILÍBRIO	$0{,}1-x$	x	x

HIPÓTESE 1: H^+ DA ÁGUA É DESPREZÍVEL.

NO EQUILÍBRIO, k_a É

$$\frac{[H^+][NH_3]}{[NH_4^+]} = 5{,}7 \times 10^{-10}$$

FAZENDO AS SUPOSIÇÕES USUAIS, OBTEMOS

$$\frac{x^2}{0{,}1} = 5{,}7 \times 10^{-10}$$

$x^2 = 5{,}7 \times 10^{-11} = 57 \times 10^{-12}$

$x = [H^+] = 7{,}55 \times 10^{-6}$

$pH = 6 - \log(7{,}55) = 6 - 0{,}88$

$= 5{,}12$

HIPÓTESE 2: x É MUITO MENOR QUE 0,1 E PODE SER IGNORADO.

DA MESMA MANEIRA, QUANDO UMA BASE FORTE NEUTRALIZA UM ÁCIDO FRACO, A SOLUÇÃO SALINA RESULTANTE SERÁ LEVEMENTE BÁSICA. POR EXEMPLO, QUANDO O NaOH NEUTRALIZA CH_3CO_2H, TEREMOS NO FINAL O Na^+ COMO UM "ÍON EXPECTADOR", E O ACETATO, $CH_3CO_2^-$, UMA BASE FRACA. ASSIM, TENTE CALCULAR O pH DE UMA SOLUÇÃO 0,5 MOL DE $NaCH_3CO_2$. O k_b DO $CH_3CO_2^-$ = 5,7 × 10^{-10}.

RESP: pH 9,23

PODEMOS RESUMIR O pH DE SOLUÇÕES SALINAS DESTA FORMA:

SE O SAL RESULTA DA NEUTRALIZAÇÃO DE	pH
ÁCIDO FORTE, BASE FORTE	7
ÁCIDO FORTE, BASE FRACA	<7
ÁCIDO FRACO, BASE FORTE	>7
ÁCIDO FRACO, BASE FRACA	< 7 SE K_a > K_b
	7 SE K_a = K_b
	>7 SE K_a < K_b

TITULAÇÃO

É O PROCESSO EM QUE SE NEUTRALIZA UMA SOLUÇÃO DESCONHECIDA ADICIONANDO ("TITULANDO") UMA SOLUÇÃO CONHECIDA DE ÁCIDO OU BASE.

SE, POR EXEMPLO, A SOLUÇÃO DESCONHECIDA FOR UM ÁCIDO, PODEMOS TITULÁ-LA COM UMA BASE FORTE, NaOH, DE CONCENTRAÇÃO CONHECIDA, POR EXEMPLO, 0,5 MOL.

O pH AUMENTA LENTAMENTE. NO **PONTO FINAL,** QUANDO O ÁCIDO É NEUTRALIZADO, O pH AUMENTA RAPIDAMENTE, E PODE SER SINALIZADO PELA MUDANÇA DE COR DE UM INDICADOR QUÍMICO.

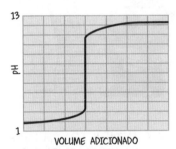

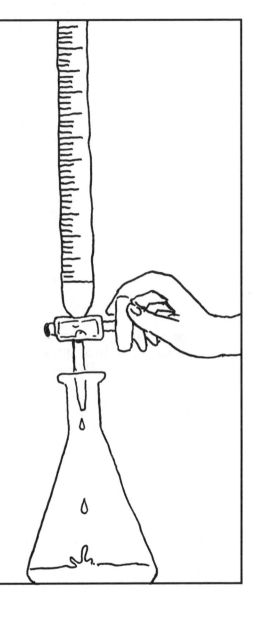

AGORA PODEMOS ENCONTRAR QUANTOS EQUIVALENTES HAVIA NA SOLUÇÃO ORIGINAL. CONSIDERE QUE 50 mL DA SOLUÇÃO PROBLEMA TENHA SIDO NEUTRALIZADO COM 9,3 mL DE NaOH. ENTÃO, O OH⁻ CONSUMIDO FOI

(0,0093 L)(0,5 mol/L) = 0,0047 mol.

PORTANTO, EXISTEM 0,0047 EQUIVALENTES DE ÁCIDO EM 50 mL DA SOLUÇÃO PROBLEMA, OU 0,094 EQUIVALENTES (0,0047 × 1000/50) EM UM LITRO.

 CUIDADO: O pH NÃO PRECISA SER 7 NO PONTO FINAL! A TITULAÇÃO PODE TERMINAR COM UM SAL QUE TENHA PROPRIEDADES ÁCIDAS OU BÁSICAS.

QUANDO MISTURAMOS VÁRIOS ÍONS EM SOLUÇÃO, MUITAS COISAS INTERESSANTES PODEM ACONTECER...

PRODUTOS DE SOLUBILIDADE

ALGUNS SAIS SÃO MUITO SOLÚVEIS, ALGUNS MUITO POUCO. QUANDO A SOLUÇÃO DE UM SAL ATINGE A MÁXIMA CONCENTRAÇÃO POSSÍVEL, DIZEMOS QUE ESTÁ **SATURADA**. NESSE PONTO, QUALQUER PORÇÃO DE SAL ADICIONADA IRÁ PARA O FUNDO.

OS SAIS SE DISSOLVEM EM ÁGUA, IONIZANDO:

$$H_2O + A_nB_m(s) \rightleftharpoons nA^{m+}(aq) + mB^{n-}(aq)$$

(O CÁTION **A** TEM UM NÚMERO DE OXIDAÇÃO OU CARGA +m E O ÂNION **B** TEM UM NÚMERO DE OXIDAÇÃO −n.) OS ÍONS ENTRAM E SAEM DA SOLUÇÃO. EM CONCENTRAÇÕES BAIXAS, A REAÇÃO PARA A DIREITA PREDOMINA. A SATURAÇÃO REPRESENTA O ESTADO DE EQUILÍBRIO.

AQUI ESTÁ A CONSTANTE DE EQUILÍBRIO.

$$K_{eq} = \frac{[A^{m+}]^n [B^{n-}]^m}{[H_2O][A_nB_m]}$$

NO DENOMINADOR ESTÃO A ÁGUA E O SAL NÃO DISSOLVIDO — AMBOS ESSENCIALMENTE CONSTANTES. POR ISSO, PODEMOS IGNORÁ-LOS, COMO DE PRAXE, E DEFINIR K_{ps}, O **PRODUTO DE SOLUBILIDADE**:

$$K_{ps} = [A^{m+}]^n [B^{n-}]^m$$

POR EXEMPLO, UMA SOLUÇÃO SATURADA DE $CaCO_3$ TEM UMA CONCENTRAÇÃO DE CÁLCIO IGUAL A $6{,}76 \times 10^{-5}$ MOL. AS CARGAS POSITIVAS E NEGATIVAS DEVEM ESTAR BALANCEADAS, POR ISSO, A CONCENTRAÇÃO DE CARBONATO TAMBÉM É $6{,}76 \times 10^{-5}$ MOL. ENTÃO:

$$K_{ps} = [Ca^{2+}][CO_3^{2-}]$$
$$= (6{,}76 \times 10^{-5})^2$$
$$= 4{,}57 \times 10^{-9}.$$

COMO O $CaCO_3$ É TÃO INSOLÚVEL, PODEMOS USAR ÍONS DE Ca^{2+} PARA PRECIPITAR CO_3^{2-} DISSOLVIDO NA SOLUÇÃO. POR EXEMPLO, QUANDO FAZEMOS SODA CÁUSTICA, NaOH:

$$Ca(OH)_2(aq) + Na_2CO_3(aq) \rightarrow 2NaOH + CaCO_3(s)\downarrow$$

Ca^{2+} E CO_3^{2-} NÃO PERMANECERÃO EM SOLUÇÃO QUANDO ESTIVEREM ACIMA DO QUE É PERMITIDO PELO PRODUTO DE SOLUBILIDADE. QUANDO O Ca^{2+} ATINGE UM NÍVEL IGUAL A

$$[Ca^{2+}][CO_3^{2-}] = 4{,}57 \times 10^{-9},$$

O CARBONATO DE CÁLCIO COMEÇARÁ A PRECIPITAR.

EM OUTRAS PALAVRAS, NÃO SE PRECISA DE MUITO!

EEP!

SÓLIDO	K_{ps}	SÓLIDO	K_{ps}
$FePO_4$	$1{,}26 \times 10^{-18}$	$BaSO_4$	10^{-10}
$Fe_3(PO_4)_2$	10^{-33}	$PbCl_2$	16×10^{-5}
$Fe(OH)_2$	$3{,}26 \times 10^{-15}$	$Pb(OH)_2$	$5{,}0 \times 10^{-15}$
FeS	$5{,}0 \times 10^{-18}$	$PbSO_4$	16×10^{-8}
Fe_2S_3	10^{-88}	PbS	10^{-27}
$Al(OH)_3$ (AMORFO)	10^{-33}	$MgNH_4PO_4$	$2{,}6 \times 10^{-13}$
$AlPO_4$	10^{-21}	$MgCO_3$	10^{-5}
$CaCO_3$ (CALCITA)	$4{,}6 \times 10^{-9}$	$Mg(OH)_2$	$1{,}82 \times 10^{-11}$
$CaCO_3$ (ARAGONITA)	$6{,}0 \times 10^{-9}$	$Mn(OH)_2$	16×10^{-13}
$CaMg(CO_3)_2$	$2{,}0 \times 10^{17}$	$AgCl$	10^{-10}
CaF_2	$5{,}0 \times 10^{-11}$	Ag_2CrO_4	$2{,}6 \times 10^{-12}$
$Ca(OH)_2$	$5{,}0 \times 10^{-6}$	Ag_2SO_4	16×10^{-5}
$Ca_3(PO_4)_2$	10^{-26}	$Zn(OH)_2$	$6{,}3 \times 10^{-18}$
$CaSO_4$ (GESSO)	$2{,}6 \times 10^{-5}$	ZnS	$3{,}26 \times 10^{-22}$

K_{ps} PODE NOS AJUDAR A ENCONTRAR O EFEITO DE UM ÍON NA SOLUBILIDADE DE OUTRO, POR EXEMPLO.

pH INFLUENCIA A SOLUBILIDADE.
EXEMPLO 1.

$Ca(OH)_2 \rightleftharpoons Ca^{2+} + 2\,OH^-$

$K_{ps} = [Ca^{2+}][OH^-]^2 = 5,0 \times 10^{-6}$

APLIQUE O LOGARITMO DE AMBOS OS LADOS:

$\log[Ca^{2+}] + 2\log[OH^-] = (\log 5) - 6$

$= 0,7 - 6 = -5,3$

$\log[Ca^{2+}] - 2pOH = -5,3$

SUBSTITUINDO $pOH = 14 - pH$,

$\log[Ca^{2+}] = 22,7 - 2pH$

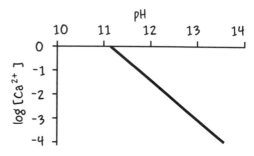

$Ca(OH)_2$ É MUITO SOLÚVEL EM pH ABAIXO DE 12.

EXEMPLO 2.

$CaCO_3 \rightleftharpoons Ca^{2+} + CO_3^{2-}$

QUANDO SE ADICIONA UM ÁCIDO, O CO_3^{2-} RETIRA H^+ PARA FAZER HCO_3^- E H_2CO_3. SENDO DOIS PRODUTOS DIFERENTES, A MATEMÁTICA PODE FICAR COMPLICADA, PORÉM NA PRÁTICA A SITUAÇÃO É DOMINADA POR:

$H^+ + CO_3^{2-} \rightleftharpoons HCO_3^-$

PELO PRINCÍPIO DE LE CHATELIER, A ADIÇÃO DE H^+ DESLOCA O EQUILÍBRIO PARA A DIREITA, REVENDO CO_3^{2-}. PARA MANTER K_{ps} CONSTANTE, MAIS $CaCO_3$ TERÁ QUE SE DISSOLVER.

OS DOIS EXEMPLOS MOSTRAM COMO A ÁGUA COM pH BAIXO TENDE A DISSOLVER MAIS Ca^{2+}. ESSE É UM PADRÃO GERAL PARA OS METAIS E EXPLICA POR QUE OS LAGOS COM MAIOR ACIDEZ, GERALMENTE, TÊM NÍVEIS MAIS ELEVADOS DE METAIS TÓXICOS DISSOLVIDOS.

TAMPÕES

PODEMOS USAR A FACILIDADE DAS BASES DE CAPTURAR PRÓTONS PARA MODERAR A QUEDA DE pH PROVOCADA POR ÁCIDOS FORTES.

POR EXEMPLO, COMECE COM UM LITRO DE SOLUÇÃO 0,01 MOL DE ACETATO DE SÓDIO, $NaCH_3CO_2$. ELE IONIZA PARA GERAR 0,01 mol DE ACETATO, QUE É A BASE FRACA CONJUGADA DO ÁCIDO ACÉTICO.

ADICIONE UM LITRO DE HCl 0,01 MOL, QUE É UM ÁCIDO FORTE. O ÍON ACETATO CAPTA QUASE TODOS OS PRÓTONS LIBERADOS PELO HCl:

$$CH_3CO_2^- + H^+ \rightarrow CH_3CO_2H$$

O pH DA SOLUÇÃO EQUIVALE À DE UMA SOLUÇÃO 0,005 MOL DE ÁCIDO ACÉTICO (A CONCENTRAÇÃO CAI PARA A METADE PORQUE AGORA TEMOS DOIS LITROS DE LÍQUIDO). SEU VALOR É **3,53**.

EM VEZ DISSO, SE TIVÉSSEMOS ADICIONADO O HCl À ÁGUA PURA, O pH CAIRIA ATÉ **2,3**. O ACETATO **MODEROU A ACIDEZ DA ÁGUA**.

DIZEMOS QUE O ACETATO **TAMPONA** A SOLUÇÃO CONTRA ÁCIDOS.

PODEMOS FICAR INCOMODADOS COM O FATO QUE NOSSA SOLUÇÃO TAMPÃO SEJA MODERADAMENTE ALCALINA, COM UM pH = 8,38.

PODEMOS DIMINUIR ISSO COM UM ÁCIDO FRACO, MAS NÃO QUEREMOS FORNECER MAIS PRÓTONS PARA OS ÍONS ACETATO. ISSO CORTARIA SUA CAPACIDADE TAMPONANTE.

ASSIM, UMA IDEIA BRILHANTE É USAR O ÁCIDO ACÉTICO, CH_3CO_2H. SUA BASE CONJUGADA JÁ É O ACETATO, E ASSIM ELE NÃO FORNECERÁ PRÓTONS PARA O ACETATO LIVRE EM SOLUÇÃO.

SE FIZERMOS UMA SOLUÇÃO 0,01 MOL EM ACETATO E DE APENAS 0,002 MOL EM ÁCIDO ACÉTICO, O pH SERÁ 5,5, O QUE NÃO É TÃO RUIM. (OS CÁLCULOS ESTÃO NAS PÁGINAS SEGUINTES.)

AINDA MELHOR, NÓS PODEMOS TAMPONAR CONTRA **ÁCIDOS E BASES SIMULTANEAMENTE!** O ÁCIDO ACÉTICO FORNECERÁ SEU H PARA UMA BASE FORTE, ENQUANTO O ACETATO RETIRARÁ OS PRÓTONS DE ÁCIDOS FORTES. O pH SERÁ MANTIDO DENTRO DE UMA FAIXA LIMITADA.

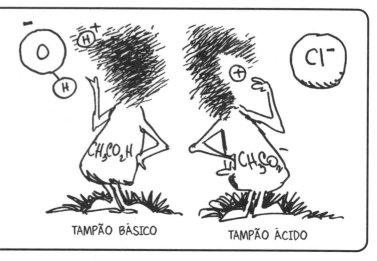

TAMPÃO BÁSICO   TAMPÃO ÁCIDO

ESTE É O SEGREDO DOS TAMPÕES: USAR UM ÁCIDO E UMA BASE COM UM **ÍON COMUM**: COMBINE UM ÁCIDO FRACO **HB** COM UM SAL QUE IONIZA PARA LIBERAR B⁻.

UM POUCO DE ARITMÉTICA NOS PERMITE PREVER O pH DE TAMPÕES, TANTO ANTES COMO DEPOIS DA ADIÇÃO DE ÁCIDOS OU BASES. VAMOS COMEÇAR COM O ÁCIDO FRACO HB.

POR DEFINIÇÃO

$$K_a = \frac{[H^+][B^-]}{[HB]}$$

ASSIM,

$$\frac{K_a}{[H^+]} = \frac{[B^-]}{[HB]}$$

APLICANDO O LOGARITMO EM AMBOS OS LADOS,

$$\log K_a - \log [H^+] = \log ([B^-]/[HB])$$

SENDO $pK_a = -\log K_a$, ENTÃO

$$pH - pK_a = \log ([B^-]/[HB])$$

QUE É CHAMADA

EQUAÇÃO DE HENDERSON--HASSELBALCH.

EM NOSSA SOLUÇÃO TAMPÃO, A CONCENTRAÇÃO DO SAL FORNECE [B⁻], E A CONCENTRAÇÃO DO ÁCIDO FORNECE [HB]. K_a JÁ É CONHECIDO. ASSIM, PODEMOS RESOLVER O pH.

POR EXEMPLO, CONSIDERE UMA SOLUÇÃO DE TAMPÃO COM 1 L DE $NaCH_3CO_2$ E 0,1 MOL DE CH_3CO_2H. O K_a DO ÁCIDO ACÉTICO É $1,75 \times 10^{-5}$. ENTÃO,

$pK_a = -\log(1,75 \times 10^{-5})$

$= 4,76$

PELA EQUAÇÃO DE HENDERSON-HASSELBALCH, O pH DA SOLUÇÃO É

$pH = pK_a + \log([B^-]/[HB])$

$= 4,76 + \log(0,5/0,1)$

$= 4,76 + \log 5$

$= 4,76 + 0,70 = \mathbf{5,46}$

ADICIONANDO 1 L DE HCl 0,05 MOL, VAMOS SUPOR QUE TODO O H^+ PROVENIENTE DO HCl SE LIGUE AO $CH_3CO_2^-$.

$CH_3CO_2^- + H^+ \rightarrow CH_3CO_2H$

E VAMOS CONSTRUIR A TABELA USUAL:

	CH_3CO_2H	$CH_3CO_2^-$	H^+
CONC. ORIGINAL	0,05	0,25	0,025
MUDANÇA DE CONC.	0,025	-0,025	-0,025
CONC. NO EQUILÍBRIO	0,075	0,225	0,0

NOTE QUE AS CONCENTRAÇÕES CAÍRAM PARA A METADE PORQUE AGORA TEMOS **2 L** DE SOLUÇÃO. DE ACORDO COM A EQUAÇÃO DE HENDERSON-HASSELBALCH:

$pH = pK_a + \log \dfrac{[CH_3CO_2^-]}{[CH_3CO_2H]}$

$= 4,76 + \log(0,225/0,075)$

$= 4,76 + \log 3 = 4,76 + 0,48$

$= \mathbf{5,24}$

VEJA SE CONSEGUE FAZER O MESMO CÁLCULO, SE TIVÉSSEMOS ADICIONADO 1 L DE NaOH 0,04 MOL EM VEZ DO HCl.

A EQUAÇÃO DE HENDERSON-HASSELBALCH TAMBÉM PODE NOS GUIAR QUANDO QUEREMOS AJUSTAR O pH DE UM SISTEMA.

POR EXEMPLO, NH_4^+ É MUITO MENOS VENENOSO PARA PEIXE QUE NH_3 PORQUE A MOLÉCULA SENDO NEUTRA PODE PASSAR PELAS MEMBRANAS CELULARES COM FACILIDADE E INTERFERIR NO METABOLISMO. PELA EQUAÇÃO DE HENSERSON-HASSELBALCH,

$$\log([NH_3]/[NH_4^+]) = pH - pK_a$$

SE, POR EXEMPLO, QUEREMOS CHEGAR A $[NH_3]/[NH_4^+]$ ABAIXO DE UM POR MIL, OU SEJA, LOG < -3, ENTÃO O pH DEVE SER SUFICIENTEMENTE BAIXO, OU

$$pH - pK_a < -3$$

COMO O pK_a DO NH_4^+ É 9,3, QUALQUER pH < 6,3 RESOLVERÁ.

LIGEIRAMENTE AZEDO, MAS NÃO **MUITO** ÁCIDO, POR FAVOR!

DA MESMA FORMA, ADICIONAMOS HOCl EM PISCINAS PARA MATAR BACTÉRIAS. ESSE ÁCIDO MODERADO SE DISSOCIA EM H^+ E OCl^-. MAS, AGORA **REALMENTE QUEREMOS** QUE ELE SEJA VENENOSO, PARA PODER MATAR AS BACTÉRIAS! NOVAMENTE, A ESPÉCIE NÃO IONIZADA, HOCl É A FORMA VENENOSA, E POR ISSO PRECISAMOS AJUSTAR O pH PARA DIMINUIR $[OCl^-]/[HOCl]$.

EXERCÍCIO E MERGULHO DESINFETANTE, DE UMA SÓ VEZ!

ESTE CAPÍTULO FOI MUITO ABRANGENTE. FALAMOS DOS ÁCIDOS E BASES, MEDIMOS SUA FORÇA E VIMOS COMO A FORÇA ESTÁ RELACIONADA COM SUA IONIZAÇÃO EM ÁGUA. NEUTRALIZAMOS, TITULAMOS E OLHAMOS PARA OS SAIS RESULTANTES. VIMOS COMO OS ÁCIDOS E BASES AFETAM A SOLUBILIDADE DOS SAIS, E COMO OS TAMPÕES SÃO FEITOS, COMBINANDO ÁCIDOS FRACOS E SAIS.

E AGORA PARA ALGO COMPLETAMENTE DIFERENTE.

CAPÍTULO 10
TERMODINÂMICA QUÍMICA

UM CAPÍTULO TEÓRICO, DIFÍCIL, MAS QUE EXPLICA POR QUE AS COISAS ACONTECEM

QUANDO CONTEMPLAMOS O NOSSO MUNDO, TEMOS DE ADMITIR QUE TUDO PARECE INACREDITÁVEL, OU MESMO IMPROVÁVEL. OS ESPIRAIS ESPETACULARES DAS GALÁXIAS... A REGULARIDADE MAGNÍFICA DOS DIAMANTES... A COMPLEXIDADE PROPULSORA DA VIDA... ATÉ OS MISTÉRIOS OBSCUROS DA QUÍMICA QUE EXPLICAMOS COM "CARTOONS"...

O PONTO TRANQUILIZADOR DESTE CAPÍTULO É: O UNIVERSO TORNA-SE **MENOS IMPROVÁVEL** O TEMPO TODO.

POR EXEMPLO, IMAGINE A CENA EM QUE UM TIJOLO ARREMESSADO ESTILHAÇA UMA JANELA EM SUA TRAJETÓRIA.

VOCÊ NUNCA VERÁ O TIJOLO ATINGIR OS FRAGMENTOS DE VIDRO DESPEDAÇADOS PARA RESTAURAR A JANELA INICIAL!

OU ESTA CENA EM QUE O AR INTRODUZIDO EM UMA CÂMARA À VÁCUO RAPIDAMENTE PREENCHERÁ TODO O ESPAÇO.

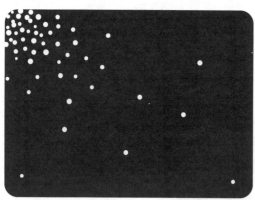

VOCÊ NUNCA VERÁ O AR DE UMA SALA MIGRAR PARA UM CANTO. (OU, SE ISSO ACONTECER, TALVEZ NÃO VIVA PARA CONTAR A HISTÓRIA.)

A RAZÃO É A MESMA EM AMBOS OS CASOS: EXISTEM **MUITAS**, MUITAS, MUITAS MAIS OPÇÕES PARA AS COISAS SE **DESPEDAÇAREM** OU **SE ESPALHAREM**, DO QUE PARA OS **FRAGMENTOS** SE UNIREM OU AS PARTÍCULAS FICAREM CONCENTRADAS. A DISPERSÃO, OU ESPALHAMENTO, É MUITO MAIS PROVÁVEL. TRATA-SE DE UM PRINCÍPIO GERAL DO UNIVERSO:

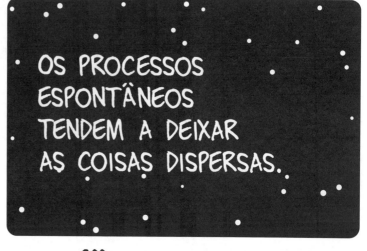

OS PROCESSOS ESPONTÂNEOS TENDEM A DEIXAR AS COISAS DISPERSAS.

VOCÊ PODE ARGUMENTAR QUE PEGA UMA VASSOURA E JUNTA OS FRAGMENTOS É UM PROCESSO DE CONCENTRAÇÃO, E VOCÊ ESTÁ CERTO.

MAS EU DIGO QUE PARA VARRER, EU TENHO DE MOVIMENTAR O MEU CORPO. O MOVIMENTO FAZ USO DE REAÇÕES QUÍMICAS QUE ESPALHAM CALOR NO AMBIENTE.

DE FATO, EM PRIMEIRO LUGAR, EU NÃO PODERIA ME MOVER SEM ME ALIMENTAR, E A ALIMENTAÇÃO PRODUZ REJEITOS QUE ACABAM SE ESPALHANDO POR AÍ, TAMBÉM.

O ALIMENTO QUE CONSUMO DEPENDE, EM ÚLTIMA INSTÂNCIA, DA ENERGIA SOLAR, QUE ESPALHA UMA QUANTIDADE INCRÍVEL DE MATÉRIA E ENERGIA NO UNIVERSO.

VOCÊ TEM QUE OLHAR DE FORMA GRANDIOSA! QUALQUER PROCESSO QUE CONCENTRA MATÉRIA E/OU ENERGIA EM UM SISTEMA É **MAIS DO QUE COMPENSADO** POR UMA GRANDE QUANTIDADE DE DESORDEM EM ALGUM PONTO DO UNIVERSO. **O EFEITO GLOBAL NO UNIVERSO COMO UM TODO É DE ESPALHAMENTO OU EXPANSÃO.**

NOS SISTEMAS QUÍMICOS TEMOS DE LEVAR EM CONTA O DESLOCAMENTO DA **ENERGIA**.

CONSIDERE UM SISTEMA QUE CONSISTE DE UM NÚMERO IMENSO DE MOLÉCULAS, E VAMOS NOS CONCENTRAR, POR UM INSTANTE, EM UMA DELAS.

A ENERGIA CINÉTICA É ARMAZENADA NA MOLÉCULA NA FORMA DE VIBRAÇÃO, ROTAÇÃO, E TRANSLAÇÃO (OU SEJA, DESLOCAMENTO NO ESPAÇO).

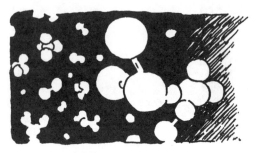

COMO JÁ VIMOS NO CAPÍTULO 2, NESTA ESCALA DIMENSIONAL A ENERGIA É **QUANTIZADA**. SOMENTE ALGUNS NÍVEIS DETERMINADOS DE ENERGIA SÃO PERMITIDOS.

ENERGIA É ABSORVIDA OU LIBERADA EM QUANTIDADES DISCRETAS, OU PACOTES, DENOMINADOS QUANTA, QUE FAZEM AS MOLÉCULAS PULAREM DE UM NÍVEL DE ENERGIA PARA OUTRO.

ASSIM, ESTE É O QUADRO: CADA MOLÉCULA TEM SEUS PRÓPRIOS NÍVEIS DE ENERGIA... MAS TEMOS DE PENSAR O SISTEMA INTEIRO COM TODOS OS NÍVEIS DE ENERGIA JUNTOS, INCLUINDO O VASTO NÚMERO DE QUANTA DISTRIBUÍDOS ENTRE ELES, DE ALGUM MODO.

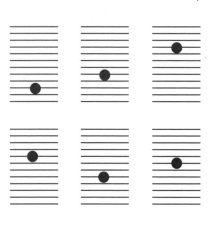

ENTROPIA, S,

MEDE O DESLOCAMENTO DA ENERGIA. ELA PODE SER DEFINIDA EM TERMOS DE CALOR E TEMPERATURA:

COMECE COM UM SISTEMA A UMA TEMPERATURA T (MEDIDA EM °K) E ADICIONE UMA PEQUENA QUANTIDADE DE CALOR, q[1].

ALGUMAS VEZES, q PROVOCA UM PEQUENO AUMENTO DE TEMPERATURA, ΔT. ($q = C\Delta T$, NO QUAL C É A CAPACIDADE CALORÍFICA DO SISTEMA). O CALOR SE DESLOCA NOS NÍVEIS MAIS ALTOS DE ENERGIA.

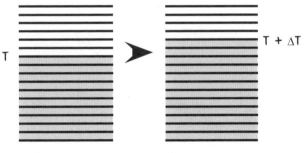

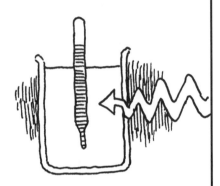

A **MUDANÇA DE ENTROPIA**, ΔS, É DADA POR

$$\Delta S = q/T$$

COM UNIDADES J/°K.

COMO OS DIAGRAMAS SEGUINTES SUGEREM, ΔS MEDE O **DESLOCAMENTO EXTRA DO CALOR** NO SISTEMA, RESULTANTE DA ADIÇÃO DE q.

OUTRAS VEZES, q PRODUZ MUDANÇAS DE FASE (FUSÃO, VAPORIZAÇÃO). ENTÃO, A TEMPERATURA PERMANECE CONSTANTE, MAS OS MOVIMENTOS MOLECULARES FICAM MENOS RESTRITOS, E MAIS NÍVEIS DE MENOR ENERGIA SE "ABREM". O CALOR SE ESPALHA DENTRO DESSES NÍVEIS DE ENERGIA.

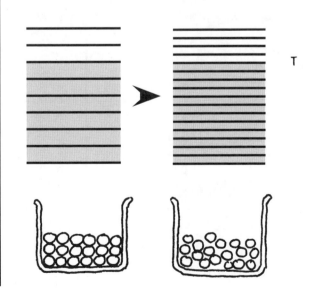

---

[1] OS FÍSICOS NOS DIZEM QUE q DEVE SER ADICIONADO **REVERSIVELMENTE**, OU SEJA, O CALOR PODE SER RETORNADO SEM UM GASTO EXTRA DE ENERGIA. ISSO É FISICAMENTE IMPOSSÍVEL, MAS PODE SER CONSEGUIDO APROXIMADAMENTE, PELA ADIÇÃO DE CALOR EM DIVERSAS PEQUENAS ETAPAS.

JÁ É POSSÍVEL CALCULAR A **ENTROPIA ABSOLUTA** DE QUALQUER SUBSTÂNCIA. ISSO É FEITO ADICIONANDO TODOS OS PEQUENOS AUMENTOS DE ENTROPIA, QUE SE ACUMULAM QUANDO UMA SUBSTÂNCIA É AQUECIDA, EM PEQUENAS ETAPAS, DO ZERO ABSOLUTO ATÉ ALGUMA TEMPERATURA CONVENIENTE, GERALMENTE 298 °K (TEMPERATURA AMBIENTE, 25 °C).

POR EXEMPLO, PARA ACHAR A ENTROPIA ABSOLUTA PADRÃO DA ÁGUA VOCÊ PODE APLICAR AS SEGUINTES ETAPAS:

RESFRIE UM CRISTAL PERFEITO DE GELO AO ZERO ABSOLUTO (NA REALIDADE, NÃO É POSSÍVEL, MAS PODE SER CONSEGUIDO TEORICAMENTE).

LENTAMENTE APLIQUE PEQUENOS INCREMENTOS DE CALOR E SOME TODAS AS VARIAÇÕES DE ENTROPIA DO ZERO ATÉ 273 °K, QUE É O PONTO DE FUSÃO (É UM CÁLCULO COMPLICADO, MAS PODE SER FEITO!). ISSO LEVARÁ A

$$S_{273°} = 47,84 \text{ J/mol °K}$$

CONSIDERE A FUSÃO DO GELO. O CALOR DE FUSÃO DA ÁGUA É 6.020 J/MOL, E T = 273 °K, ASSIM A ENTROPIA ENVOLVIDA É

$$\frac{6.020}{273} = 22,05 \text{ J/mol °K}$$

AQUEÇA A ÁGUA LÍQUIDA DE 273 °K ATÉ A TEMPERATURA AMBIENTE, E ACRESCENTE A VARIAÇÃO DE ENTROPIA. NO TOTAL,

$$S_{298} - S_{273} = 0,09 \text{ J/mol °K}$$

AGORA, SOME OS TRÊS VALORES PARA OBTER A **ENTROPIA PADRÃO ABSOLUTA** DA ÁGUA

$$S° (\text{ÁGUA}) = 47,84 + 22,05 + 0,09 = \mathbf{70,0} \text{ J/MOL °K}$$

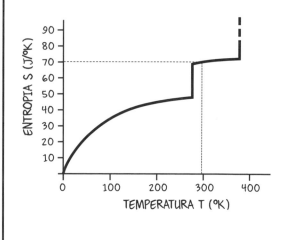

A 298 K, ESCREVEMOS S°, A **ENTROPIA PADRÃO ABSOLUTA**.

VISTO QUE SUBSTÂNCIAS DIFERENTES POSSUEM DISTINTAS CAPACIDADES CALORÍFICAS, ENTALPIAS DE FUSÃO E VAPORIZAÇÃO, DIFERENTES QUANTIDADES DE CALOR DEVEM SER ADICIONADAS PARA AUMENTAR SUAS TEMPERATUAS E MUDAR SEUS ESTADOS. EM OUTRAS PALAVRAS, CADA SUBSTÂNCIA TEM SUA ENTROPIA PADRÃO ABSOLUTA CARACTERÍSTICA.

A ENTROPIA INCRIVELMENTE BAIXA DO DIAMANTE É EM VIRTUDE DA SUA ESTRUTURA CRISTALINA RÍGIDA, QUE ADMITE POUCO ESPAÇO DE MOVIMENTAÇÃO. A GRAFITE, FEITA DE LÂMINAS DE ÁTOMOS, TEM MAIS NÍVEIS DE ENERGIA.

SUBSTÂNCIA	ENTROPIA MOLAR PADRÃO (J/mol °K)
ELEMENTOS SÓLIDOS	
C (DIAMANTE)	2,4
C (GRAFITE)	5,7
Fe (FERRO)	27,3
Cu (COBRE)	33,1
Pb (CHUMBO)	64,8
SÓLIDOS IÔNICOS	
CaO	39,7
$CaCO_3$	92,2
NaCl	72,3
$MgCl_2$	89,5
$AlCl_3$	167,2
SÓLIDO MOLECULAR	
$C_{12}H_{22}O_{11}$ (SACAROSE)	360,2
LÍQUIDOS	
H_2O (l)	70
CH_3OH (METANOL)	126,8
C_2H_5OH (ETANOL)	161
GASES	
H_2O (g)	189
CH_4 (METANO)	186
CH_3CH_3 (ETANO)	230
H_2	131
N_2	191
NH_3	193
O_2	205
CO_2	213
CH_3OH (METANOL, g)	240
C_2H_5OH (ETANOL, g)	283

DIAMANTE

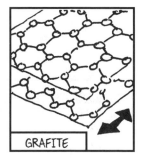
GRAFITE

MOLÉCULAS GRANDES POSSUEM ENTROPIAS MAIS ELEVADAS QUE MOLÉCULAS PEQUENAS: TÊM MAIS PARTES QUE PODEM SER MOVER.

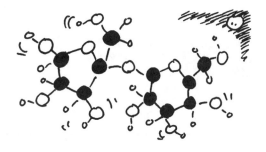

PARA QUALQUER SUBSTÂNCIA

S° (SÓLIDO) < S° (LÍQUIDO) < S° (GÁS).

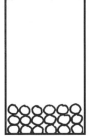 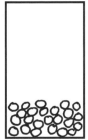 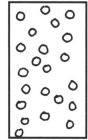

PELO FATO DA ENTROPIA ESTAR RELACIONADA COM A COMPOSIÇÃO DAS SUBSTÂNCIAS E SUA ESTRUTURA INTERNA, É POSSÍVEL MUDAR A ENTROPIA DO SISTEMA SEM ADICIONAR CALOR. POR EXEMPLO:

O **NÚMERO** DE PARTÍCULAS NO SISTEMA AUMENTA OU DIMINUI. TER MAIS PARTÍCULAS GERALMENTE SIGNIFICA TER MAIS NÍVEIS DE ENERGIA E, POR ISSO, A ENTROPIA CRESCE COM O NÚMERO DE PARTÍCULAS.

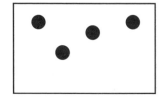
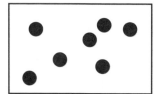

O SISTEMA SE **EXPANDE** OU **CONTRAI**. É UM FATO BIZARRO DA MECÂNICA QUÂNTICA (PODE ACREDITAR!) QUE AS MOLÉCULAS GANHAM NÍVEIS DE ENERGIA (POR EXEMPLO, ROTACIONAL E TRANSLACIONAL) QUANDO CONFINADOS EM UM VOLUME MAIOR. SÃO COMO DANÇARINOS QUE PODEM MOSTRAR MAIS MOVIMENTOS QUANDO PODEM CONTAR COM MAIOR ESPAÇO LIVRE.

ESSE EFEITO TEM ATÉ UMA FÓRMULA. SE UM GÁS SE EXPANDE A UMA TEMPERATURA CONSTANTE, ENTÃO

$$\Delta S = R \ln(P_0/P)$$

ONDE P_0 É A PRESSÃO INICIAL, P É A PRESSÃO FINAL, E R É A CONSTANTE DOS GASES.

O SISTEMA SOFRE UMA **REAÇÃO QUÍMICA**. UMA REAÇÃO QUÍMICA MUDA O NÚMERO DE PARTÍCULAS E SEUS ARRANJOS INTERNOS. ISTO É TÃO COMPLICADO QUE MERECE UMA ATENÇÃO ESPECIAL. ASSIM...

ENTROPIA E REAÇÕES QUÍMICAS

A TABELA DE ENTROPIA É UMA DAS FERRAMENTAS MAIS PODEROSAS DO QUÍMICO. ELA PERMITE PREVER SE UMA REAÇÃO OCORRERÁ EM UM SENTIDO OU NÃO (EM CONDIÇÕES PADRÃO).

A ENTROPIA COMANDA O UNIVERSO. JÁ NOTAMOS QUE O UNIVERSO CAMINHA NO SENTIDO DE ESTADOS ENERGÉTICOS MAIS ESPALHADOS E PROVÁVEIS. EXPRESSO EM TERMOS DE ENTROPIA, ISTO EQUIVALE À FAMOSA **SEGUNDA LEI DA TERMODINÂMICA**, QUE DIZ QUE A ENTROPIA DEVE AUMENTAR. ISSO SE APLICA A QUALQUER PROCESSO.

A PARTIR DA TABELA DE ENTROPIA PADRÃO, PODEMOS ACHAR A VARIAÇÃO DE ENTROPIA DAS ESPÉCIES QUÍMICAS ENVOLVIDAS NA REAÇÃO, QUE SERÃO CHAMADAS $\Delta S_{SISTEMA}$:

$$\Delta S_{SISTEMA} = S°(PRODUTOS) - S°(REAGENTES)$$

(S É UMA "FUNÇÃO DE ESTADO", OU SEJA, DEPENDE APENAS DO ESTADO INICIAL E FINAL DO PROCESSO, E NÃO DAS ETAPAS INTERMEDIÁRIAS.)

COMO EXEMPLO, CONSIDERE O PROCESSO HABER EM CONDIÇÕES PADRÃO: SUPONHA QUE TENHAMOS UMA MISTURA DE N_2, H_2 E NH_3... A PRESSÃO PARCIAL DE CADA GÁS É 1 ATM, E T = 298 °K. A REAÇÃO $N_2 + 3H_2 \rightarrow 2NH_3$ SERÁ FAVORÁVEL?

PRIMEIRAMENTE, CALCULE A VARIAÇÃO DE ENTROPIA DO SISTEMA, OU SEJA, DA MISTURA DOS GASES.

ΔS_{SIS} = S°(PRODUTOS) — S°(REAGENTES)

= $2S°(NH_3) - S°(N_2) - 3S°(H_2)$

= **-198** J/°K

NÃO TÃO RÁPIDO! LEMBRE-SE, É A ENTROPIA DO **UNIVERSO INTEIRO** QUE DEVE AUMENTAR, NÃO A ENTROPIA DO SISTEMA. ASSIM, TAMBÉM TEMOS QUE CALCULAR A VARIAÇÃO DE ENTROPIA DO AMBIENTE.

$\Delta S_{UNIVERSO} = \Delta S_{SISTEMA} + \Delta S_{AMBIENTE}$

MAS

$\Delta S_{AMBIENTE} = \dfrac{(\text{VARIAÇÃO DE ENTALPIA DO AMBIENTE})}{T}$

ESTA VARIAÇÃO DE ENTALPIA É $-\Delta H$, QUE CORRESPONDE À ENTALPIA DA REAÇÃO. JÁ VIMOS ISSO NO CAPÍTULO 5. ENTÃO

$\Delta S_{UNIVERSO} = \Delta S_{SISTEMA} - (\Delta H/T)$

O ΔH PARA ESSA REAÇÃO PODE SER ENCONTRADO EM UMA TABELA DE ENTALPIAS DE FORMAÇÃO. DE FATO, É DUAS VEZES O ΔH_f DA NH_3 (PORQUE SÃO PRODUZIDOS 2 MOLES):

$\Delta H = 2\Delta H_f (NH_3)$
= (2 mol)(-45,9 kJ/mol)
= -91,8 kJ

ASSIM

$\dfrac{\Delta H}{T} = \dfrac{-91.800 \, J}{298 \, °K} = -308 \, J/°K$

ENTÃO, A VARIAÇÃO **TOTAL** DE ENTROPIA ASSOCIADA COM ESSA REAÇÃO É

$\Delta S_{SIS} - (\Delta H/T)$

= -198 J/°K + 308 J/°K

= **110** J/°K

O RESULTADO É POSITIVO! EMBORA A ENTROPIA DO **SISTEMA** DIMINUA, UMA QUANTIDADE SUFICIENTE DE ENERGIA É DISPERSA NO **AMBIENTE** PARA PERMITIR QUE A REAÇÃO PROSSIGA!

É ANÁLOGO A QUANDO VARREMOS O VIDRO QUEBRADO. O PROCESSO DE JUNTAR OS CACOS CONCENTRA ENERGIA DENTRO DO SISTEMA, MAS GASTAMOS ENERGIA E LIBERAMOS CALOR QUE FOI DESLOCADO NO UNIVERSO, PARA PERMITIR QUE ISSO ACONTEÇA.

A MESMA ABORDAGEM SE APLICA A **QUALQUER** REAÇÃO A **P** E **T** CONSTANTES. SE ΔH É A ENTALPIA DE REAÇÃO, ENTÃO

$\Delta S_{AMBIENTE} = -\Delta H/T.$

A ENTROPIA TOTAL É

$\Delta S_{UNIVERSO} = \Delta S_{SISTEMA} + \Delta S_{AMBIENTE}$

OU

$\Delta S_{UNIVERSO} = \Delta S_{SISTEMA} - (\Delta H/T)$

ESSE É O **DESLOCAMENTO TOTAL DA ENERGIA** NO UNIVERSO COMO RESULTADO DA REAÇÃO.

VOCÊ PODE DIZER QUE A ENTROPIA DO SISTEMA ESTÁ LUTANDO COM A ENTALPIA.

MULTIPLICANDO A ÚLTIMA EQUAÇÃO POR $-T$ TEREMOS

$-T\Delta S_{UNIVERSO} = -T\Delta S_{SISTEMA} + \Delta H$

OU

$-T\Delta S_{UNIVERSO} = \Delta H - T\Delta S_{SISTEMA}$

PELA DEFINIÇÃO DE ENTROPIA, A QUANTIDADE TOTAL DE ENERGIA DESLOCADA É $T\Delta S_{UNIVERSO}$. DIZEMOS QUE A REAÇÃO TEM UMA **VARIAÇÃO DE ENERGIA LIVRE** DE $T\Delta S_{UNIVERSO}$ OU ΔG. ESTA ÚLTIMA EXPRESSÃO É DENOMINADA ΔG, POR CAUSA DO QUÍMICO NORTE-AMERICANO J. WILLARD GIBBS (1839-1903). MULTIPLICANDO A ÚLTIMA EQUAÇÃO POR $-T$, CHEGA-SE A ESTA IMPORTANTE EQUAÇÃO PARA G:

$$\Delta G = \Delta H - T\Delta S_{SISTEMA}$$

A REAÇÃO É ESPONTÂNEA QUANDO $\Delta S > 0$, OU EM OUTRAS PALAVRAS, QUANDO $\Delta G < 0$. O EQUILÍBRIO É ESTABELECIDO QUANDO $\Delta G = 0$.

NOTE QUE ΔG É DESCRITO ESTRITAMENTE EM TERMOS DO SISTEMA, NÃO DO AMBIENTE.

WOW!

MUITO BOM!

GIBBS

ΔG REPRESENTA A QUANTIDADE EFETIVA DE ENERGIA QUE PODE SER POTENCIALMENTE CAPTURADA COMO TRABALHO QUANDO ELA ATUA. DE FATO, VOCÊ PODE PENSAR NA FUNÇÃO DE GIBBS COMO A **QUANTIDADE MÁXIMA DE TRABALHO** QUE PODE SER PRODUZIDA PELA REAÇÃO.

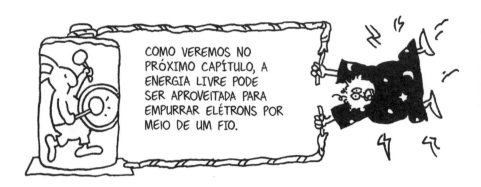

COMO VEREMOS NO PRÓXIMO CAPÍTULO, A ENERGIA LIVRE PODE SER APROVEITADA PARA EMPURRAR ELÉTRONS POR MEIO DE UM FIO.

VOCÊ PODE PENSAR NOS DOIS TERMOS DA FUNÇÃO DE GIBBS EM FORMA GRÁFICA:

ΔH É A MUDANÇA NO ESTADO FUNDAMENTAL — O ESTADO DE MENOR ENERGIA — ENTRE OS REAGENTES E PRODUTOS. ISSO REFLETE MUDANÇAS NA FORÇA DAS LIGAÇÕES QUÍMICAS.

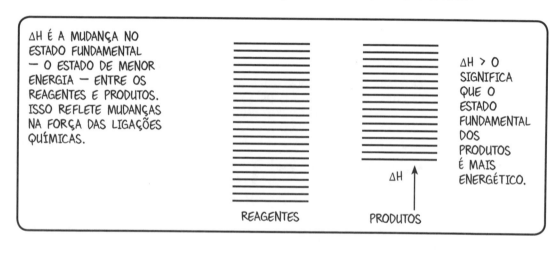

ΔH > 0 SIGNIFICA QUE O ESTADO FUNDAMENTAL DOS PRODUTOS É MAIS ENERGÉTICO.

−TΔS, A ENERGIA ASSOCIADA COM A VARIAÇÃO DE ENTROPIA DO SISTEMA, REFLETE MUDANÇAS DE ESTADOS ENERGÉTICOS OU CINÉTICOS ENTRE REAGENTES E PRODUTOS, OU SEJA, QUE AFETAM COMPRIMENTOS, FORMAS, ARRANJOS ETC.

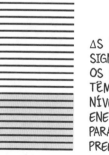

ΔS > 0 SIGNIFICA QUE OS PRODUTOS TÊM MAIS NÍVEIS DE ENERGIA PARA SEREM PREENCHIDOS.

QUANDO UMA REAÇÃO É ESPONTÂNEA? É ÚTIL DISTINGUIR ENTRE QUATRO CASOS, DEPENDENDO DOS SINAIS DE ΔH E ΔS (SIGNIFICANDO ΔS$_{SISTEMA}$).

ΔH < 0 EXOTÉRMICO
ΔS > 0 A ENTROPIA DO SISTEMA AUMENTA

ΔG É SEMPRE NEGATIVO. A REAÇÃO É ESPONTÂNEA PARA QUALQUER TEMPERATURA.

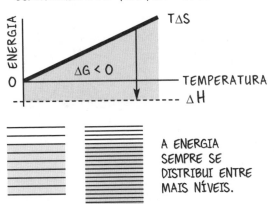

ΔH > 0 ENDOTÉRMICO
ΔS < 0 A ENTROPIA DO SISTEMA DIMINUI

ΔG É SEMPRE POSITIVO. A REAÇÃO NÃO É ESPONTÂNEA. A REAÇÃO REVERSA É SEMPRE ESPONTÂNEA.

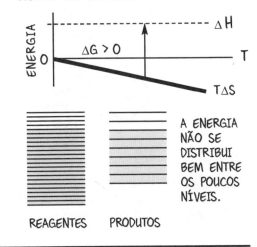

ΔH > 0 ENDOTÉRMICO
ΔS > 0 A ENTROPIA DO SISTEMA AUMENTA

ΔG < 0 QUANDO ΔH < TΔS. A ENERGIA DESLOCADA NO SISTEMA PELO AUMENTO DE ENTROPIA, TΔS, DEVE EXCEDER ΔH, A ENERGIA RETIRADA DO AMBIENTE.

ESPONTÂNEO PARA T > ΔH/ΔS

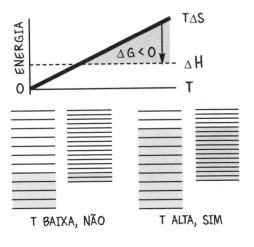

ΔH < 0 EXOTÉRMICO
ΔS < 0 A ENTROPIA DO SISTEMA DIMINUI

TΔS É A ENERGIA PERDIDA EM RAZÃO DA QUEDA DA ENTROPIA DO SISTEMA. ΔG < 0 APENAS QUANDO A REAÇÃO LIBERA AINDA MAIS ENERGIA, OU SEJA, ΔH < TΔS, OU QUANDO T < ΔH/ΔS.

ESPONTÂNEO APENAS PARA BAIXA T

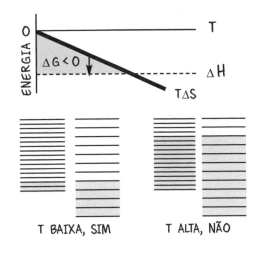

EM OUTRAS PALAVRAS, OS COMPONENTES DA FUNÇÃO DE GIBBS, ΔH E $T\Delta S$, PERMITEM PREVER A FAIXA DE TEMPERATURA NA QUAL A REAÇÃO OCORRE ESPONTANEAMENTE — DESDE QUE OCORRA SOB PRESSÃO E TEMPERATURA CONSTANTES.

NO PROCESSO HABER, COMO VIMOS, $\Delta S < 0$ E $\Delta H < 0$, ASSIM, O AUMENTO DA TEMPERATURA, NA REALIDADE, INIBE A REAÇÃO[3]. (A SAÍDA, NESSE CASO, COMO PREVISTO POR LE CHATELIER, FOI AUMENTAR A PRESSÃO.)

[3] MESMO ASSIM, É REALIZADO EM TEMPERATURAS RELATIVAMENTE ALTAS, EM RAZÃO DA CINÉTICA SER MAIS RÁPIDA.

PARA UTILIZAR A FUNÇÃO DA ENERGIA LIVRE DE GIBBS, COMEÇAMOS COM A REAÇÃO EM CONDIÇÕES PADRÃO, E ADAPTAMOS A EQUAÇÃO PARA REFLETIR AS MUDANÇAS NAS PRESSÕES PARCIAIS OU CONCENTRAÇÕES.

TODA SUBSTÂNCIA TEM UMA **ENERGIA LIVRE PADRÃO DE FORMAÇÃO**, $G°_F$. ESSA É A VARIAÇÃO DE ENERGIA LIVRE QUANDO A SUBSTÂNCIA É FORMADA A PARTIR DE SEUS ELEMENTOS CONSTITUINTES EM CONDIÇÕES PADRÃO. EM OUTRAS PALAVRAS, É O ΔG DA REAÇÃO

ELEMENTOS → SUBSTÂNCIA

NATURALMENTE, OS QUÍMICOS TÊM COMPILADO EXTENSAS TABELAS DE $G°_F$. AQUI ESTÁ UM PEQUENO EXEMPLO.

SUBSTÂNCIA	$G°_F$ (kJ/mol)
CO_2 (g)	−394,37
NH_3 (g)	−16,4
N_2 (g)	0
H_2 (g)	0
CaO (s)	−604,2
H_2O (l)	−237,18
H_2O (g)	−228,59
O_2 (g)	0
H^+ (aq)	0
OH^- (aq)	−157,29

PODEMOS MOSTRAR (COMO FIZEMOS PARA A ENTALPIA DE FORMAÇÃO[4]) QUE **QUALQUER REAÇÃO OCORRENDO EM CONDIÇÕES PADRÃO** TEM ENERGIA LIVRE IGUAL À DIFERENÇA ENTRE AS ENERGIAS LIVRES PADRÃO DE FORMAÇÃO DOS PRODUTOS E DOS REAGENTES:

$\Delta G = G°_F(\text{PRODUTOS}) - G°_F(\text{REAGENTES})$

OS QUÍMICOS ADORAM TABELAS ENORMES!

BUFFET ANUAL GRATUITO ACS

[4] VEJA A PÁGINA 101

VAMOS ESCREVER ΔG^0 PARA INDICAR QUE NOSSA REAÇÃO ESTÁ SE PROCESSANDO EM CONDIÇÕES PADRÃO (T = 298 k, P = 1 ATM). O QUE ACONTECE QUANDO MUDAMOS A PRESSÃO?

QUANDO UM GÁS TEM SUA PRESSÃO ALTERADA, A TEMPERATURA CONSTANTE, DE UM VALOR INICIAL P_0 PARA UM VALOR FINAL P, A MUDANÇA DE ENTROPIA SEGUE A EQUAÇÃO (ESTAMOS FORNECENDO SEM PROVAR – NOSSAS DESCULPAS!):

$\Delta S = R \ln(P_0/P)$ (R = CONSTANTE DOS GASES)

A MUDANÇA DE PRESSÃO NÃO ENVOLVE NENHUMA TRANSFERÊNCIA DE CALOR: $\Delta H = 0$. ASSIM, ESSE PROCESSO (OU SEJA, MUDANÇA DE PRESSÃO) TEM A ENERGIA LIVRE:

$G_F - G^0_F = \Delta H - T\Delta S = -T\Delta S = -RT\ln(P_0/P)$

E

$G_F = G^0_F - RT\ln(P_0/P) = G^0_F + RT\ln(P/P_0)$

$\quad = G^0_F + RT\ln P$

(PORQUE P_0 = 1 ATM EM CONDIÇÕES PADRÃO)

EXCELENTE! AGORA VAMOS DEIXAR QUE P VARIE, E CONSIDERAR T CONSTANTE = 298 °K. ENTÃO

$\Delta G = G_F(\text{PRODUTOS}) - G_F(\text{REAGENTES})$

VEJAMOS AGORA UMA REAÇÃO HIPOTÉTICA, EXPRESSA PELA EQUAÇÃO BALANCEADA

$aA + bB \rightleftharpoons cC + dD$

E VAMOS SUPOR QUE **A, B, C** E **D** SEJAM GASES QUE SE MISTURAM, COM PRESSÕES PARCIAIS P_A, P_B, P_C E P_D. ENTÃO

$\Delta G = G_F(\text{PRODUTOS}) - G_F(\text{REAGENTES})$

$\quad = G^0_F(\text{PRODUTOS}) - G^0_F(\text{REAGENTES}) + RT(c\ln P_C + d\ln P_D - a\ln P_A - b\ln P_B)$

$\quad = \Delta G^0 + RT\ln\left(\dfrac{P_C^c P_D^d}{P_A^a P_B^b}\right)$

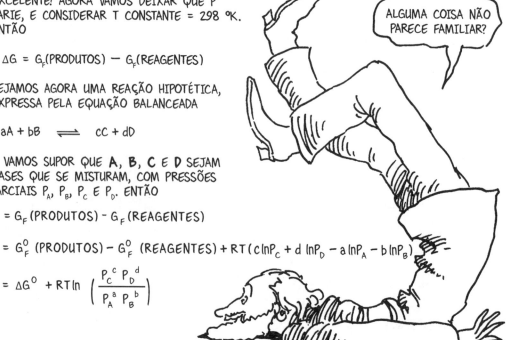

EQUILÍBRIO NOVAMENTE

$$Q = \frac{P_C^c P_D^d}{P_A^a P_B^b}$$

É CHAMADA **QUOCIENTE DE REAÇÃO**. Q É PEQUENO QUANDO OS PRODUTOS SÃO EM MENOR QUANTIDADE QUE OS REAGENTES, E É GRANDE EM SITUAÇÃO REVERSA. SE A, B, C E D SÃO REAGENTES DISSOLVIDOS, PODEMOS ESCREVER

$$Q = \frac{[C]^c [D]^d}{[A]^a [B]^b}$$

E CONTINUA VÁLIDO QUE

$\Delta G = \Delta G^o + RT \ln Q$

NOTE QUE $\Delta G < 0$ SE Q FOR SUFICIENTEMENTE PEQUENO, E $\Delta G > 0$ SE Q FOR GRANDE O BASTANTE, OU SEJA, SE AS MAIORES QUANTIDADES DE C E D ESTIVEREM PRESENTES.

EXPLICANDO: QUANDO Q É PEQUENO A REAÇÃO SE PROCESSA PARA A DIREITA! QUANDO Q É GRANDE, VAI NO SENTIDO CONTRÁRIO!

OBRIGADO!

O EQUILÍBRIO OCORRE QUANDO $\Delta G = 0$, OU

$RT \ln Q = -\Delta G^o$

OU

$Q = e^{(-\Delta G^o / RT)}$

K!

TUDO AQUI É CONSTANTE!

ESTA É A SEGUNDA DERIVADA DA CONSTANTE DE EQUILÍBRIO! ELA MOSTRA QUE NO EQUILÍBRIO, HÁ UMA CONSTANTE K_{eq} TAL QUE

$$\frac{[C]^c [D]^d}{[A]^a [B]^b} = K_{eq}$$

E É SEMELHANTE PARA PRESSÕES PARCIAIS. AINDA MELHOR, AGORA PODEMOS CALCULAR K_{eq} A PARTIR DAS ENERGIAS LIVRES PADRÃO DE FORMAÇÃO, SEM PRECISAR EFETUAR A REAÇÃO!

$K_{ep} = e^{(-\Delta G^o / RT)}$

(LEMBRE-SE, NESSA EQUAÇÃO T = 298 °K).

SÓ POR CURIOSIDADE, VAMOS VER SE PODEMOS CALCULAR A CONSTANTE DE IONIZAÇÃO DE ÁGUA, DESSA MANEIRA.

$$H_2O\ (l) \rightleftharpoons H^+(aq) + OH^-(aq)$$

$$\Delta G^0 = G^0_F(\text{PRODUTOS}) - G^0_F(\text{REAGENTES})$$

CONSULTANDO A TABELA

$G^0_F(H_2O\ (l)) = -237,18\ kJ/mol$

$G^0_F(OH^-(aq)) = -157,29\ kJ/mol$

$G^0_F(H^+(aq)) = 0$

ENTÃO,

$\Delta G^0 = -157,29 - (-237,18) = 79,89\ kJ/mol$

$= 79.890\ J/mol$

$K_{eq} = e^{(-\Delta G^0/RT)}$

$= e^{(-79.890)/(8,3134)(298)}$

$= e^{-32,25}$

$= 9,9 \times 10^{-15}$

$= 10^{-14}$ OU MUITO PRÓXIMO DISSO!

INCRÍVEL! FUNCIONOU!

É CLARO QUE FUNCIONOU...

NÃO, ISSO É REALMENTE CHOCANTE!

SE VOCÊ ACHA QUE ISSO FOI UM CHOQUE, ESPERE ATÉ VER O QUE VIRÁ ADIANTE...

CAPÍTULO 11
ELETROQUÍMICA

POR MEIO DA QUAL A LUZ ACENDE E AS CAMPAINHAS TOCAM, ATÉ A BATERIA ACABAR...

NO CAPÍTULO ANTERIOR, QUANDO FALAMOS QUE A ENERGIA PODERIA SER EXTRAÍDA DE REAÇÕES QUÍMICAS, TÍNHAMOS EM SEGREDO UM TIPO DE ENERGIA EM MENTE: A **ENERGIA ELÉTRICA**.

REAÇÕES QUE DESLOCAM ELÉTRONS, COMO VISTO NO CAPÍTULO 4, SÃO CHAMADAS **REAÇÕES REDOX**. ESSAS REAÇÕES TRANSFEREM ELÉTRONS DE UM ÁTOMO PARA OUTRO, E GOSTARÍAMOS QUE A TRANSFERÊNCIA SE PROCESSASSE EM UM CIRCUITO, PASSANDO ATRAVÉS DE UMA LÂMPADA, POR EXEMPLO!

RETORNANDO AO REDOX

REDOX É UMA ABREVIAÇÃO DE **REDUÇÃO-OXIDAÇÃO**. EM UMA REAÇÃO REDOX, O ÁTOMO QUE DOA OS ELÉTRONS É OXIDADO E O QUE OS ACEITA É REDUZIDO.

O **NÚMERO DE OXIDAÇÃO** DE UM ÁTOMO REPRESENTA AS CARGAS (HIPOTÉTICAS) RESULTANTES, POSITIVAS OU NEGATIVAS, DA PERDA OU GANHO DE ELÉTRONS, RESPECTIVAMENTE. POR EXEMPLO:

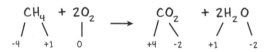

UMA REDUÇÃO SEMPRE **REDUZ** O NÚMERO DE OXIDAÇÃO!

À ESQUERDO DA EQUAÇÃO, O NÚMERO DE OXIDAÇÃO DO OXIGÊNIO É ZERO. CADA ÁTOMO DE OXIGÊNIO, AO RECEBER DOIS ELÉTRONS, É REDUZIDO A -2. ESSES OITO ELÉTRONS (2×4) VÊM DO CARBONO QUE É OXIDADO, INDO DE -4 ATÉ $+4$. O HIDROGÊNIO NÃO É OXIDADO, NEM REDUZIDO.

NO CAPÍTULO 4, VIMOS ALGUMAS OXIDAÇÕES REALIZADAS PRINCIPALMENTE POR NÃO METAIS COMO OXIGÊNIO, MAS AS REAÇÕES REDOX SÃO MAIS COMUNS ENTRE OS **METAIS E SEUS ÍONS**. POR EXEMPLO, O ZINCO LIBERA ELÉTRONS MAIS FACILMENTE QUE O COBRE. QUANDO O Zn ENCONTRA UM ÍON DE Cu^{2+}, DOIS ELÉTRONS SALTAM DO COBRE PARA O ZINCO. O Cu^{2+} **OXIDA** O Zn, E O Zn **REDUZ** O Cu^{2+}.

$$Zn + Cu^{2+} \rightarrow Zn^{2+} + Cu$$

SE UMA BARRA DE ZINCO FOR IMERSA EM UMA SOLUÇÃO DE SULFATO DE COBRE (II)[1], $CuSO_4$, O ZINCO METÁLICO SE OXIDARÁ E DISSOLVERÁ, ENQUANTO OS ÍONS DE COBRE CAPTARÃO OS ELÉTRONS, DEPOSITANDO-SE DA SOLUÇÃO, SOB A FORMA DE COBRE METÁLICO PURO.

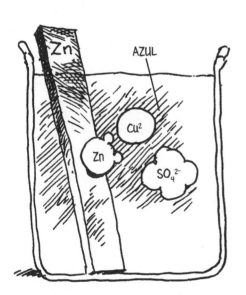

NESSA REAÇÃO, OS ELÉTRONS SE MOVEM DIRETAMENTE DE UM ÁTOMO OU ÍON PARA OUTRO. AGORA PODEMOS FAZER ALGO INTELIGENTE: **SEPARAR** A OXIDAÇÃO DA REDUÇÃO, PORÉM INTERLIGANDO OS SÍTIOS DE REAÇÃO POR MEIO DE UM FIO CONDUTOR.

[1] A PROPÓSITO, É AZUL!

UMA BARRA DE ZINCO É IMERSA EM UMA SOLUÇÃO AQUOSA 1 MOL DE ZnSO$_4$. OUTRA BARRA DE COBRE É MERGULHADA EM UMA SOLUÇÃO 1 MOL DE CuSO$_4$. AS DUAS BARRAS — OU **ELETRODOS** — SÃO CONECTADAS POR UM FIO. OS ELÉTRONS AINDA NÃO PASSAM. CONTUDO, ELES VÃO GERAR UM DESBALANCEAMENTO DE CARGAS EM SUAS INTERFACES COM A SOLUÇÃO.

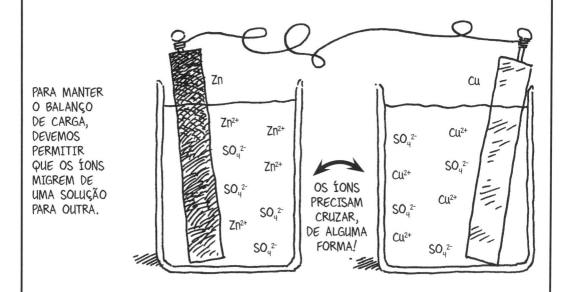

PARA MANTER O BALANÇO DE CARGA, DEVEMOS PERMITIR QUE OS ÍONS MIGREM DE UMA SOLUÇÃO PARA OUTRA.

OS ÍONS PRECISAM CRUZAR, DE ALGUMA FORMA!

ENTÃO, SE ABRIRMOS UM CAMINHO PARA OS ÍONS, OS ELÉTRONS SE MOVERÃO ATRAVÉS DO FIO. É A ÚNICA MANEIRA DE PASSAREM DO Zn PARA Cu^{2+}! O Cu^{2+} DISSOLVIDO SERÁ REDUZIDO, DEPOSITANDO-SE SOBRE O ELETRODO DE COBRE. O Zn SENDO OXIDADO SE DISSOLVE. E O SO$_4^{2-}$ MIGRA NA DIREÇÃO DO ELETRODO DE ZINCO. ASSIM, [Zn^{2+}] AUMENTA E [Cu^{2+}] DIMINUI.

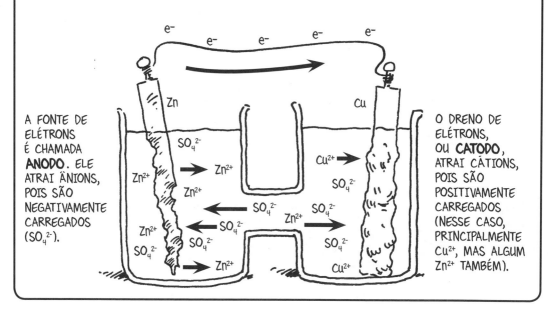

A FONTE DE ELÉTRONS É CHAMADA **ANODO**. ELE ATRAI ÂNIONS, POIS SÃO NEGATIVAMENTE CARREGADOS (SO$_4^{2-}$).

O DRENO DE ELÉTRONS, OU **CATODO**, ATRAI CÁTIONS, POIS SÃO POSITIVAMENTE CARREGADOS (NESSE CASO, PRINCIPALMENTE Cu^{2+}, MAS ALGUM Zn^{2+} TAMBÉM).

POR QUE OS ELÉTRONS FLUEM? PORQUE PARA ELES, É COMO DESCER LADEIRA ABAIXO! OS ELÉTRONS TÊM UMA **ENERGIA POTENCIAL MAIS BAIXA** NO CATODO. PARA COLOCAR DE OUTRA FORMA, DEVE SER ADICIONADA ENERGIA DO LADO DE FORA PARA EMPURRAR OS ELÉTRONS "LADEIRA ACIMA" DO CATODO PARA O ANODO.

O QUE "EMPURRA" AS REAÇÕES É A REDUÇÃO DE ENERGIA POR UNIDADE DE CARGA, REPRESENTADA PELA **VOLTAGEM OU POTENCIAL ELÉTRICO**, ΔE. SUAS UNIDADES SÃO **VOLTS, V.** EM BREVE, UM MEDIDOR MOSTRARÁ QUE A REAÇÃO COBRE-ZINCO GERA **1.1 V.** PODEREMOS LIGAR ESSA FONTE DE ELÉTRONS A UMA LÂMPADA, MOTOR OU ALARME. DE FATO, OS ELÉTRONS REALIZAM O **TRABALHO**.

[2] A RIGOR, UMA BATERIA CONSISTE DE VÁRIAS CÉLULAS LIGADAS EM SÉRIE.

DA MESMA FORMA QUE UMA CÉLULA ELETROQUÍMICA SEPARA A REDUÇÃO DA OXIDAÇÃO, OS QUÍMICOS GOSTAM DE PENSAR EM TERMOS DE **SEMI-REAÇÕES** QUE DESCREVEM A TRANSFERÊNCIA DE ELÉTRONS. NA CÉLULA DE ZINCO-COBRE, AS SEMI-REAÇÕES SÃO

OXIDAÇÃO: $Zn \rightarrow Zn^{2+} + 2e^-$

REDUÇÃO: $Cu^{2+} + 2e^- \rightarrow Cu$

QUANDO AS SEMI-REAÇÕES SÃO SOMADAS, OS ELÉTRONS APARECEM NOS DOIS LADOS E SE CANCELAM:

$Zn + Cu^{2+} + \cancel{2e^-} \rightarrow Zn^{2+} + Cu + \cancel{2e^-}$

MAIS REAÇÕES REDOX (SIMPLES) EM SOLUÇÃO E SUAS SEMI-REAÇÕES:

QUANDO RASPAS DE FERRO SÃO ADICIONADAS A ÁCIDOS, ELES REDUZEM H^+ E LIBERAM HIDROGÊNIO GASOSO. (FOI ESSA A FORMA DE PRODUZIR HIDROGÊNIO NO SÉCULO XVIII.)

$2H^+(aq) + Fe(s) \rightarrow Fe^{2+}(aq) + H_2(g)$

SEMI-REAÇÕES:

REDUÇÃO: $2H^+ + 2e^- \rightarrow H_2$

OXIDAÇÃO: $Fe \rightarrow Fe^{2+} + 2e^-$

POR OUTRO LADO, O HIDROGÊNIO É OXIDADO PELOS ÍONS DE COBRE.

$H_2 + Cu^{2+} \rightarrow 2H^+ + Cu$

REDUÇÃO: $Cu^{2+} + 2e^- \rightarrow Cu$

OXIDAÇÃO: $H_2 \rightarrow 2H^+ + 2e^-$

PUDERA! QUEM QUER UM BALÃO CHEIO DE COBRE?

LISTAR ΔE PARA CADA REAÇÃO REDOX PARECE TEDIOSO, MAS ACONTECE QUE PODEMOS ATRIBUIR POTENCIAIS E_{OX} E E_{RED} ÀS SEMI-REAÇÕES E SOMÁ-LAS.

$$\Delta E = E_{OX} + E_{RED}$$

O POTENCIAL DE QUALQUER REAÇÃO PODE SER ENCONTRADO SOMANDO OS POTENCIAIS DE SUAS SEMI-REAÇÕES. ISSO É BEM MAIS CONVENIENTE!

ASSIM, POR EXEMPLO,

E_{OX} (Zn → Zn^{2+} + 2e^-) = 0,76 V

E_{RED} (Cu^{2+} + 2e^- → Cu) = 0,34 V

O ΔE DA REAÇÃO GLOBAL É

0,77 + 0,34 = 1,10 V

PODEMOS PENSAR ASSIM, EM TERMOS DA TENDÊNCIA DAS ESPÉCIES OXIDADAS DE LIBERAR ELÉTRONS E DAS ESPÉCIES REDUZIDAS, DE RECEBÊ-LAS.

COMO PODEMOS ATRIBUIR POTENCIAIS A SEMI-REAÕES QUANDO ELAS NUNCAM ACONTECEM SOZINHAS?

PROCEDENDO DA SEGUINTE MANEIRA: PRIMEIRO, VISTO QUE O POTENCIAL DEPENDE DA CONCENTRAÇÃO, PRESSÃO E TEMPERATURA, VAMOS TOMAR COMO REFERÊNCIA AS **CONDIÇÕES PADRÃO**: T = 298 °K, P = 1 ATM, CONCENTRAÇÃO = 1 MOL. CHAMAREMOS NOSSO POTENCIAL DE SEMI-REAÇÃO, SIMPLESMENTE DE **POTENCIAL PADRÃO DE REDUÇÃO**, $E°_{RED}$, OU $E°$.

EXISTE ALGUMA COISA QUE **NÃO** DEPENDE DA TEMPERATURA, PRESSÃO E CONCENTRAÇÃO?

SERÁ UM POTENCIAL DE REDUÇÃO, PORQUE POR CONVENIÊNCIA (OU CONVENÇÃO) **TODAS AS SEMI-REAÇÕES DEVEM SER ESCRITAS COMO REDUÇÃO.** SE UMA REAÇÃO SE PROCESSAR DA ESQUERDA PARA A DIREITA, SERÁ UMA REDUÇÃO; SE FOR NO SENTIDO CONTRÁRIO, SERÁ UMA OXIDAÇÃO, E

$E_{RED} = -E_{OX}$

FINALMENTE, FAZEMOS A MEDIDA DE TODOS OS POTENCIAIS DE REDUÇÃO CONTRA O DO **HIDROGÊNIO**, OU SEJA, A REDUÇÃO $2H^+ + 2e^- \rightarrow H_2$, CUJO VALOR É CONSIDERADO $E° = 0$.

A REDUÇÃO DO HIDROGÊNIO É FEITA BORBULHANDO H_2 A 1 ATM, SOBRE UM CATALISADOR DE ÓXIDO DE PLATINA, PtO_2, EM ÁCIDO, pH = 0 (CONDIÇÕES PADRÃO, $[H^+]$ = 1 MOL).

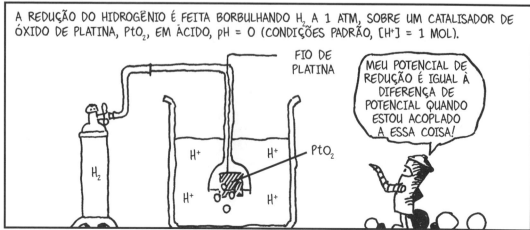

MEU POTENCIAL DE REDUÇÃO É IGUAL À DIFERENÇA DE POTENCIAL QUANDO ESTOU ACOPLADO A ESSA COISA!

ALGUMAS SEMI-REAÇÕES OXIDAM H$_2$ (POR EXEMPLO, $Cu^{2+} + 2e^- \rightarrow Cu$), ENQUANTO OUTROS ($Fe^{2+} + 2e^- \rightarrow Fe$) REDUZEM H$^+$. QUALQUER COISA QUE REDUZ H$^+$ TERÁ UM **POTENCIAL DE REDUÇÃO NEGATIVO.**

SEMI-REAÇÃO	E° (V)	SEMI-REAÇÃO	E° (V)
$Li^+ + e^- \rightarrow Li$	-3,05	$Ni^{2+} + 2e^- \rightarrow Ni$	-0,25
$K^+ + e^- \rightarrow K$	-2,93	$Sn^{2+} + 2e^- \rightarrow Sn$	-0,14
$Ba^{2+} + 2e^- \rightarrow Ba$	-2,92	$Pb^{2+} + 2e^- \rightarrow Pb$	-0,13
$Sr^{2+} + 2e^- \rightarrow Sr$	-2,89	$2H^+ + 2e^- \rightarrow H_2$	0,00
$Ca^{2+} + 2e^- \rightarrow Ca$	-2,84	$AgCl(s) + e^- \rightarrow Ag(s) + Cl^-$	0,22
$Na^+ + e^- \rightarrow Na$	-2,71	$Cu^{2+} + 2e^- \rightarrow Cu$	0,34
$Mg^{2+} + 2e^- \rightarrow Mg$	-2,38	$O_2 + 2H_2O + 4e^- \rightarrow 4OH^-$	0,40
$Be^{2+} + 2e^- \rightarrow Be$	-1,85	$Cu^+ + e^- \rightarrow Cu$	0,52
$Al^{3+} + 3e^- \rightarrow Al$	-1,66	$I_2 + 2e^- \rightarrow 2I^-$	0,54
$Ti^{2+} + 2e^- \rightarrow Ti$	-1,63	$Fe^{3+} + e^- \rightarrow Fe^{2+}$	0,77
$Mn^{2+} + 2e^- \rightarrow Mn$	-1,18	$Hg^{2+} + 2e^- \rightarrow Hg$	0,80
$Zn^{2+} + 2e^- \rightarrow Zn$	-0,76	$Ag^+ + e^- \rightarrow Ag$	0,80
$Ga^{3+} + 3e^- \rightarrow Ga$	-0,52	$Ir^{3+} + 3e^- \rightarrow Ir$	1,00
$Fe^{2+} + 2e^- \rightarrow Fe$	-0,44	$Br_2(l) + 2e^- \rightarrow 2Br^-$	1,07
$Cd^{2+} + 2e^- \rightarrow Cd$	-0,40	$O_2 + 4H^+ + 4e^- \rightarrow 2H_2O$	1,23
$PbSO_4(s) + 2e^- \rightarrow Pb(s) + SO_4^{2-}$	-0,35	$PbO_2(s) + SO_4^{2-} + 4H^+ + 2e^- \rightarrow PbSO_4(s) + 2H_2O$	1,69
$Tl^+ + e^- \rightarrow Tl$	-0,34		
$Co^{2+} + 2e^- \rightarrow Co$	-0,27	$F_2(g) + 2e^- \rightarrow 2F^-$	2,87

SE DUAS SEMI-REAÇÕES SÃO ACOPLADAS PARA FAZER UMA REAÇÃO COMPLETA, A SEMI-REAÇÃO NA POSIÇÃO SUPERIOR DA TABELA SERÁ FAVORECIDA NO SENTIDO DA DIREITA PARA A ESQUERDA, COMO UMA OXIDAÇÃO, E A SEMI-REAÇÃO NA POSIÇÃO INFERIOR SERÁ FAVORECIDA DA ESQUERDA PARA A DIREITA, COMO UMA REDUÇÃO. A DIFERENÇA DE POTENCIAL GLOBAL SERÁ

$$\Delta E° = E°\text{(inferior)} - E°\text{(superior)}$$

ΔE° É SEMPRE UM NÚMERO POSITIVO!

EXEMPLO: BATERIA DE CHUMBO-ÁCIDO

NA BATERIA SOB O CAPÔ DO CARRO, O ANODO É DE CHUMBO METÁLICO, $Pb(O)$, (NÚMERO DE OXIDAÇÃO ZERO). O CATODO É DE $Pb(+IV)$, SOB A FORMA DE PbO_2. OS ELETRODOS SÃO MERGULHADOS EM ÁCIDO SULFÚRICO (6 MOL), H_2SO_4. A OXIDAÇÃO E A REDUÇÃO CONVERTEM, RESPECTIVAMENTE, TANTO O ANODO COMO O CATODO EM $Pb(+II)$.

AS SEMI-REAÇÕES SÃO

OX: $Pb(s) + SO_4^{2-}(aq) \rightarrow PbSO_4(s) + 2e^-$ $E^O_{RED} = -0,35\ V$

RED: $PbO_2(s) + SO_4^{2-}(aq) + 4H^+(aq) + 2e^- \rightarrow PbSO_4(s) + 2H_2O$ $E^O_{RED} = 1,69V$

A REAÇÃO GLOBAL, DEPOIS DA SOMA, É

$$Pb(s) + PbO_2(s) + 2SO_4^{2-}(aq) + 4H^+(aq) \rightarrow 2PbSO_4(s) + 2H_2O\ (l)$$

$$\Delta E = 1,69 - (-0,35) = \mathbf{2,04\ V}$$

AS BATERIAS DE CARRO GERALMENTE UTILIZAM SEIS CÉLULAS JUNTAS PARA FORNECER UMA VOLTAGEM DE 12 V.

O SULFATO DE CHUMBO É INSOLÚVEL E DEPOSITA SOBRE OS ELETRODOS ENQUANTO O ÁCIDO SULFÚRICO E OS ELETRODOS SÃO CONSUMIDOS. A VOLTAGEM CAI...

MAS QUANDO O CARRO ESTÁ FUNCIONANDO, O MOVIMENTO DO MOTOR É CONVERTIDO EM ENERGIA ELÉTRICA PELO **ALTERNADOR**. ISSO EMPURRA OS ELÉTRONS DE VOLTA PARA O ANODO DA BATERIA, E A REAÇÃO É REVERTIDA. A BATERIA ESTÁ SENDO **RECARREGADA**.

EXEMPLO: CÉLULA DE COMBUSTÍVEL

A CÉLULA DE COMBUSTÍVEL EXTRAI ENERGIA ELÉTRICA DE UMA REAÇÃO DE COMBUSTÃO COMO

$2H_2 + O_2 \rightarrow 2H_2O$

UM TIPO DE CÉLULA DE COMBUSTÍVEL INTRODUZ HIDROGÊNIO E OXIGÊNIO EM LADOS OPOSTOS DE UMA MEMBRANA POLIMÉRICA (PLÁSTICO). OS PRÓTONS PODEM PASSAR ATRAVÉS DA MEMBRANA, MAS ELA BLOQUEIA OS ELÉTRONS.

AS SEMI-REAÇÕES SÃO

RED: $O_2 + 4H^+ + 4e^- \rightarrow 2H_2O$ $E^0 = 1,23\ V$

OX: $H_2 \rightarrow 2H^+ + 2e^-$ $E^0 = 0$

ENTÃO, O POTENCIAL DA CÉLULA É (OU DEVERIA SER) **1,23 V.**

NA REALIDADE, A CÉLULA PRODUZ MENOS QUE 0,9 V. QUAL O MOTIVO? UMA DAS CAUSAS É QUE ELA NÃO É 100% EFICIENTE. ALGUMA FRAÇÃO DOS GASES PODEM FICAR SEM REAGIR, E SURGEM PROBLEMAS DE RESISTÊNCIA ELÉTRICA. ALÉM DISSO, GASTA-SE CERCA DE 0,2 V PARA SUPERAR A **BARREIRA ENERGÉTICA DE ATIVAÇÃO.**

POTENCIAL (VOLTAGEM) E ENERGIA LIVRE

PODEMOS PREVER A VARIAÇÃO DE POTENCIAL QUANDO AS PRESSÕES OU CONCENTRAÇÕES NÃO SÃO PADRÕES? A RESPOSTA É SIM, POIS O POTENCIAL É NADA MAIS QUE **ENERGIA LIVRE DE GIBBS** DISFARÇADA.

NA p. 131, O POTENCIAL FOI DEFINIDO COMO QUEDA OU VARIAÇÃO DE ENERGIA POR UNIDADE DE CARGA. ASSIM, PARA OBTER A VARIAÇÃO DE ENERGIA DE UMA REAÇÃO, MULTIPLICAMOS O POTENCIAL PELA QUANTIDADE DE CARGA TRANSFERIDA.

ENERGIA = POTENCIAL X CARGA

ESPECIFICAMENTE, SE 1 V MOVIMENTA 1 MOL DE ELÉTRONS, A ENERGIA TOTAL CONSUMIDA SERÁ 96.485 J.[3]

1 VOLT-MOL e^- = 96.485 J

ESTE FATOR DE CONVERSÃO 96.485 KJ/V.MOL-e^- É DENOMINADO **CONSTANTE DE FARADAY**, E ESCRITA $\mathcal{F}$. SE ∆E MOVIMENTA n MOL DE ELÉTRONS, ENTÃO

VARIAÇÃO DE ENERGIA = N$\mathcal{F}$∆E

ISSO REPRESENTA A QUANTIDADE MÁXIMA DE TRABALHO QUE UMA CÉLULA PODE REALIZAR.

---

[3] OBVIAMENTE, A PESSOA QUE DEFINIU O VOLT NÃO DEVE TER CONSULTADO OS QUÍMICOS, POIS PROVAVELMENTE TERIAM PREFERIDO EXPRESSAR ∆E EM UNIDADES DE 1/96.485 V, OU "JOLTS", PARA FICAR LIVRE DO $\mathcal{F}$.

O TRABALHO MÁXIMO QUE UMA **REAÇÃO** PODE EXECUTAR É $-\Delta G$, NA QUAL ΔG É A ENERGIA LIVRE, E UMA CÉLULA VOLTAICA É REALMENTE UMA REAÇÃO REDOX! EM OUTRAS PALAVRAS,

$$\Delta G = -n \mathcal{F} \Delta E \quad \text{joules, ou}$$

$$\Delta E = \frac{-\Delta G}{n \mathcal{F}} \quad \text{volts}$$

O SINAL MENOS É UMA CONVENÇÃO. O POTENCIAL, OU VOLTAGEM, É O TAMANHO DA QUEDA DE ENERGIA. ASSIM, $\Delta E > 0$ QUANDO $\Delta G < 0$. ISTO É, **UMA REAÇÃO REDOX É ESPONTÂNEA QUANDO $\Delta E > 0$.**

NO ÚLTIMO CAPÍTULO, VIMOS COMO ΔG VARIA COM AS MUDANÇAS DE CONCENTRAÇÃO. CONSIDERANDO A REAÇÃO

$$aA + bB \rightleftharpoons cC + dD$$

ENTÃO

$$\Delta G = \Delta G^O + RT \ln Q$$

ONDE Q É O QUOCIENTE DA REAÇÃO

$$Q = \frac{[C]^c[D]^d}{[A]^a[B]^b}$$

COMO $\Delta E = -\Delta G/n\mathcal{F}$ EM QUALQUER CONCENTRAÇÃO, TEMOS

$$\Delta E = \Delta E^O - (RT/n\mathcal{F}) \ln Q$$

ESSA É A EQUAÇÃO CONHECIDA COMO **EQUAÇÃO DE NERNST**. COMO OS POTENCIAIS DE SEMI-REAÇÕES BALANCEADAS SÃO REALMENTE POTENCIAIS MEDIDOS CONTRA O ELETRODO DE HIDROGÊNIO, A EQUAÇÃO TAMBÉM É O VERDADEIRO POTENCIAL DE REDUÇÃO E_{RED}.

$$E_{RED} = E^O_{RED} - (RT/n\mathcal{F}) \ln Q$$

NO EQUILÍBRIO, LEMBRE-SE QUE $\Delta G = 0$, ENTÃO, $\Delta E = 0$ TAMBÉM. ISTO É, QUANDO $Q = K_{eq}$, A BATERIA ESTARÁ ESGOTADA.

EXISTEM MUITAS APLICAÇÕES DA EQUAÇÃO DE NERNST. VAMOS VER APENAS UMA, QUANDO pH = 7. (EM CONDIÇÕES PADRÃO, LEMBRE QUE pH = 0) O pH 7 É O QUE ENCONTRAMOS NOS ORGANISMOS VIVOS...

EXCETO POR CERTOS INDIVÍDUOS AZEDOS...

POR SIMPLICIDADE, VAMOS CONSIDERAR QUE H+ APARECE COMO **REAGENTE** NA SEMI-REAÇÃO (NÃO COMO PRODUTO), E SUPOR QUE TODAS AS OUTRAS ESPÉCIES ESTEJAM EM CONCENTRAÇÕES PADRÃO, 1 MOL/L, OU PRÓXIMO DISSO. NESSE CASO, PODEMOS ESCREVER O POTENCIAL COMO

$$E^{0'} = E^0 - (RT/n\mathcal{F})\ln Q$$

SE A REAÇÃO FOR EXPRESSA POR

$$hH^+ + aA + bB + ... \rightarrow cC + dD + ...$$

E [A] = [B] = [C] = [D] = 1. ENTÃO, **TODOS OS FATORES SERÃO IGUAIS A UM** NO QUOCIENTE DE REAÇÃO, EXCETO A CONCENTRAÇÃO DE H+!

$$Q = \frac{1}{10^{-7h}} = 10^{7h}$$

ENTÃO

$$E^{0'} = E^0 - (RT/n\mathcal{F})\ln(10^{7h})$$
$$= E^0 - (7hRT/n\mathcal{F})\ln(10)$$

MAS ln(10) = 2,3, ENTÃO

$$= E^0 - [(2,3)(7)hRT/n\mathcal{F}]$$

AGORA CONSIDERE h = n, OU SEJA, UM MOL DE HIDROGÊNIO É CONSUMIDO PARA CADA MOL DE ELÉTRONS, COMO FREQUENTEMENTE OCORRE EM MEIO NEUTRO. SENDO ASSIM, INTRODUZINDO TODAS AS CONSTANTES, CHEGAMOS À ESTA SIMPLES EQUAÇÃO:

$$E^{0'} = E^0 - 0{,}41 \text{ V}!!!!$$

AGORA PODEMOS FALAR A RESPEITO DOS POTENCIAIS DENTRO DOS NOSSOS CORPOS!

OXIDAÇÃO DA GLUCOSE

O AÇÚCAR GLUCOSE, $C_6H_{12}O_6$, É O COMBUSTÍVEL BÁSICO DA VIDA E UM INGREDIENTE DAS CÉLULAS. ELE SE OXIDA POR MEIO DA EQUAÇÃO:

$$C_6H_{12}O_6 + 6O_2 \rightarrow 6CO_2 + 6H_2O$$

AS SEMI-REAÇÕES SÃO

$$O_2 + 4H^+ + 4e^- \rightleftharpoons 2H_2O$$
$$6CO_2 + 24H^+ + 24e^- \rightleftharpoons C_6H_{12}O_6 + 6H_2O$$

(DEVEM SER ESCRITAS SEMPRE COMO REDUÇÃO!)

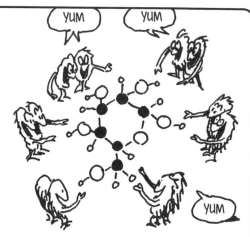

AS SEMI-REAÇÕES TÊM QUANTIDADES IGUAIS DE H^+ E e^-. ASSIM, PODEMOS USAR A FÓRMULA:

$$E^{0'} = E^0 - 0{,}41$$

AS REAÇÕES DE REDUÇÃO DO OXIGÊNIO ESTÃO NA TABELA DA p. 225, E COM O AUXÍLIO DELA PODEMOS ESCREVER

$$E^{0'} = 1{,}23 - 0{,}41 = \mathbf{0{,}82\ V}$$

ASSIM, É POSSÍVEL CALCULAR O E^0 DA REAÇÃO DE ÓXIDO-REDUÇÃO A PARTIR DAS TABELAS DE ENERGIA LIVRE.

ESPÉCIES	G^0_F (kJ/mol)
$C_6H_{12}O_6$ (aq)	−917,22
CO_2	−394,4
H_2O	−237,18

$\Delta G^0 = (-917{,}22) + (6)(-237{,}18) - (6)(-394{,}4)$
  $= 26{,}1\ kJ/mol$

$E^0 = -\Delta G^0 / n\mathcal{F} = -26{,}1/[(24)(96{,}485)]$
  $= -0{,}011\ V$

$E^{0'} = -0{,}011 - 0{,}41 = \mathbf{-0{,}42\ V}$

ENTÃO, A QUEDA DE POTENCIAL PARA A REAÇÃO TODA SERÁ

$$\Delta E^{0'} = E^{0'}(RED) - E^{0'}(OX)$$
$$= 0,82 - (-0,42)$$
$$= \mathbf{1,24\ VOLTS} > 0$$

PORTANTO, A OXIDAÇÃO DA GLUCOSE É ESPONTÂNEA!

ISSO LEVANTA A QUESTÃO: SE A REAÇÃO DE COMBUSTÃO É ESPONTÂNEA, **POR QUE NÃO ESTAMOS EM CHAMAS?** A RESPOSTA TRANQUILIZADORA É QUE A COMBUSTÃO ESPONTÂNEA ESBARRA NA NECESSIDADE DE UMA **ENERGIA DE ATIVAÇÃO**.

ATÉ ESTE PONTO, DESCREVEMOS COMO EXTRAIR ELETRICIDADE DE UMA REAÇÃO QUÍMICA... MAS NÃO DISCUTIMOS COMO REALIZAR UMA REAÇÃO QUÍMICA COM O EMPREGO DA ELETRICIDADE.

A **ELETRÓLISE** É O QUE ACONTECE QUANDO A SUBSTÂNCIA SE TRANSFORMA POR MEIO DA APLICAÇÃO DE UMA CORRENTE ELÉTRICA.

O ALUMÍNIO, POR EXEMPLO, É EXTRAÍDO DE SEU MINÉRIO ELETROLITICAMENTE...

INFELIZMENTE, NÃO TEMOS ESPAÇO PARA MAIS DETALHES... POR ISSO, A ELETRÓLISE FICA PARA OUTRA OPORTUNIDADE, JUNTO COM OUTROS TÓPICOS QUE SERÃO DESCRITOS NO PRÓXIMO CAPÍTULO.

CAPÍTULO 12
QUÍMICA ORGÂNICA

VIVO... OU NÃO?

ENTRE OS 92 ELEMENTOS QUE OCORREM NA NATUREZA, ALGUNS DESPERTAM MAIS ATENÇÃO QUE OUTROS: O HIDROGÊNIO, PELO SEU PAPEL NOS ÁCIDOS; O OXIGÊNIO, POR SUA REATIVIDADE E AFINIDADE PELO HIDROGÊNIO. MAS, APENAS UM ELEMENTO TEM SEU PRÓPRIO NICHO NA QUÍMICA: O **CARBONO**.

GRAÇAS AOS SEUS QUATRO ELÉTRONS EXTERNOS, OS ÁTOMOS DE CARBONO PODEM FORMAR LIGAÇÕES ENTRE SÍ FORMANDO CADEIAS LONGAS, OU COM OUTROS ÁTOMOS UNIDOS PELOS ELÉTRONS QUE SOBRAM. AS CADEIAS MAIS SIMPLES ESTÃO NOS HIDROCARBONETOS, QUE CONTÊM NADA MAIS DO QUE CARBONO E HIDROGÊNIO.

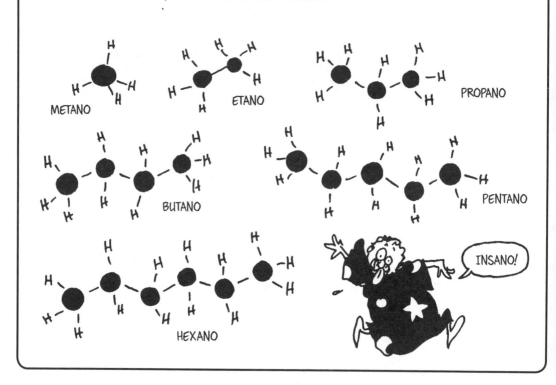

O **PETRÓLEO CRÚ** É FEITO DE HIDROCARBONETOS. COMO AS MOLÉCULAS DE CADEIAS LONGAS TÊM PONTOS DE EBULIÇÃO MAIS ALTOS QUE OS DE CADEIAS CURTAS, AS REFINARIAS DE PETRÓLEO PODEM SEPARÁ-LAS, FRACIONANDO-AS PELO TAMANHO, E DEPOIS QUEBRAR SUAS CADEIAS LONGAS, TRANSFORMANDO-AS EM CADEIAS MAIS CURTAS. A GASOLINA É UMA MISTURA DE CADEIAS COM 5 - 10 ÁTOMOS DE CARBONO (OCTANO TEM 8).

HIDROCARBONETOS COMO OS DA PÁGINA ANTERIOR, COM LIGAÇÕES SIMPLES, SÃO CHAMADOS **ALCANOS**[1]. UMA LIGAÇÃO DUPLA TRANSFORMA UM ALCANO EM **ALCENO**, E UMA LIGAÇÃO TRIPLA O TORNA UM **ALCINO.** AS MOLÉCULAS RECEBEM NOMES DE ACORDO COM ISSO.

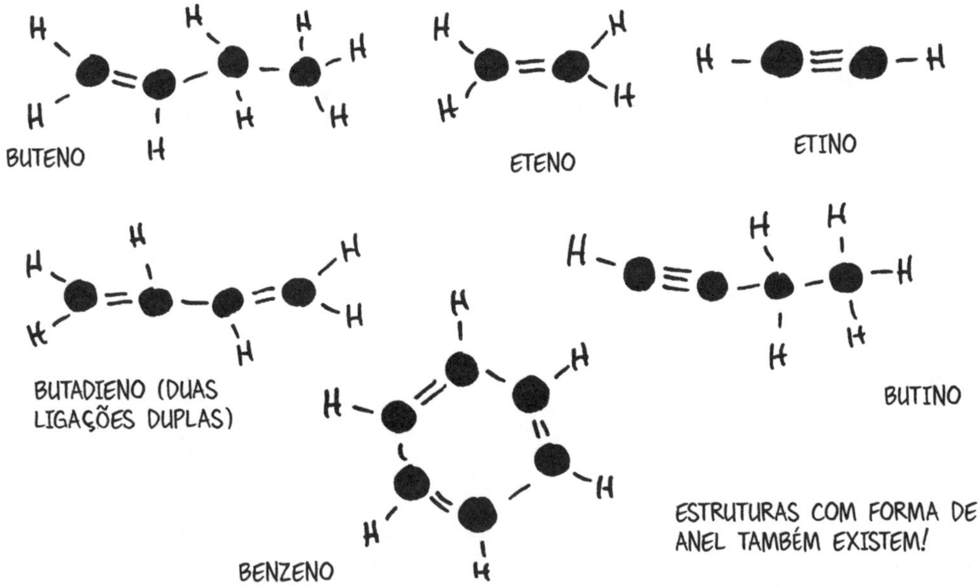

BUTENO

ETENO

ETINO

BUTADIENO (DUAS LIGAÇÕES DUPLAS)

BENZENO

BUTINO

ESTRUTURAS COM FORMA DE ANEL TAMBÉM EXISTEM!

PARA COMPLICAR UM POUCO, DOIS COMPOSTOS COM A MESMA FÓRMULA QUÍMICA PODEM TER DIFERENTES ESTRUTURAS. AS VARIANTES DE UMA "MESMA" MOLÉCULA SÃO CHAMADAS **ISÔMEROS**.

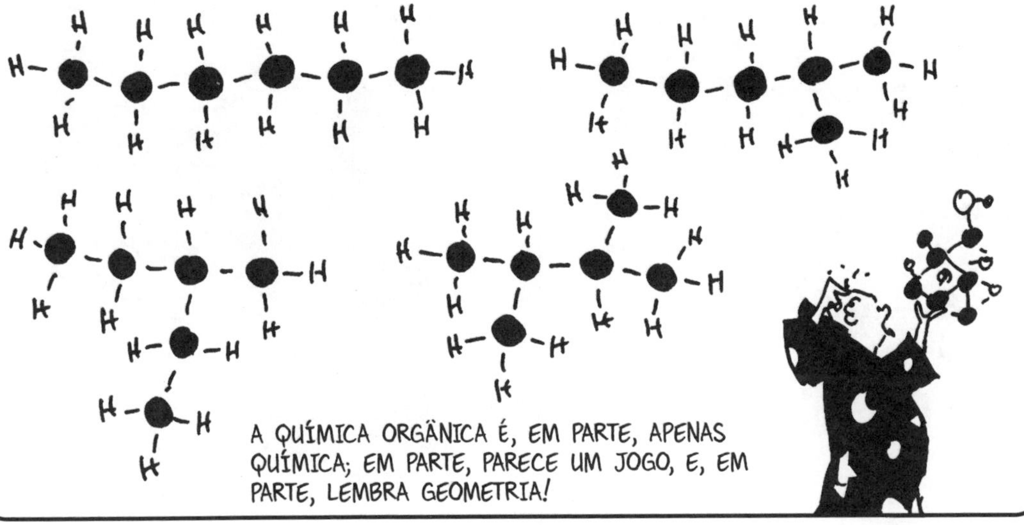

A QUÍMICA ORGÂNICA É, EM PARTE, APENAS QUÍMICA; EM PARTE, PARECE UM JOGO, E, EM PARTE, LEMBRA GEOMETRIA!

---

[1] ELES TAMBÉM SÃO CHAMADOS HIDROCARBONETOS SATURADOS, VISTO QUE POSSUEM NÚMERO MÁXIMO DE HIDROGÊNIOS. OS DERIVADOS COM DUPLA OU TRIPLA LIGAÇÕES SÃO DENOMINADOS INSATURADOS.

TUDO FICA MAIS DIVERTIDO QUANDO OXIGÊNIO E NITROGÊNIO TAMBÉM ENTRAM NA ESTRUTURA.

SE UMA CADEIA TEM UM OH, ELA É CHAMADA **ÁLCOOL**.

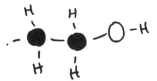

COM UM GRUPO COOH, É UM **ÁCIDO** CARBOXÍLICO. (SOMENTE O HIDROGÊNIO É FACILMENTE REMOVÍVEL, NÃO O GRUPO OH.)

NH_2 A TORNA UMA **AMINA**.

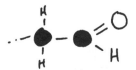

DUAS CADEIAS LIGADAS POR OXIGÊNIO FORMAM UM **ÉTER**.

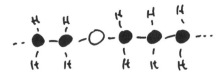

ALDEÍDOS SE PARECEM COM ISTO:

E ISTO É UMA **CETONA**:

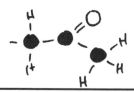

NÃO PODEMOS ESQUECER OS **ÉSTERES**, QUE NORMALMENTE CHEIRAM BEM.

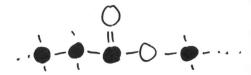

ESTA AQUI, FORMIATO DE ETILA, CHEIRA COMO RUM...

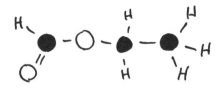

E O ACETATO DE PENTILA, É O "ÓLEO DE BANANA".

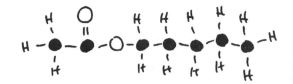

238

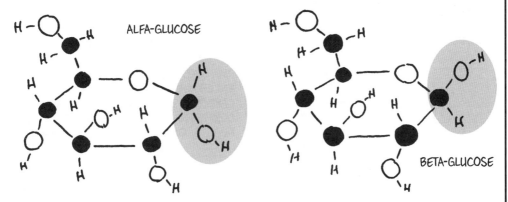

CARBOIDRATOS ("HIDRATOS DE CARBONO") TÊM EXATAMENTE DUAS VEZES MAIS HIDROGÊNIOS DO QUE OXIGÊNIOS[2]. ISTO É, SUA FÓRMULA GENÉRICA É $C_n(H_2O)_m$. OS EXEMPLOS MAIS SIMPLES SÃO OS **AÇÚCARES**, COMO A **GLUCOSE**, $C_6H_{12}O_6$.

AQUI ESTÃO OS DOIS PRINCIPAIS ISÔMEROS DE GLUCOSE. NA FORMA BETA, O GRUPO **OH** AO LADO DO **O** ESTÁ NO **MESMO** LADO DO ANEL, FORMANDO UMA CADEIA LATERAL. NA FORMA ALFA, O **OH** ESTÁ NO LADO **OPOSTO** DA CADEIA.

OS AÇÚCARES DE UM ANEL SÃO CHAMADOS AÇÚCARES SIMPLES OU **MONOSSACARÍDEOS**. SACAROSE, O AÇÚCAR DA CANA ENCONTRADO NO MERCADO, É UM **DISSACARÍDEO** FORMADO PELA LIGAÇÃO DA ALFA-GLUCOSE COM A FRUTOSE, QUE É OUTRO AÇÚCAR SIMPLES.

---

[2] EXISTEM EXCEÇÕES. A DEOXIRIBOSE É CONSIDERADA UM AÇÚCAR, EMBORA TENHA UM OXIGÊNIO A MENOS.

VAMOS PARAR UM MOMENTO E PERGUNTAR A NÓS MESMOS,

POR QUE CARBONO E SOMENTE CARBONO?

POR QUE ESSE É O ÚNICO ELEMENTO QUE PREFERE FORMAR CADEIAS LONGAS?

| 6
 C
 12,01 |
| 14
 Si
 28,09 |
| 32
 Ge
 72,59 |
| 50
 Sn
 118,7 |
| 82
 Pb
 207,2 |

O SILÍCIO, QUE FICA AO LADO DO CARBONO NA TABELA PERIÓDICA, TAMBÉM TEM QUATRO ELETRONS EXTERNOS, MAS NÃO ENCONTRAMOS CADEIAS DE SILANOS... (COM TANTA FREQUÊNCIA).

UMA RAZÃO É QUE A LIGAÇÃO C-C É EXCEPCIONALMENTE FORTE. OS ÁTOMOS DE CARBONO SÃO PEQUENOS, E OS ELÉTRONS COMPARTILHADOS ESTÃO PRÓXIMOS DO NÚCLEO, QUE OS ATRAEM MAIS FORTEMENTE.

TAMBÉM, NESSE SENTIDO, NÃO ENCONTRAMOS CADEIA DE OXIGÊNIO OU DE NITROGÊNIO.

NUNCA, NUNCA, NUNCA!

AQUI ESTÃO ALGUMAS FORÇAS DE LIGAÇÃO DE INTERESSE. (NOTE QUE OS NÚMEROS SIGNIFICAM A QUANTIDADE DE ENERGIA NECESSÁRIA PARA QUEBRAR A LIGAÇÃO.)

LIGAÇÃO	FORÇA (kJ/mol)
C—C	347-356[4]
C=C	611
C≡C	837
C—O	336
C—H	356-460[5]
Si—Si	230
Si—O	368
O—O	146
O=O	498
N—N	163
N=N	418
N≡N	946

[4,5] DEPENDE DO QUE ESTÁ LIGADO AO ÁTOMO DE CARBONO.

OBSERVE QUE A LIGAÇÃO C—C É AINDA MAIS FORTE QUE A LIGAÇÃO C—O. ISSO SIGNIFICA QUE CADEIAS ESTÁVEIS DE CARBONO PODEM SE FORMAR NA PRESENÇA DE OXIGÊNIO.

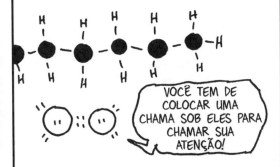

EM CONTRASTE, O OXIGÊNIO PREFERE O=O EM VEZ DE O—O—O, E O NITROGÊNIO PREFERE LIGAR-SE FORMANDO N≡N. RESULTADO: NÃO EXISTEM CADEIAS DE OXIGÊNIO OU NITROGÊNIO!

EM CONTRASTE, AS LIGAÇÕES Si—Si SÃO MUITO MAIS FRACAS QUE AS LIGAÇÕES Si—O. O OXIGÊNIO QUEBRA AS LIGAÇÕES DAS CADEIAS DE Si. A MAIORIA DO SILÍCIO NA TERRA EXISTE COMO SiO_2 (AREIA) OU SiO_3^{2-} NAS ROCHAS DE SILICATO. DE FATO, VOCÊ ENCONTRA COM FREQUÊNCIA PETRÓLEO E AREIA, LADO A LADO.

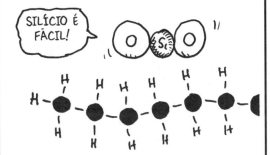

FINALMENTE, A LIGAÇÃO C—H É FORTE. OS HIDROCARBONETOS SÃO ESTÁVEIS À TEMPERATURA AMBIENTE. OUTROS HIDRETOS TENDEM A SER INSTÁVEIS PRÓXIMOS AO OXIGÊNIO.

VEJA TAMBÉM QUE DUAS LIGAÇÕES C—C SÃO MAIS FORTES QUE UMA LIGAÇÃO C=C. O CARBONO PREFERE ISTO

EM RELAÇÃO A:

TRÊS LIGAÇÕES SIMPLES TAMBÉM SÃO MAIS FORTES DO QUE UMA TRIPLA. RESULTADO: AS CADEIAS LONGAS SÃO PREFERENCIAIS EM COMPARAÇÃO COM AS PEQUENAS.

EM RESUMO, UMA DAS FORMAS PREFERIDAS DO CARBONO SÃO AS LONGAS CADEIAS COM LIGAÇÕES SIMPLES, ÀS VEZES, RAMIFICADAS OU FORMANDO ANÉIS, COM MUITOS HIDROGÊNIOS LIGADOS. ISSO NÃO ACONTECE COM NENHUM OUTRO ELEMENTO.

MOLÉCULAS DE CARBONO, GRANDES E COMPLICADAS, FORMAM OS INGREDIENTES ESSENCIAIS DA VIDA... DE FATO, OS COMPOSTOS DE CARBONO ESTÃO TÃO INTIMAMENTE ENVOLVIDOS COM SISTEMAS VIVOS QUE OS QUÍMICOS REFEREM-SE A TODOS OS COMPOSTOS DE CARBONO COMO **ORGÂNICOS**. O CARBONO TORNA A VIDA POSSÍVEL!

FELIZMENTE, PARA OS QUÍMICOS, MESMO OS MAIORES E HORRIPILANTES COMPOSTOS ORGÂNICOS SÃO CADEIAS DE SUBUNIDADES MAIS SIMPLES LIGADAS ENTRE SI. O EXEMPLO MAIS SIMPLES É O POLIETILENO, $(CH_2)_n$, ENCONTRADO NOS PLÁSTICOS.

AS UNIDADES INDIVIDUAIS DESSAS CADEIAS SÃO CHAMADAS MONÔMEROS ("ESPÉCIES ISOLADAS") E A CADEIA INTEIRA É UM

POLÍMERO.

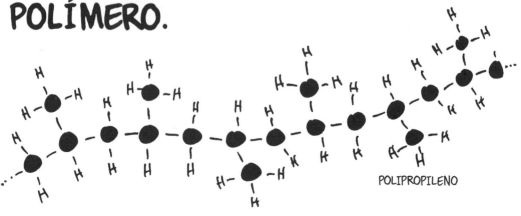

POLIPROPILENO

OS POLÍMEROS DA NATUREZA SÃO UM POUCO MAIS EXTRAVAGANTES QUE ESSES PLÁSTICOS SIMPLES. POR EXEMPLO, OS **POLISSACARÍDEOS** COMBINAM-SE COM MUITOS AÇÚCARES DE PONTA A PONTA. **A CELULOSE** É FORMADA DE CADEIAS REPETITIVAS DE BETAGLUCOSE.

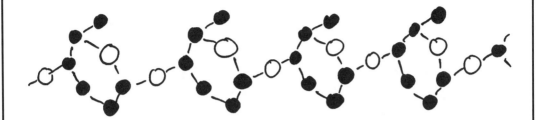

O **AÇÚCAR** É UM COMBINADO DE MONÔMEROS DE ALFA-GLUCOSE.

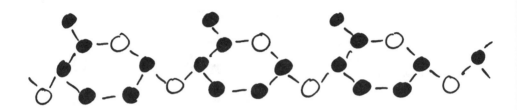

APESAR DA VISÍVEL SIMILARIDADE, AMIDO E CELULOSE SÃO MUITO DIFERENTES QUIMICAMENTE. A CADEIA DE AMIDO É MAIS FACILMENTE QUEBRADA E OXIDADA COMO UM COMBUSTÍVEL NO ORGANISMO, ENQUANTO AS FIBRAS DURAS DA CELULOSE SÃO POUCO DIGERÍVEIS PARA A MAIORIA DOS ANIMAIS.

COMPOSTOS QUÍMICOS DA VIDA

OS SISTEMAS VIVOS SÃO REPLETOS DE CADEIAS **NÃO REPETITIVAS**. ENTRE OS INGREDIENTES CHAVE ESTÃO OS **AMINOÁCIDOS**, PEQUENAS MOLÉCULAS COM O AMINOGRUPO BÁSICO (NH_2), E UM ÁCIDO CARBOXÍLICO (COOH), ALÉM DE ALGUNS OUTROS GRUPOS LIGADOS AO MESMO ÁTOMO DE CARBONO.

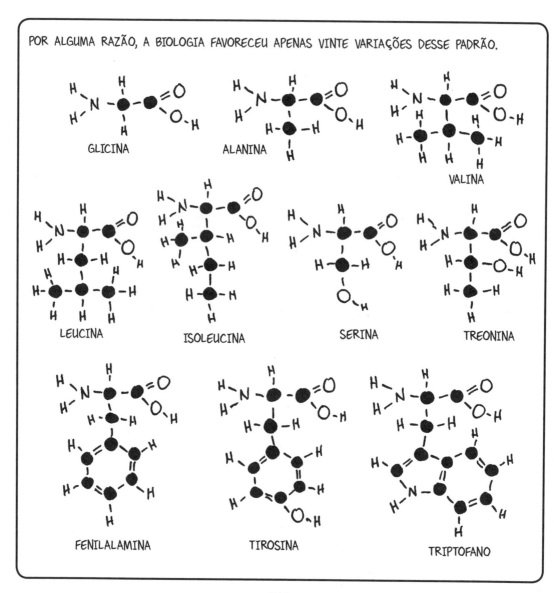

POR ALGUMA RAZÃO, A BIOLOGIA FAVORECEU APENAS VINTE VARIAÇÕES DESSE PADRÃO.

GLICINA — ALANINA — VALINA
LEUCINA — ISOLEUCINA — SERINA — TREONINA
FENILALAMINA — TIROSINA — TRIPTOFANO

244

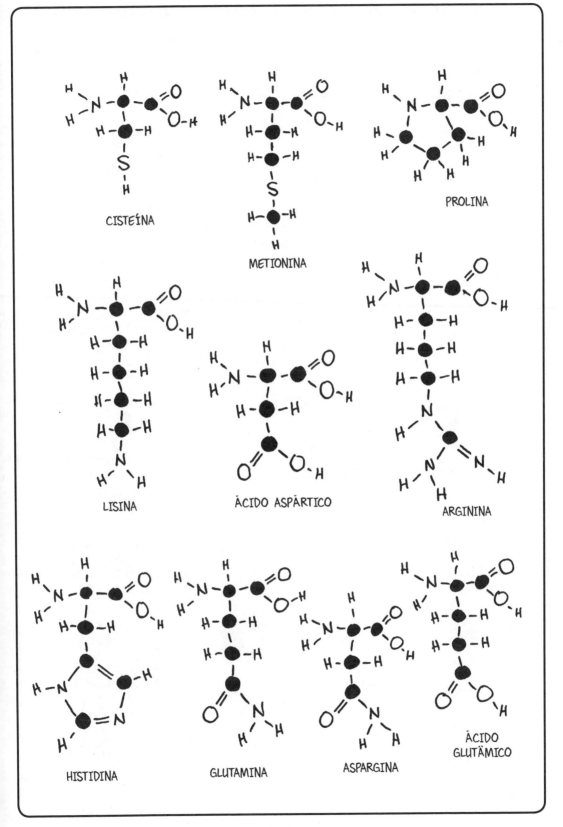

DOIS AMINOÁCIDOS PODEM UNIR-SE EM UMA CONEXÃO CHAMADA **LIGAÇÃO PEPTÍDICA**.

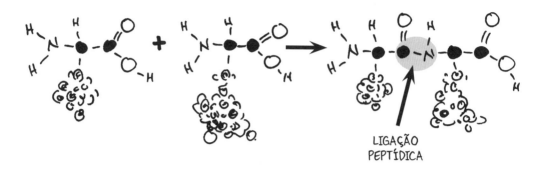

LIGAÇÃO PEPTÍDICA

A CADEIA CURTA RESULTANTE AINDA TEM UM NH$_2$ EM UMA EXTREMIDADE E NA OUTRA, UM COOH, ASSIM MAIS AMINOÁCIDOS PODEM SE JUNTAR PARA FORMAR UMA CADEIA **PEPTÍDICA**.

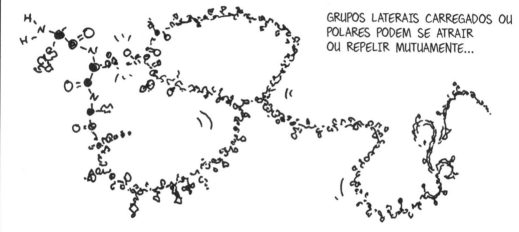

GRUPOS LATERAIS CARREGADOS OU POLARES PODEM SE ATRAIR OU REPELIR MUTUAMENTE...

O POLIPEPTÍDIO SE DOBRA, POR UM PROCESSO QUE AINDA NÃO É BEM COMPREENDIDO...

ATÉ TORNAR-SE UMA **PROTEÍNA**. (DE FATO, AS PROTEÍNAS, ALGUMAS VEZES, TÊM DOIS OU MAIS CADEIAS SEPARADAS, ENROSCADAS ENTRE SI.)

ALGUMAS PROTEÍNAS SERVEM COMO MATERIAL ESTRUTURAL, PORÉM A MAIORIA SÃO **CATALISADORES** PARA OUTRAS REAÇÕES. PROTEÍNAS CATALÍTICAS SÃO DENOMINADAS **ENZIMAS**. POR EXEMPLO:

QUANDO VOCÊ INGERE AÇÚCAR, SEU CORPO PRODUZ ENZIMAS QUE PROMOVEM A SUA QUEBRA...

A ENZIMA RECONHECE A MOLÉCULA DE AÇÚCAR EM PARTICULAR...

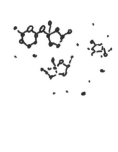

E CATALISA A REAÇÃO QUE LEVA À SUA QUEBRA EM FRAGMENTOS MENORES.

A ENZIMA PERMANECE INALTERADA NO PROCESSO.

ENQUANTO ISSO, OUTRA PROTEÍNA CHAMADA **HEMOGLOBINA** TRANSPORTA OXIGÊNIO PELA CIRCULAÇÃO SANGUÍNEA ATÉ AS CÉLULAS, ONDE PODE OXIDAR A GLUCOSE E LIBERAR A ENERGIA QUE O CORPO NECESSITA PARA CONTINUAR FUNCIONANDO.

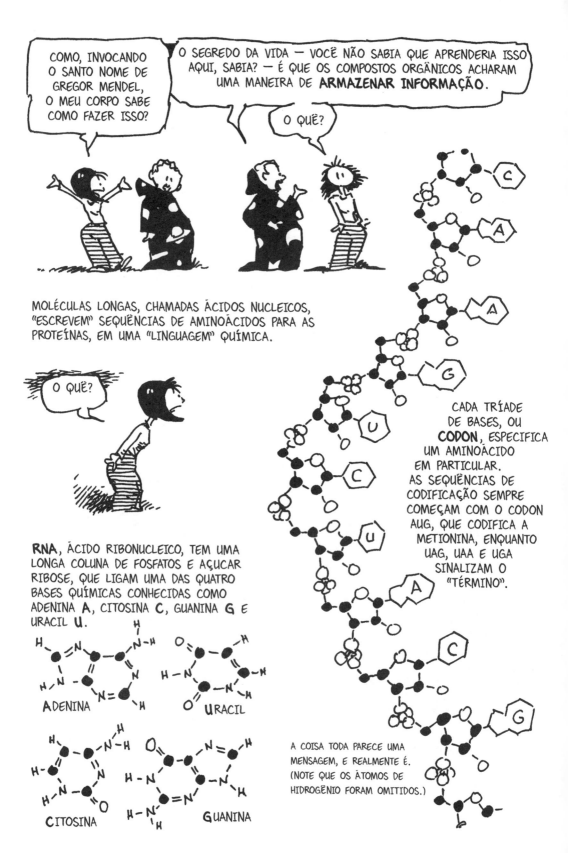

O OUTRO ÁCIDO NUCLEICO, **DNA**, ÁCIDO DEOXYRIBONUCLEICO, TEM DUAS FITAS SEMELHANTES AO RNA, ENROLADAS UMA NA OUTRA. ASSIM COMO O RNA, O DNA USA AS BASES **A, C** E **G,** MAS SUBSTITUI O **U** PELA TIMINA, **T**.

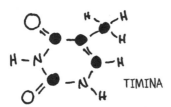

TIMINA

AS DUAS FITAS SE ENCAIXAM COM MILAGROSA PERFEIÇÃO: **A** SEMPRE SE EMPARELHA COM **T,** E **C** SEMPRE SE EMPARELHA COM **G,** POR MEIO DE LIGAÇÕES DE HIDROGÊNIO.

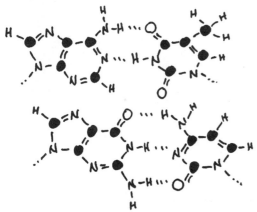

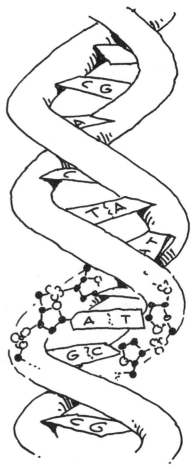

UMA FITA DO DNA É O **COMPLEMENTO** DA OUTRA. EM OUTRAS PALAVRAS, O DNA TRANSPORTA A INFORMAÇÃO NECESSÁRIA PARA SE **AUTO-REPRODUZIR!!!** (NA REALIDADE O TRABALHO É EXECUTADO POR ENZIMAS ESPECÍFICAS ACIONADAS POR MEIO DE REAÇÕES REDOX.)

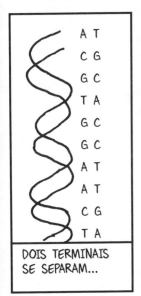

DOIS TERMINAIS SE SEPARAM...

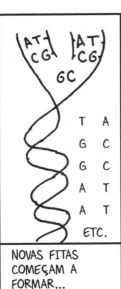

NOVAS FITAS COMEÇAM A FORMAR...

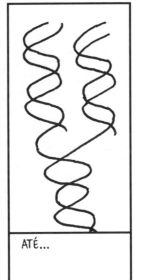

ATÉ...

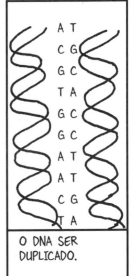

O DNA SER DUPLICADO.

249

COMO ISSO É FEITO, E COMO AS SEQUÊNCIAS DE CODON SÃO TRADUZIDAS EM PROTEÍNAS, SÃO DETALHES QUE VOCÊ TERÁ DE ENCONTRAR EM OUTRO LUGAR. SUGERIMOS O LIVRO **THE CARTOON GUIDE TO GENETICS**...

E EXISTE UM **BOCADO** DE DETALHES NA QUÍMICA ORGÂNICA E BIOQUÍMICA, DE FATO, SEM FIM! SEM MENCIONAR OUTROS ASPECTOS LIGADOS À FÍSICA, CIÊNCIAS NUCLEARES, AMBIENTAL, NANO E TODOS OS OUTROS RAMOS DA QUÍMICA. SIM, LEITOR, CHEGOU A HORA DE RECOMENDAR OUTROS CURSOS MAIS AVANÇADOS, E DE CONGRATULÁ-LO POR TER CONCLUÍDO ESTE BÁSICO! TCHAU!.

APÊNDICE
O USO DE LOGARITMOS

EM ALGUNS DE NOSSOS CAPÍTULOS, USAMOS UMA FACILIDADE MATEMÁTICA CHAMADA LOGARITMO (OU LOG, ABREVIADAMENTE). O LOGARITMO É UMA FORMA COMPACTA, CONVENIENTE, DE ESCREVER UM NÚMERO. POR EXEMPLO, EM VEZ DE $[H^+] = 10^{-7}$, PODEMOS ESCREVER pH = 7. pH É UM LOGARITMO.

UM LOGARITMO É UM EXPOENTE. O **LOGARITMO COMUM** DE UM NÚMERO N, log N, É O EXPOENTE DE 10, AO QUAL ESTE DEVE SER ELEVADO PARA GERAR N.

$10^a = N$ É O MESMO QUE $a = \log N$, ISTO É, $10^{\log N} = N$

ENTÃO log 10 = 1 E log 1 = 0 E log 100 = 2 (POIS $10^0 = 1$, $10^2 = 100$).

E log 72,3 = 1,85914 pois, $10^{1,85914} = 72,3$ (CONFIRME COM SUA CALCULADORA.)

USADO BASTANTE NO CAPÍTULO 9!

FUNDAMENTAL: QUANDO OS NÚMEROS SÃO **MULTIPLICADOS**, SEUS **LOGARITMOS SÃO SOMADOS**.

$\log MN = \log M + \log N$

ISTO É PORQUE $10^a 10^b = 10^{(a+b)}$. SE $M = 10^a$ E $N = 10^b$, ENTÃO $MN = 10^a 10^b = 10^{(a+b)}$ E, ASSIM, $a+b = \log MN$. MAS, $a = \log M$ e $b = \log N$.

DO MESMO MODO,

$\log(M^p) = p(\log M)$

$\log\left(\dfrac{1}{N}\right) = -\log N$

POIS, ESSA É A FORMA COMO OS EXPOENTES SE COMPORTAM:

$10^{-a} = \dfrac{1}{10^a} \qquad 10^{ab} = (10^a)^b$

LOG N NOS DÁ UMA IDEIA APROXIMADA DA GRANDEZA DO N. A PARTE INTEIRA DO LOGARITMO DÁ A MAGNITUDE DO N.

log 1.234 = 3,0913

log 1,234 = 0,0913

log 1.234.000 = 6,0913

log (a × 10^n) = n + log a

VOCÊ ENCONTRARÁ UMA EXCELENTE CALCULADORA ON-LINE EM
http://www.squarebox.co.uk/desktop/scalc.html

LOGARITMOS NATURAIS

LOGARITMOS COMUNS SÃO DE BASE DEZ. ELES SÃO EXPOENTES DE 10 (TAMBÉM CHAMADOS LOGARITMOS DECIMAIS). ÀS VEZES, ENTRETANTO, ELES SÃO MENOS CONVENIENTES QUE OS "LOGARITMOS NATURAIS". POR EXEMPLO, QUANDO UMA QUANTIDADE MUDA COM UMA VELOCIDADE PROPORCIONAL À ELA MESMA. ISTO É, NO TEMPO T,

$V_A(t) = kA_t$

É POSSÍVEL MOSTRAR QUE A QUANTIDADE A_t EM QUALQUER VALOR DE T FICA IGUAL A

$A_t = A_o e^{kt}$ ONDE A_o É A QUANTIDADE INICIAL DE A E e = 2,71828...

ENTÃO, $E^{kt} = A_t/A_o$ E PODEMOS ESCREVER kt = ln (A_t/A_o), O **LOGARITMO NATURAL** DE A_t/A_o. O LOG NATURAL DE QUALQUER NUMERO N, (ln N). É O EXPOENTE AO QUAL E DEVE SER ELEVADO PARA RESULTAR EM N.

M = ln N SIGNIFICA A MESMA COISA QUE e^M = N

COMO $e^a e^b = e^{(a+b)}$ ETC., OS LOGS NATURAIS SEGUEM AS MESMAS FÓRMULAS DOS LOGARITMOS COMUNS.

ln MN = ln M + ln N

ln (1/M) = — ln N

ln (M^n) = n ln M

DE FATO, O LOGARITMO NATURAL É UMA **CONSTANTE MÚLTIPLA** DO LOGARITMO COMUM (DECIMAL).

ln N = ln($10^{\log N}$) = (log N)(ln 10)

ln 10 = 2,302585... , ENTÃO

ln N = 2,302585 log N

ÍNDICE

ácidos e bases, 173-198
ácidos nucleicos, 248-249
açúcares, sacarose, 138, 239, 247
afinidade eletrônica, 49-52
água, 20, 21, 22, 27, 203
alquimia, 13-14
alternador, 226
amido, 243
aminoácidos, 244-248
amônia, 67, 171, 175, 184, 187
amu (unidade de massa atômica) 33, 80
ânions, 28, 49, 51, 58, 220
anodo, 27, 220, 221, 220
ar, 12, 18, 106
Aristóteles, 12, 13, 19
átomos poliatômicos, 58, 69, 86
átomos, 12, 21
Avogadro, 80

balanceamento de equações, 78-81, 89
balanço de massas, 81, 90
Bateria de Chumbo ácido, 226, 230
bateria, 27, 221, 226, 230
bomba calorimétrica, 104
Brand, Henning, 13

cadeia peptídica, 246
cadeias de carbono 236-249
calor de combustão, 111
calor específico, 100, 101-103, 135
calor, 94-112
calorimetria, 104-108
capacidade calorífica, 100-105, 205
carboidratos, 239
carbono, 22, 42, 55, 90, 235, 240, 241
catalisadores 161-162, 247
cátions, 28, 190, 220
catodos, 27, 28, 220, 221
Celsius, Escala, 96
célula de combustível, 227
células eletroquímicas, 219, 220
cerâmica, 77, 78, 81, 125
cobre, 11, 101-102
coeficientes estequiométricos, 168

combustão espontânea, 233
combustão, 19, 76, 77, 85, 227
comprimento de onda, 36, 37, 38
concentração, 141-142, 150-151, 172, 176-177, 190
condensação 126, 129
constante da água, 178
constante de velocidade, 161-162
constantes de equilíbrio, 168-169, 183, 190
constantes de velocidade, 152
conversor catalítico, 162
corrente elétrica, 27, 61, 234
corrosão, 14, 85
curvas de aquecimento, 134-136

Demócrito, 12
diagramas de fase, 132-133
DNA 249
dupla ligação, 64, 66, 69
elasticidade, 118
elementos representativos, 45
elementos, 20-24
eletrodos, 28, 220, 226
eletrólise, 27, 28, 234
eletronegatividade, 55, 56, 62, 64, 70, 71
elétrons 28, 29, 32, 34, 36-52
elétrons de valência, 47, 48, 64, 66, 87
eletropositividade 55, 56, 62
eletroquímica, 217-234
emulsão, 40
energia cinética, 95, 98-99, 158
energia de ativação, 159-162
energia de ionização, 48
energia interna, 98-99
energia livre, 209-224
energia potencial, 95, 98, 221
energia radiante, 94, 95
energia, 34, 38, 39, 47, 93-111
entalpa de formação 108-112, 124, 130, 213
entalpia, 106-107
entalpias de combustão, 111
entalpias de fusão, 130
entropia absoluta, 204-205
entropia padrão, 205

entropia, 203-214
enzimas, 247
equilíbrio, 126, 232, 166-172, 209, 230
espalhamento, 202, 203-210
estado de transição, 157
estequiometria de reação, 79
estrutura cristalina, 56-59
evaporação, 124-127, 130, 133-136, 147
explosivos, 14, 84-85, 88-91
explosões, 106, 107, 110-111, 122

Faraday, constante, 228
fogo, 9-11, 12, 17, 19, 75, 76
força de ligações, 116, 240-241
forças intermoleculares, 114-117
fótons, 95
Franklin, Benjamin, 26

gases 14-21, 106, 118-122
gases ideais, 118, 121
gases nobres, 51-52, 115, 133
gelo, 131, 134-135
Gibbs, 209-213, 228
Gilbert, William, 25
glucose, 221, 232-233, 247
Guericke, Otto von, 15, 119

Haber, processo, 171, 208, 212
halogênios, 49
hélio, 133
hemoglobina, 247
Henderson-Hasselbalch, equação, 195-197
Heráclito, 12
hidrogênio, 17, 20, 21, 222, 235
hidrônio, 176
hidrólise, 183

indicadores 179
íon, 28, 39, 56, 57, 59, 117
ionização da água, 169, 176, 178, 180, 193-197, 216
ionização, 59, 61

isômeros, 237
isótopos, 33

Jabir, 13
John Dalton, 21
Joule, James Prescot, 100
Joules, 94, 98-99, 158

Kelvin, escala, 96, 118

Lantanídios, 45
Lavoisier,Antoine, 18-19
Le Chatelier, Princípio, 170-171, 192, 212
Lei da ação das massas, 168
Lei da conservação de energia, 94
Lei de Avogadro, 120
Lei de Boyle, 120
Lei de Charles, 120
Lei de Hess, 109
Leis dos gases, 120-122, 136
Lewis, 64, 67, 69
ligação covalente, 62-66, 70-71, 73
ligação peptídica, 246
ligações de hidrogênio, 63, 72, 102, 114
ligações iônicas, 56-59, 12
ligações metálicas, 59, 60-61
ligações, 53-74
líquidos, 113, 114, 117, 123-129
logaritmos, 179, 251-252

massa atômica, 32-34, 36
massa, 32, 36, 80
mecânica quântica, 36, 37, 69, 206
meia-vida, 151-152
Mendeleev, Dmitri, 23
metais de transição, 45, 47
miscibilidade, 143
mol, 80-81, 89, 118, 120
moléculas, 21, 57, 63-69
mudança de fase, 117, 127-135, 203
mudanças de estado, 124, 129, 132-133
mullita, 77, 78

não metais, 50, 55, 64
neônio, 42, 51
Nernst, equação, 230, 231
neutralização, 185-189, 198
nêutron, 32, 33, 34
núcleo, 30, 33-36, 49
número atômico, 33-35, 48
Número de Avogadro, 80
número de oxidação, 87, 218
números de oxidação, 86-91, 218

orbitais 37-44, 51, 68
orbitais híbridos, 68
origem da vida, 162
oxidação, 85, 232-233
oxidantes, 88, 121
oxigênio, 17-22, 55, 35, 247
ozônio, 150

peso atômico, 19-20, 23, 34, 120
peso equivalente, 186
pH, 178-179, 181, 184, 186-188
plasma, 136
polaridade, 70-73, 144
polímeros, 242-243
pólvora, receita, 90
ponto de congelamento, 103, 131, 146
ponto de ebulição,117, 127-129
ponto de fusão, 117, 130-131
pontos de congelamento/ebulição, 146-147
potencial elétrico, 221
precipitação, 76
pressão atmosférica, 15, 16, 119, 150
pressão de vapor, 126-130, 147
pressão parcial, 126, 127, 130, 145, 154-156
pressão, 118-120, 132
Priestley, Joseph, 16-17, 19
produto de solubilidade, 190-192
proteínas, 246-247, 248
prótons, 32-35

Quanta, 38, 201
quantização da energia, 38, 202

química orgânica, 235-250
quociente de reação, 215

radiação eletromagnética, 95
radicais livres, 150
Razi, al, 13
reação reversa, 166-167, 203, 215
reações de segunda ordem, 154-155, 161-163
reações elementares 164, 165
reações endotérmicas, 107, 110, 124, 130, 159
reações exotérmicas, 107, 112, 159
reações químicas, 16-20
reações redox, 84-91, 111, 217-229
redutores, 88
refrigerantes, 102-103, 125
regra dos oito, 51-52, 69
RNA, 248

sabão, 83
sal, 28, 49, 56, 59
saturação, 143, 190-192
Segunda lei da termodinâmica, 207
semi-reações, 222-227, 230, 232
sólidos, 113, 117, 130-134
solubilidade de gases, 145
solubilidade, 143-145, 192
soluções, 137-148
solvatação, 139-140, 146-147
sublimação, 130, 132
superfluido, 133
suspensões, 140

tabela periódica, 23-24, 46-52
tampão 193-198
temperatura, 96-97, 99
tensão superficial, 123
teoria atômica, 27-52
teoria das colisões 154-160
termodinâmica, 199-216
termômetros, 96, 123
titulação, 189
trabalho, energia, 94, 106, 210, 229
transferência de energia, 202, 203-210
variação de entalpia, 139, 208, 209
vinagre, 138, 182

QUEM SÃO OS AUTORES

LARRY GONICK É FILHO E GENRO DE QUÍMICOS. ELE, UMA VEZ, CONSIDEROU SEGUIR A CARREIRA ACADÊMICA, MAS PRUDENTEMENTE ABANDONOU A IDEIA, DEPOIS DE QUEBRAR UMA DÚZIA DE VIDRARIAS, EM UMA ÚNICA JORNADA DE TRÊS HORAS NO LABORATÓRIO DE QUÍMICA. ELE ESCREVE E DESENHA LIVROS CÔMICOS DE NÃO FICÇÃO, E É CARTUNISTA OFICIAL DA **MUSE MAGAZINE**. GONICK VIVE, FISICAMENTE, COM SUA FAMÍLIA NA CALIFÓRNIA, E VIRTUALMENTE NO www.larrygonick.com.

CRAIG CRIDDLE É PROFESSOR DE CIÊNCIA E ENGENHARIA AMBIENTAL NA UNIVERSIDADE DE STANFORD, ONDE ENSINA QUÍMICA AQUÁTICA E BIOTECNOLOGIA AMBIENTAL. PUBLICOU MUITOS ARTIGOS SOBRE OS COMPOSTOS QUÍMICOS NO TRATAMENTO DA ÁGUA, E SEUS ESTUDANTES DE GRADUAÇÃO E PESQUISADORES ASSOCIADOS GOSTAM DE PENSAR QUE PODEM RESOLVER A CRISE DA ÁGUA NO MUNDO. PROF. CRIDDLE E SUA ESPOSA VIVEM EM CUPERTINO, CALIFÓRNIA, COM SEU CÃO DE ESTIMAÇÃO E SEUS QUATRO FILHOS (JÁ CRESCIDOS), QUANDO ESTÃO EM CASA. SEU WEB SITE É www.stanford.edu/group/evpilot/. PARA ELE, EQUIPAMENTOS QUEBRADOS FAZEM PARTE DA CIÊNCIA.

Impressão e Acabamento

Bartiragráfica

(011) 4393-2911